国家出版基金项目
NATIONAL PUBLICATION FOUNDATION

《三联经典文库》

第二辑

2012年国家出版基金项目

三联经典文库

131

从战争到和平

——一九四五年的世界政治

乔木　著

生活·讀書·新知 三联书店

图书在版编目(CIP)数据

从战争到和平——一九四五年的世界政治 / 乔木著.
-- 北京 : 生活 · 读书 · 新知三联书店, 2014.1
（三联经典文库第二辑）
ISBN 978-7-108-04606-2

Ⅰ. ①从… Ⅱ. ①乔… Ⅲ. ①国际政治－史料－1945
Ⅳ. ①D5

中国版本图书馆CIP数据核字(2013)第151370号

131 从战争到和平——一九四五年的世界政治

责任编辑 樊燕华
封扉设计 蔡立国
责任印制 李思佳
出版发行 生活 · 讀書 · 新知 三联书店
（北京市东城区美术馆东街22号）
邮　　编 100010
经　　销 新华书店
印　　刷 北京市松源印刷有限公司
版　　次 2014年1月北京第1版　2014年1月北京第1次印刷
开　　本 787毫米×1092毫米 1/32　印张 16
字　　数 226千字
定　　价 58.00元

《三联经典文库》出版缘起

适逢生活·读书·新知三联书店八十华诞，为弘扬传统，接续文脉，回报读者，服务社会，我们决定策划出版《三联经典文库》。

1932年7月，生活书店在上海创办，此后，读书出版社和新知书店相继成立。本文库第一辑、第二辑所选图书，来自于这三家出版单位及其分支机构，以及1948年生活·读书·新知三联书店成立后的出版物，始于1932年，截至1951年，两辑各一百种。此为第二辑，涉及政治、经济、社会、军事、思想文化诸领域，涵盖专著、文集、散文、小说、诗歌、传记、报道等体裁，既有直面现实、追求真理、讴歌真善美、抨击假恶丑的原创作品，又有引介世界各国先进文化、传播新知、开启民智的迻译之作，真实记录了那一代知识分子的思考与探索、理想与愿景和对中华民族文化传承与创新所做出的努力与贡献。

本文库所辑入各书，多为名家名作，在版本方面，以初版一印本或经著译编者审定、修订、增订过的版本为首选，因此本文库又具有较为珍贵的版本价值和收藏价值。

本文库还将编选续辑，使之成为恢弘文化工程。诚挚希望读者给予批评和指正，帮助我们完善编选工作，再现三联经典作品之风采。殊为遗憾的是，由于年代久远，一些原著译编者及其后人未能取得联系并奉付稿酬，诚盼版权所有者与我们联系。祈愿三联前辈所创造的精神财富能薪火相传，为中华文化的伟大复兴增光添彩。

《三联经典文库》编辑委员会

2013年8月

凡　例

一、本文库为重排本，由繁体字竖排版改为简体字横排版。

一、以忠实于原作、整旧如旧为编辑原则，对当时使用的专有名词、外文译名，以及民国时期的语言和特色予以保留。

一、原书注释如旧，编者所出的注释，均以“编者注”标明，以示与原书注释的区别。

一、对原书残缺或字迹漫漶之处，以□示代。

一、对繁简文本转换时的“如右”、“见左”一类，对应改为“如上（前）”、“见下（后）”。

一、对原书中各种错讹脱衍之处，直接订正，不再以其他符号标示。

一、对数字、标点符号的用法，在不损害原文语义的情况下，做必要的规范。

一、本文库各书均前插原书书影、原书版权页和文库版“本书出版说明”。

一、本书出版说明的撰写，以客观中立为原则，扼要介绍本书的内容、版本流转、著译编者的情况。

本书出版说明

本书收录了重庆《新华日报》“国际述评”专栏在1945年发表的二十三篇文章。作者凭借其渊博的知识以及对国外资讯的把握，不仅及时向国人较为全面地报道和分析了第二次世界大战在1945年这一阶段中几大战线的战况，如参战各方军事力量的对比，未来战局的发展，以及与战争进程密切相关的世界政治格局的变化，同时也向外界及时传达了中共对于国共关系、美国对华政策，以及对同盟国家内部关系、战后世界的民主和世界政治格局等一系列关系重大的国内及国际问题的观点和主张。书后附有《联合国宪章》等附录四则。

本书由上海知识出版社1946年3月出版，同年8月《大连日报》社也出版了相同的版本。此后重庆出版社于1983年出版的《国际述评集》中，收录了本书中的部分文章。此次出版，即以1946年3月版为底本。

乔冠华（1913-1983），江苏盐城人。十六岁入清华哲学系，二十岁赴日深造，因参加日共活动被当局驱逐，后赴德攻读哲学，期间自修军事理论，军事地理，对克劳塞维茨《战争论》有深入研究，对西方政治、经济、文化等领域亦有广泛涉猎；二十三岁时获图宾根大学哲学博士学位。抗战爆发后回国，在港期间为《时事晚报》等刊物撰写国际述评。1941年出任香港《华商报》、《大众生活》编委。1942年秋至重庆，负责主编共产党机关刊物《群众周刊》，1943年至1946年3月间主笔《新华日报》半月一期的“国际专栏”，同时开始参与共产党的外交活动。抗战结束后，在沪创办英文版《新华周刊》，1946年底赴港任新华社香港分社社长。1949年后任职于外交部，1974年年底成为共和国外交部第四任部长，这一任职在两年后的1976年年底结束。1983年病逝于北京。著作有《国际述评集》、《从慕尼黑到敦刻尔克》等。

生活·读书·新知三联书店

2013年8月

知识出版社 1946 年 3 月初版书影

从战争到和平

——一九四五年的世界政治

著者　乔木
出版者　知识出版社
总经售　华夏书店
上海白克路五二三号

中华民国三十五年三月初版

原书版权页

目次

苏军大攻势

时候已经到了

日本自命它有千百万不沉的航空母舰——海上基地，而美国所有的不过几百条能沉的航空母舰而已，这样看来，日本何惧之有？但，如今不同了，那自命为不沉的航空母舰一个个的沉下去了，而那浮动的海上堡垒——特种混合舰队却像一个巨大的幽灵一样闯进日本帝国的内海来了。

美国第三舰队自由自在地出现在南中国海，这是太平洋战争中的一件划时期的大事，其对于整个战争发展的意义是非常重大的。

先是九日美军在吕宋岛仁牙因湾登陆，可以预见的日本绝不会轻易放手，吕宋之战是一种带有决定性的战争；既不放手就必增援，日本增援，美国反增援，这是吕宋之战尚未开始时就已了如指掌的事情。日本增援吕宋最近的路线是台湾，其次则是中南半岛。当美军准备在吕宋登陆之时（六日、七日、八日），他们当已发现日军的增援船只从越南的金兰湾出发了。先发制人，美军一方面在仁牙因湾登陆，留有第七舰队监视吕宋的前后左右，而另一方面却派了第三舰队，横渡南海，直扑越南海岸，截击自金兰湾开出的日军的增援舰只，美军这一举的勇敢在海战史上是少有的。美第三舰队炮轰和轰炸西贡和金兰湾是在十一日，大家以为大海战一定是在越南海面发生了，事实不然，越南海面并无日本海军。日本海军到那里去了呢？

重要的不是日本海军不在越南海面，而是日本海军根本不敢露面，日本海军不敢在自己的内海里露面，这一件事实的意义是重大的。由于这个缘故，第三舰队能够从容地在十四、十五、十六几天连续地对香港、广州、汕头等地施行轰炸，而在这轰炸过程中又一件重大的事实出现了，在这一带日军并无充足的空军把守，美第三舰队的轰炸机并未遇到严重的抵抗，海军不敢出来，空军力量不足，这是第三舰队突击南中国海所得到的两大情报，这对于将来的发展是有极端重大意义的。

美第三舰队在南中国海巡逻了一周以上（自十日至十七日）又开到了台湾海面，二十一日起连续地对台湾施行了大规模的袭击，出动的飞机达四百架以上，这从海上来的袭击和从陆上来的超级空中堡垒相配合，实际上已从空中封锁了台湾，使台湾援军不能向吕宋移动一步。

由于第三舰队这辉煌的，以隔绝吕宋日军为目的的海上运动战，吕宋正面战场的日军一直到现在（从九日至二十五日）没有得到丝毫的增援，这就使得岛上日军的抵抗不能加强，而美军虽然走过了从仁牙因到马尼拉一半的路（十五日美军克塔拉克）还没有遇到日军集中的抵抗。

吕宋战争何时始能结束，第一要看美军能维持这水泄不通的战略封锁到几时，其次要看岛上日军的抵抗能力究竟怎样。

日本要打破这一封锁，势非出动它的海军主力不可，看情势日本的海军是要出动的；因此目前我们观察吕宋岛的战事与其向吕宋岛的核心看，无宁向吕宋岛的四周看，当前的问题是日本海军是否出动，出动后海战结果如何；假如日本海军终不敢动，美军的战略封锁完好无缺，岛上日军的抵抗纵然顽强，他们是不可能维持长久的。

光明从海上来，由于吕宋之战的揭开和第三舰队在南中国海的出现，美军在中国大陆登陆的日子已经不远了。

吕宋之战刚刚开始，滇缅之战已快告结束。十五日缅北我军克南坎，二十日滇西我军克畹町（第二次），只残芒友不日得，中印公路的南线不久就要打开了。

中印公路通车——经过两年零八月的封锁，我们的国际路线又打通了。不管这路线的运输充其量不过是供应一个近代化师团的所需而已，它的意义是不可忽视的。

光明从丛山中来，由于中印公路的开通，中国的正面战场可能而且应该逐渐活跃起来了。

由于这两大发展，吕宋之战的开始和滇缅之战的结束，在客观上美军在中国海岸特别是南中国海岸登陆的可能性空前地提高了。这对于日本是一个危机，为了防止这一危机，敌人于黔边战事沉寂过月的今天（十五日），又向粤北——赣南——粤东发动了一大攻势。

敌人的企图是了如指掌的：它要控制今天美军最可能登陆地带的全部纵深，粤汉南段的打通是这一企图中有机的一部。有人说，不要紧，不要紧，敌人动得太迟了，美国人已经快来登陆了，他再来还有什么用？

这一派人嘴里讲的是满口好听的空话，实际上他们的想头就是上面那可怜的一点：美国人快来了，过去是睡觉的，现在更可放心睡觉了。

是的，盟军是会来的，而且相当快就来的，但是同是登陆，目的有各种不同。一种是对我们对盟军都是最有利的：登陆为了在中国大陆和敌人决战；还有一种对我们不利，但对盟军亦非理想的：登陆为了建立一些空军基地。

既非理想，为什么盟军可能这样做呢？不得已。而不得已的原因是：我们的正面战场不能和他们配合作战，他们不得不如此；史汀生说："登陆容易作战难。"（十二日），在海上，美国的第三舰队可以自由自在地开来开去，但是在陆地他们却不能把硬的土变成软的土，他们有的是海上浮动堡垒，他们没有陆上的浮动堡垒，在得不到中国正面战场强有力的配合之下，他们只能以取得一些空军基地为满足。这是不理想的，但这是不得已的。

曙光从海上来，曙光从山中来，但我们不能用更放心的睡眠去迎接它们，而是要：首先是阻止敌人的进攻，其次是真正组织反攻，配合盟军的登陆作战：为要达到这一目的，关键不在枝节的军事问题上，而是在根本的政治问题（民主）上。这不是一个人的问题，而是全国人民的问题；这不是一党一派的问题，而是各党各派的问题；这不是等待人给的问题，而是伸手去拿的问题。

曙光从远方呼唤我们，黑暗在身边逼迫我们，起来，时候已经到了。

但还不在眼前

美军的吕宋之战揭开了太平洋战争一九四五年的新页，苏军的冬季攻势写下了欧洲战争一九四五年的绪言。

当千百万双眼睛盯着西线的阿登森林和东线的布达佩斯的时候，波兰南部康纳夫元帅统率下的乌克兰第一战线苏军，在桑多密兰以西发动了攻势（十二日），这是全面攻势的信号：十二日波兰南部，十四日华沙以北的白俄罗斯第二战线和华沙以南的白俄罗斯第一战线的攻势跟着同时发动，后一日，十五日东普鲁士正面的白俄罗斯第三战线和捷克正面的乌克兰第四战线苏军的攻势又发动了。这样北起波罗的海，南迄喀尔巴阡，包括五个战线，二百五十个师团的大攻势就如火如荼地展开了。

五个战线各有各的初步战略目标，从北到南：

白俄罗斯第三战线——哥尼斯堡

白俄罗斯第二战线——但泽市

白俄罗斯第一战线——波森城

乌克兰第一战线——布累斯劳

乌克兰第四战线——伯鲁诺

然而总的目标都只有一个——柏林：从前苏联大后方的口号是“一切为前线”，现在已经改成“一切为柏林”了。

在走向这五大目标的路上，希特勒自命为难攻不落的据点一个个倒下了，假如有人怀疑德军的败退是一种自动的有计划的撤退的话，那么请他看一看苏军在东普鲁士的进展：二十一日白俄罗斯第二战线苏军打下了坦能堡，德国任何高明的战略家，不管是谁，是绝不可能自动地有计划地把德帝国主义的军神兴登堡的灵柩从坦能堡搬出来的。

苏军在以雷霆万钧的锤击力，用一天三十英里的高速度（白俄罗斯第二战线）前进着：在东普鲁士，他们打下了的尔西特（二十日），英斯特堡（二十二日）和阿棱斯坦（二十二日）；在波兰北部，他们打下了华沙（十七日）和布朗堡（二十三日）；在波兰中部，他们打下了罗兹（十九日）；在波兰南部他们打下了捷斯托朱瓦（十七日）和克拉科（十九日），进入西里西亚三十英里，打下了东普鲁士以外德国本土内的克劳兹堡；在波捷地区，他们打下了普勒索夫和科息斯（十九日）。打开地图，就可以知道，一般的说起来这五路大军离他们的初步目标已经不远，用直线来衡量，从华沙到柏林的大道，不过三百二十来英里路，他们已经走了一半以上。

一天三十英里，三百二十英里走一半，这样看起来，再过几个礼拜苏军不是就可以到柏林了吗？我们能不能这样估计呢？

远在去年年底美国方面就有人有这样的意见，他们以为苏军七八月前就陈兵华沙城外，七八月后苏军硬是在到柏林的路上按兵不动，而却把注意力集中到两翼的波罗的海和巴尔干去；他们说，一九四四年之所以不能解决希特勒，正是因为苏联在华沙的正面战场上按兵不动的缘故，在这些人看起来，苏联是能够随时有这样的胜利的可能的。即使是到今天，依然有人以为苏联所以在今天发动这一次大攻势，也是因为波兰的民族解放委员会已经改组为临时政府（十二月三十日）。一言以蔽之，苏联的从前不进攻华沙和今天的进攻，完全是因为政治的原因，而不是由于军事的理由。

这样的观点是完全不正确的。去年七八月间苏联不可能像今天这样去正面进攻，那时苏军刚刚在夏季攻势中从奥尔沙向华沙推进了几百英里，苏军的供应线是突然地拉长了，那时苏军纵即要发动一个大规模的正面攻势，它的供应也是不容许它的；而组织起这供应几百万大军的供应体系就不是一朝一夕的事情，这是说苏军当时的不能。其次苏军又不应。在一切的战争中，正面进攻是消耗最大的，尤其是连续性的正面进攻（如西线盟军十一月十六日发动进攻，十九日艾森豪威尔即向国内呼吁增产军火即堪为此中之一例）；为了避免这种硬碰硬的正面进攻，最好是采取迂回。去年八九月后苏军对波罗的海区和巴尔干的攻势，在广大的战略意义上正是对波兰正面德军的一种两翼迂回，我们可以大胆的说没有过去五个月中苏军在波罗的海区和巴尔干两大侧翼战场上所加之于德军的消耗，和由此而造成的战略形势的有利，波境苏军是不可能有今天这样迅速而巨大的胜利的。

后之视今亦犹今之视昔，上面所提到的这两大因素——供应和战略，不仅对于过去的战役是如此，对于今天和未来的战役亦是如此。根据这两大因素的考虑，我们认为苏军在打到柏林以前还会有一次间歇（可能是在上述五大初步战略目标的一线上），而在这间歇期间苏军可能转移兵力于普拉格——维也纳的这一侧翼上来。

柏林是近了，但还不在眼前。

日子不能远了

政治决定军事，军事影响政治。

在最近的三个月中，世界形势显然有三次大转换：第一次，从去年十一月底到十二月初；在这一个时期中，由于当时比利时和希腊的政治危机，一般人都以为这一个冬天将是一个危机的冬天，因为人们好像已经忘记了：希特勒还没有打垮，现在还不是叫人民回家的时候。第二次从十二月中希特勒发动西线攻势，盟军失利，直到苏军冬季攻势发动之前，在这一个时期中，我们姑不问在军事上希特勒的攻势有什么效果，但是有一件事却是对于盟国团结极端有利的，那就是：它提醒了英美盟军——希特勒还很顽强，战争还没有结束，要结束战争还需要更大的团结努力。第三次的转换，是苏军在目前所发动的冬季攻势；苏军在东线巨大而迅速的胜利向全世界说明了一个真理：希特勒垂死的挣扎强，苏军的最后打击力更强，苏军是在法西斯的巢穴中结束这一条野兽的主力，没有他出场是很难谈到迅速的胜利的。这是苏军冬季攻势在目前的一般意义。具体的说，特别是由于苏军的冬季攻势正发动在西线德军反攻之后，其团结英美苏的政治作用更加有力。

在苏军冬季攻势发动之前，我们曾经听见过英美方面发出的所谓英美苏应重新调整德黑兰会议关于军事决定的消息；但苏军的冬季攻势一发动，这样的消息听不到了，我们所听到的不是暗暗地对于苏联不满的声音，而是公开地赞扬苏联努力的声音，例如美陆长史汀生说：

> 苏军的攻势可反映苏联努力不断同其他国家合作，以击溃德国。（十八日华盛顿电）

从这里我们可以看出德军的西线攻势和苏军的东线攻势在政治上所产生的积极影响。不是说：这种影响已经足以扫除十一月至十二月那种阴暗的气氛了；而是说：这种影响足以加强英美苏三大强国之间的团结，只要英美苏三国能够加强团结，真诚合作，那些不协调的具体问题是可以逐步解决的。

例如远在十二月初就已开始了的希腊问题，这是英美之间比较尖锐的问题；例如最近苏联承认波兰临时政府的问题，这是英苏之间比较尖锐的问题。这些具体问题都没有解决，都还存在；然而只要英美苏三国能团结一致，这些问题是可以逐步解决的。

放眼全球，东有吕宋之战，西有波兰之捷，在军事上这真不愧是人民世纪里的人民的春天。法西斯在军事上失败了，它在政治上和精神上失败的日子不能远了。

第二次德黑兰会议将敲出法西斯在政治上失败的丧钟。

（一月二十六日）

从军事合作到政治团结

从海洋到大陆

解放的旗帜终于在马尼拉的城头升起了。

从一九四二年一月一日那悲惨的日子算起，到今年的二月三日整整的三年三十三天了；那是些艰辛的日子，期待的日子，斗争的日子；然而，那一天终于来到了：艰辛取得了代价，斗争不是白费，期待的终于实现了。

从整个太平洋战争的发展看，马尼拉的解放报导了一个新的阶段，这一个新阶段的特征，是海上决战至此告一段落，跟着来的将是日本本土和大陆上的决战。

正月九日美军在吕宋岛登陆之初，日本的整个太平洋战略就走上了一个难关：菲岛决战呢还是大陆决战呢？菲岛决战的口号是去年十月间美军在雷伊泰登陆时提出的，为了执行这一个口号，敌人特别调来山下奉文指挥作战，而且不管美军的海空军是居于怎样一种压倒的优势，它依然三番五次的增援，其来势的确是在菲岛决战的做法。现在美军又登陆吕宋了，是不是还要继续执行这一战略呢？假定是的，那就不仅要口头上喊菲岛决战，而是要真真实实的拿出本钱来拼：这就要出动海军，就是局部的也好；假定海军不能出动，也得要想尽方法来增援吕宋。可是直至现在，马尼拉已经解放了，日本海军既未全部出动，也未局部出动，而它的陆军不仅是没有增援，而且也没有企图过增援；这样，尽管嘴里还在喊菲岛决战，实际上菲岛决战的时代已经过去了。

这就使得吕宋岛上日军的就地抵抗虽然顽强，由于美军的火力优势和巧妙的战略运用，吕宋之战就完全一改雷伊泰之战的面目；事实上直至马尼拉解放之前，由仁牙因湾正面向南推进的美第六军，并未有遭遇过任何可以比拟于奥马克的战斗。

美军的战略最主要的部分，是利用海上和空中的绝对优势，封锁菲律宾的四周，使日军不能增援；在这当中，美海空军对硫磺岛的轰炸和袭击，尤其使日军处于不知所从的被动地位。其次则是马尼拉克复前，美军一连三次的战略登陆：二十九日美第八军在马尼拉西北巴丹半岛苏比克湾的登陆，三十日在苏比克湾口格兰地岛的登陆，三十一日在马尼拉西南柯里几多尔的纳苏布的登陆。纳苏布和苏比克的两次登陆，形成了自西北和西南而来的对马尼拉的两只大钳。巴丹半岛上的奥加隆坡军港，三十日就被第八军攻克，并和第六军完成了会师；从柯里几多尔来的又一钳还未打进卡维特军港，马尼拉的大门就被从北面来的美军打开了。

解放的旗子飘扬在马尼拉的城头，马尼拉城内的敌人已经肃清。实际上，从整个吕宋岛的战局看，由于马拉尼的解放，特别是奥隆加坡和卡维特军港以及克拉克机场（十一个连续的机场，十三条跑道，可以容最大的轰炸机起飞）的获得，吕宋之战在基本上就已结束了。自然，直至现在还有人怀疑吕宋北部山地的日军，还可能有一番拼命的抵抗，战局未可轻易乐观，这是对的，但在广大的战略计划上，这样的作战不过具有肃清的意义而已。新不列颠和新爱尔兰岛上不是还残余相当数目的日军吗？奥军不是最近还在新不列颠登陆吗？但那能妨碍美军的登陆吕宋，解放的旗帜飘扬在马尼拉城头吗？

由于美军在吕宋岛上辉煌的胜利，日本本土和它在西南太平洋的占领区，快被隔离开来了。这是日本的灾难，但另一方面敌人对我国的封锁，却被打开了，这是我们的光明。滇西我军二十七日占芒友，二十八日第一批运输车到达畹町，二月四日到昆明：封锁了二年零八个月，海风终于从缅北的丛山中吹来了。姑不论这一条史迪威公路的运输量目前还不能超过一万七千吨左右，我们不能对之存过高的希望；中印公路的重开总是一件抗战史上理应大书特书的大事。

一方面是联结着的将被切开，而另一方面被隔开的已经联系起来，那一些一向把争取胜利当着等火车的人们现在不更可以躺在候车室放心睡觉了吗？

且慢且慢，盾牌还有相反的一面。

上月十五日起敌人就向我湘南、粤北、粤东、赣南，发动了新的攻势，这一攻势的目的分别开来可以说有三层，第一是打通粤汉南段——这是湘南粤北攻势的目的；第二是占领美军可能登陆的海岸，及其相当程度的纵深——这是粤东攻势的目的；第三是破坏我东南剩余的空军基地——这是赣南攻势的目的。三周以来，敌人的目的可以说是已完成三分之二：由于郴州、宜章、坪石、乐昌、曲江和英德的陷落，敌人完成了第一目的，打通了粤汉路南段；由于敌人的登陆大鹏湾（惠阳）和海丰陆丰，敌人完成了第二目的，占领了从北海到汕头整个广东美军可以登陆的海岸据点；由于北面从茶陵、莲花、永新到遂川的占领，和南面由曲江、始兴、南雄到大庾的占领，它部分地完成了它的第三目的，遂川机场的放弃，是它在这方面的第一个战果。

从一个意义上说，敌人的大陆攻势是被动的：眼看着它的海上走廊就要被斩断了，它不能不开辟出一条陆上走廊，好救出它在南洋一带五十万左右的日军，但日军的目的，仅止于此吗？它既然能撤到中国，它为什么不在这里拼一下？自然，美军的下一步，大有可能在中国南部海岸登陆，但一旦美军登陆成功了，跟着来的问题，就是我们正面战场的部队能不能适时地收复粤汉湘桂二路，假如不能，美军的登陆只能限于获得一些空军基地，对于广大的中国正面战场，依然是无大补的；因为美国不可能输送几百万军队到中国来，陆地不是海上，假如美军在广州登陆，美国的第三舰队不可能出现在西江，封锁广东，阻止增援，这道理不是三岁孩子也懂得的吗？

从整个战争的发展趋势看，没有在中国大陆上连番几次的决战，日本（本土）纵即打垮，我们中国也不会胜利的。

从外围到核心

太平洋战事的重心从海上，慢慢地转移到陆上，欧洲战事的重心，迅速从德国外围发展到德国核心。

今天东线的主要战斗，不在波兰境内的波森和布朗堡，而是在柏林东西三十几英里奥得河上的库斯特林和法兰克福。

华沙柏林之间有三道外围防线：第一道在波兰西部但泽——布朗堡——波森——加力士，这是紧防着德国本土的第一道防线；第二道在德波边境和奥得河之间的地带，这是德国境内的边境防线；第三道在奥得河上的斯德丁——库斯特林——法兰克福——布累斯劳的所谓奥得河防线；过了奥得河，就已经不再是德国的外围，而是德国的核心——柏林的外围了。

从正月二十五到二月六日十三天内，苏军势如破竹地突破了这三道防线，这是任何乐观的观察家所不敢预料的。

二十五日苏军出现在波森的南北两边，德军利用事前准备好了的防御工事，企图死守波森，但苏军主力却不在波森停留，他们从南北两翼迂回过去了，二十七日苏军完成了对波森德军的包围，这样他们就冲破了德军的第一道防线。在这期间，白俄罗斯第二战线于二十六日在东普鲁士的西南角打下了马伦堡，一直挺进到但泽湾头的托尔米特，把东普鲁士和德国本部完全隔离了开来；同日，波兰南部乌克兰第一战线打下了兴登堡，上西里西亚的矿业中心，而远在东普鲁士那一边的米美尔，又被苏军打下了（二十八日）。

二十九日白俄罗斯第一战线苏军越过德国边境，三十一日打下了德国境内的大城和铁路联络站兰芝堡，这样，三日之内，德军的第二道防线就被突破了。

二月开始，苏军的战斗就已集中到斯德丁——库斯特林——法兰克福——布累斯劳，问题不在攻克这几个大城，而是渡过奥得河，建立巩固的桥头堡垒，进一步展开攻势。六日苏联情报部正式宣布：在布累斯劳到俄伯痕间渡过了奥得河，这样六日之间，奥得河防线又开始被突破了。

希特勒叫奥得河做命运之河，如今苏军就站在这命运之河的那一边。

由于苏军攻势的发展太快，苏军在这突破三道防线的十三天中，究竟打死和俘虏了多少德国官兵，现在还没有统计；不过在正月十二日至二十四日，苏方已经发表五路苏军击毙和俘虏的总数是三十八万名，三十八万名的死伤，三百多英里的撤退，这样的战斗不能再说是有计划地自动撤退了吧？

自动撤退的话再也骗不了人了，于是又来另一套。苏军的胜利完全由于量上的优势［日本同盟社驻柏林记者说苏军用总兵力三百五十师，坦克七千辆，假定过去所传全东线德军为三百五十师，减去匈牙利方面的九十师，波兰（东普鲁士）战场上德军总数则为二百六十师，苏军对波军的量上优势三五比二六]，苏军出动的兵力究竟有多少，我们不得而知，不过从战事的发展看，苏军的胜利不是由于量上的优势，而是由于苏军坚强无比的战斗力，和娴熟练达的战术和战略。

苏军这一次作战的最大特征是：一、不在任何抵抗中心停留，迅速地迂回前进。二十五日苏军到波森，波森直至今日还在战斗，而苏军却已渡过奥得河了；二、用最高的前进速度，使敌人后备来不及增援，四天之内突破第一道防线，三天之内突破第二道防线，六天之内又突破第三道防线；三、尽量采取分散展开的战术，使敌人兵力不能集中；假如英美盟军在西线的攻势好比几条河流，那么苏军在东线的攻势，就是所向无敌的一片海潮。正是因为苏军作战的特征是着重在动力的取得上，我们可以断言苏军胜利的主因，绝不是在于量上的绝对优势。

不管是因为什么，苏军已经站上了命运之河的那一边，命运之河过去了，那么，命运之城的命运，柏林的命运怎样呢？

从纯粹战术的观点上看，柏林不仅是近了，而且已在眼前；但战略和政略的考虑时常是要照顾多方面的，尤其是当我们想到柏林的攻下并不等于希特勒完蛋的时候，我们更不应下一个结论说：苏军的进攻柏林，必然是马不停蹄的一鞭赶到，而再没有任何迂回曲折的可能。这不是说，苏军一定不在这次进攻柏林，而是说苏军的进攻柏林，不一定是长驱直入。

不管苏军这一次的进攻是直线的还是曲线的，柏林的命运定了，德国的命运定了，欧洲战事结束的日子，在地平线上露出它的面影来了。

从军事到政治

世界战局的重心在柏林的东边，世界政局的重心在黑海的西头：罗邱斯三强会议，正在黑海的西头进行。

绿色的河流静静地注入黑海，黑海的西头风平浪静；但在这里所商讨和决定着的事件，其意义之重大，不下于胜利的旗帜挂在柏林的城头。

论会议所讨论的内容，一定是有军事有政治，既关系战争，亦关系和平，在这一点上，这一次的三强会议和一年前的比较起来，并无不同，但着重点显然是有差别的。我们可以说，假定德黑兰会议的重点是放在军事上击败法西斯的话，那么这一次黑海会议的重点，则是在政治上和精神上击败法西斯，这样一来，这一次的三强会议就不能不更加注意到欧洲各解放国家的内政和外交，欧洲的政治和经济，德国的占领和控制，以及战后的和平安全上去了。

远在德黑兰会议以后，英美方面的反动分子，就责备英美政府对苏联让步，把整个东欧让给苏联做“势力范围”，然后用英苏瓜分东西欧之说，来猛烈地打击德黑兰会议的协定；在这当中，他们就用尽一切力量，来阻挠波兰问题合理的解决，波兰问题直至今日未能得到完全的解决（实质上早已解决了），是和这一派人的活动大有关系的。到了去年年底，西欧同盟甚嚣尘上，当戴高乐将军毅然加以拒绝，而和苏联成立法苏同盟的时候，这一派人又大事叫嚣说，苏联不应该利用各国内部，尤其是西欧内部的左派势力，来阻挠西欧同盟的实现，因为英美也没有反对过苏捷同盟，问题的关键在哪里呢？问题的关键在战后的欧洲，绝不能在反法西斯的民主阵营里分成亲英美和亲苏的两派，战后欧洲各国的外交路线，只有一条，那就是统一的亲英美苏外交，而不可能是分裂的亲英美或亲苏的路线。苏捷协定是苏英美捷协定的一部分，而西欧同盟却从一开始就包含了排他的成分。

没有一个国家的外交是可能同他的内政分开的，一个对内反共反民主的国家，对外绝不可能执行亲苏而又亲英美的外交，伦敦波兰流亡政府就是一个最好的例子。对内反共反民主，一定要走上对外反苏反团结。因此苏联对于西欧国家的内政，一定会保持着强烈的关心；而事实上正是在这一方面，去年十一月以来发生了一连串不幸的事件：从比利时意大利直到希腊，这些问题能让它常此以往吗？问题的关键在哪里呢？法西斯在军事上失败了，我们能让它在政治上和精神上继续存在吗？只有在所有欧洲大小国家在内部执行民主团结的政策，欧洲的战后和平才能得到真正的保障，不然一切外交上的纵横捭阖，是无济于事的。

正如同内政和外交分不开的一样，政治是和经济分不开的。过去欧洲的经济，早已发展到国际化的独占资本的阶段了，而这国际化的独占资本，却是与欧洲的封建势力结合在一起的，这是一根强有力的纽带，把英美的保守势力和维琪法国，西班牙的佛朗哥，意大利的萨伏亚王室，南斯拉夫的米海洛维奇和彼得王，希腊的乔治王及其法西斯的同谋者波兰的流亡政府……紧密地连系在一起。欧洲的民主革命，正在粉碎这些封建的和半封建的反动力量；当前的问题是英美资本主义必须和这些封建的半封建的力量结合在一起吗？英美必须把欧洲的每一个民主运动的胜利，当做苏联的胜利，把所有的民主力量投进苏联的怀中，而自己却和欧洲的反动的封建势力站在一起吗？事实上，为了英美的市场着想只有一个彻底解除了封建束缚的民主的欧洲，才能变成一个真正的有效市场，不然战后资本主义体制不久就又会遭遇到一连串的经济恐慌的。不要忘记，经济上不安定是战争的基本造因。

在理论上，这就是目前三巨头会议所面对着的基本问题，历史的道路是复杂的，我们不可能设想所有这些问题在一次会议里得到全部的解决，但由于时事的推移，新的历史显然已经掀开了一章，过去了的是第二战场的开辟，未来的将是民主欧洲的再生。

（二月九日）

克里米亚会议

马不停蹄

好像马不停蹄，吕宋之战还未结束，硫磺岛之战已经展开了，正如同苏军在欧洲的闪电战胜过了当年德国的闪电战争一样，今天美军在太平洋上所进行的大洋运动战已经快要赛过当年日本所进行的海上运动战了。谁闪电得最后，谁闪电得最好；这道理是不分东西的。

不能不承认日军在吕宋岛上的惨败不仅是由于美国海空军封锁了菲岛海面，使其得不到任何增援，而且是由于岛上日军判断的错误，从而在军力部署上弄到首尾倒置。日军一心以为美军进攻吕宋的主力将来自马尼拉以南，把重兵放在吕宋南部八打雁一带，殊不知美军的主力正是来自北方；由于这一着出其不意，所以直至美军攻入马尼拉，一路没有遭遇到日军严重的抵抗。但是到了马尼拉，情况就不同了，敌人的抵抗加强了，从而真面目的战斗也就出现了。

又是一连两次的登陆把敌人在吕宋南部负隅顽抗的企图初步破坏了：十六日美军在巴丹半岛的马里法尔湾登陆，经过一天的战斗，巴丹日军的抵抗就崩溃了。十七日美军又在柯里几多尔岛登陆，日军要想在柯里几多尔顽抗的妄想也逐渐变成泡影了。这样到了十九日，美国海军终于开进了马尼拉湾，自由的船只开进了自由的港口，巴丹半岛上的血海深仇报复了。

不是说吕宋岛上的日军停止抵抗了，而是说在战略上吕宋日军的抵抗已不再发生重要的作用，所罗门岛上日军的抵抗不能阻止美军长征新几内亚，吕宋岛上日军的抵抗不能阻止美军登陆硫磺岛。

十六日美第五舰队出动了一千五百架的航舰飞机轰炸东京和硫磺岛……这是太平洋战争中破题儿第一遭的大事。轰炸东京不自今日始。一九四二年有军舰“黄蜂”号起飞的航舰飞机对东京的轰炸，一九四四年六月有从华西基地起飞的超级空中堡垒对东京的轰炸，同年九月有从塞班基地起飞的超级空中堡垒对东京的轰炸——轰炸东京不是一件稀奇的事情；然而，出动这样多的飞机，战斗机配合轰炸机，继续地、大规模地、低空轰炸，这是第一次。假如不是因为日军丧失了它附近海面的制海权和制空权，这样的轰炸是不可能的，从严格的军事意义上说，十六日起对东京的轰炸才是真正的战略轰炸的开始。

十六、十七（一二〇〇架）、十八，一连三日，据初步统计，美航舰飞机轰炸东京共击毁日机六〇〇架以上，这打击的严重性是不能忽视的。东京在如雨的炸弹之下战栗了！然而更坏的消息还在后头：十九日美军在东京南六百六十英里的硫磺岛登陆！

硫磺岛是一个面积不大的小岛，它也没有深水的港口，初一看它的战略价值是不大的，但是作为塞班空军基地的前哨站和战略轰炸日本的据点，它的价值是重大的。

令人烦恼的问题又来了：美国海军在卧榻之旁出现了，日本的海军出不出动呢？出来还可一拼，不出来硫磺岛的命运就注定了。我们不知道日本究作如何打算，从今天所有的材料看来，日本的海军大概还是不出动的成分多：硫磺岛丢了对于日本还不是致命的危险；一旦日本的海军打垮了，那问题就严重了。由于日本还保存着它的大部分海军，美国的舰队还不能自由进出日本海与黄海，日本海与黄海是联系日本本土和亚洲大陆的生命之海，假如日本的海军一垮，那么日本海和黄海就和南海一样裸露在美军之前，而日本本土和亚洲大陆的纽带也就解开了。这就是日本为什么宁可牺牲硫磺岛甚至小笠原群岛而不轻易出动海军最基本的原因。

美军登陆硫磺岛的第一个目的实际上也就是把日本海军看管在日本海和黄海里边，使其不得越雷池一步，如此好让美军在其他地区用海空军肢解日本帝国。然而在目前，硫磺岛登陆的中心意义还是在完成战略轰炸的体系。

打开地图，我们可以看到围绕着日本和它的占领区有如下几个轰炸基地：

一、以华西印北为基地的第二十轰炸机总队。

二、以昆明为基地的第十四航空队。

三、以菲岛为基地的第十三航空队。

四、以塞班岛为基地的第二十一轰炸机总队。

五、以阿留申为基地的第十一航空队。

这五大航空队的航空半径和轰炸效率的总和不为不大，但要击中敌人的要害——日本——朝鲜东北和华北地区，它的效力还是非常不够的。为了执行严格的战略轰炸，必需有更接近这一要害地区的基地，硫磺岛的登陆就是指示着这一发展的开始。

是不是说美军在最近将来不可能在中国海岸登陆呢？不是的；今天拥有如此巨大的海空军优势底盟军的确是可以在任何愿意登陆的地方登陆的；但纵即登陆，登陆的目的在基本上也还是取得战略轰炸的据点，而不是展开大陆决战。

这从整个战争的发展看，是极其自然的。在目前的欧战中，英美盟军已不需要太多的海军和空军的增援了，这一基本形势就造成了英美盟军在太平洋上有充分运用海空军的可能；目前盟军太平洋战略的核心，就是充分地利用这一海空军压倒的优势。至于陆军，那就不同了。美国目前有五个军在欧洲作战，太平洋上所使用的已经有两个军。不是说，这两个军的使用已经达到盟军可能在太平洋上使用的陆军的饱和点；而是说，在西线一再需要陆军增援，准备最后决战的今天，盟军是不可能在太平洋使用太多的部队来进行陆上决战的。

有不少的人一听说美军可能在中国海岸登陆，就高兴得一塌糊涂，以为什么问题都解决了；殊不知登陆的目的不同，而唯一能把美军的登陆转变成解放中国的关键却正是面对现实解决问题：首先是在民主的基础上立即实现各党派的团结；其次是动员和统一所有的抗战力量，用跑上前去的战斗者的雄姿迎接来自海上的盟友。

一箭之地

从莫斯科看去，朱可夫元帅的大军好像是一支金箭直射着柏林，那箭头伸到了库斯特林和法兰克福之间，前去柏林真不过是一箭之地。这是本月初东线苏军进攻的态势。

任何一个有一点军事常识的人可以看出：这是一幅动人的图画，但却不是一个有利的形势——苏军的先锋部队太突出了。

九日起勃兰登堡苏军停止了中路的突进，转而加强进展比较落后的南北两翼。南翼下西里西亚和北翼波美拉尼亚苏军九日起发动了新的攻势，这一攻势的目的首先是在推进中路苏军的南北两翼，使其中路不致突出，其次是从南北两面来包围柏林，造成对柏林的迂回和包围的态势。

在这一最迫近柏林的战线上，两周来苏军的进展是在这两方面。

从下西里西亚的南翼说起，先是二月六日乌克兰第一战线苏军在布累斯劳东南方渡过了奥得河，建立起桥头堡垒。九日布累斯劳西北苏军发动攻势，强渡奥得河，克复了利格尼兹（十一日），格罗高（十三日），格鲁恩堡（十五日）和萨干（十八日），切断布累斯劳和柏林的直达铁道，完成布累斯劳的包围（十七日），而且在格鲁恩堡完成了和白俄罗斯第一战线苏军的会师，这样就从南面来稳定了勃兰登堡中路苏军的突出地带。

在波美拉尼亚的北路，在攻势发动的四日内就完成了对安斯华尔德的包围（十一日），打下了德意志·科隆（十一日），而经过了半月包围的什尼德木尔也终于被打下了（十四日）。

由于这南北两翼的进展，勃兰登堡的中路苏军已经不复成为一个突出地带而感受着威胁；现在受着威胁倒是波美拉尼亚的斯德丁和下西里西亚的古本——科特布斯——福尔斯特三角地带了，苏军对于这两个地区的威胁就是对于柏林的南北两翼的威胁。

其时苏军在东普鲁士方面的进展，其意义并不因此而显得小些：九日白俄罗斯第二战线苏军打下埃尔平，十五日打下德波边境的科尼兹，十八日包围了波兰走廊里的格劳顿兹，由于这些发展，哥尼斯堡被打下的日子已经不远了。彻尔尼雅霍夫斯基大将星的殒落更着重的指出了这一方面的战事激烈到何种程度。英雄倒下了，英雄永生了。彻尔尼雅霍夫斯基大将的勋名，将永远活在百万人民大众的心里，将来一代的孩子那一个不晓得东普鲁士是他打下来的？

就苏军在德国本土（东普鲁士除外）内的作战言，中路苏军是突出的；就从东普鲁士到匈牙利的整个东线言，德国本土内的这一战线又是突出的。究竟是先进攻柏林呢，还是先占领德国南部的山地呢？假如是前者，目前德国境内的苏军可以相当无顾虑的向前推进。假如是后者就不能不考虑到捷克和匈牙利整个南路的问题了。十二日苏军攻克布达佩斯把这一个问题又一次尖锐地提了出来。

自然先后问题不是绝对互相排斥的，今天可以判断的是：柏林纵即陷落，希特勒绝不会无条件投降，他一定会在南德国的山地继续抵抗。他不惜以十六万大兵的代价死守布达佩斯，可以证明他是怎样的重视南部德国。由于这一日渐显著的趋势，我们可以相信，“到柏林去”的口号不一定就是意味着一直地去到柏林。未来的发展，我们无从预见；不过可以看得出的，目前德国境内作战的苏军日益转移其重心于南路，特别是布累斯劳西方的苏军向德莱斯顿方面的发展，这一方面固然可以北上迂回柏林的南翼，另一方面，也可以南下迂回捷克的伯鲁诺和普拉格。这样的形势一旦到来，未来的西捷克就是过去的东普鲁士，今天的康纳夫就是昨天的彻尔尼雅霍夫斯基，今天布达佩斯北面的乌克兰第二战线就是昨天的华沙北面的白俄罗斯第二战线。

这是可能的，但非必然的，因为这样广大的战略部署不可能不考虑到西线盟军的配合。

在未谈西线盟军的配合以前，先一看西线的发展。假使我们用东线的尺度来量西线，我们可以说在苏军冬季攻势的一月内，西线无战事。西线不是没有战事，西线的战事不过是没有决定性的发展而已。九日起西线北路加第一军和英第二军在荷境尼美根以南发动了一次攻势，十二日打下了克利夫，二十日又打下了哥奇；同期间南路北段的美第三军在普鲁姆至爱齐特尔纳克一线上发动了进攻。这两路进攻的目的不在一举而突破齐格菲防线，它所追求的是从南北两面来稳定美第一军和第九军的既得阵地。

要打破西线的僵局必须做到两件事：首先是加强西线盟军的锤击力（兵力与火力），其次是发动更深远的迂回突破。假如在广大的战略上，东线苏军的下一步可能是在南路的话，西线盟军的下一步大有可能是在北面发动又一次新的登陆。由于苏军从匈牙利向奥地利的进展，德军在意大利战场被迫撤退的日子已经不远了，那么盟军把用在意大利的兵力用到挪威或是丹麦不是极其可能而且自然的吗？

两条路口

没有一个人怀疑反法西斯战争的最后胜利；我们胜利了，但是我们能够有和平吗？和平要求国内外的民主团结，我们有了胜利的今天，我们能够有民主的明天吗？

这是在反法西斯战争接近结束的今天千百万人所关心的迫切问题。克里米亚的三巨头会议（从二月四日到十一日）用响彻云霄的声音肯定地回答了这个问题：我们不仅有了历史性的昨天，胜利的今天，而且还有伟大的明天；明天是伟大的，因为那是有保证的民主和平的明天。

德黑兰会议是一九四三年十一月底开的，到今年今月的克里米亚会议，前后经过了十四个月。在这十四个月中，整个世界好像是翻了一个身，第二战场开辟了，苏军的夏季攻势发动了，东欧解放了，西欧解放了，战争发展到德国本土，战争发展到柏林城边，这些都是历史性的日子。然而问题来了，首先是苏联和英美之间的波兰问题迟滞不能解决，其次是在被英美盟军解放了的四个国家——意大利、法国、比利时和希腊——内部，除掉法国，没有一个国家不发生问题，问题严重到发生内战，于是一向以为德黑兰是能解决问题的人低头了，而那一批以破坏《德黑兰协定》，离间英美苏为目的的法西斯和反动分子得意地笑了：希特勒发动了空前猛烈的政治攻势。好心的不禁要问，英美苏在战争问题上能团结，在和平问题上也能团结吗？在重大的国际问题上能团结，在每一个国家的内政问题上也能团结吗？

这是去年最后三个月快要发展到爆发点的问题，那真是惨淡的三个月。希特勒的西线反攻正是发动在这一背景之下，他的目的不在美国第一军和第三军之间插进一把楔子，而是在英美苏之间插进一把楔子，在被解放各国的内部插进一把楔子。反法西斯战争遭逢到一个严重的政治危机。

克里米亚会议回复了这些问题，它把一个危机丛生的世界推上了正轨。假如我们说过去的德黑兰会议确定了反法西斯战争胜利的今天，那么克里米亚会议则是保证了民主和平的明天；德黑兰会议保障了胜利，克里米亚会议保障了民主，全世界范围内的国际和国内的民主，——普遍的民主，持久的和平。

在这里我们不打算去详细分析克里米亚会议的声明：概括的说，它确定了从东西南北四方面去消灭希特勒的最后阶段的军事计划，拟定了对德国无条件投降的条件，解决了波兰问题和南斯拉夫问题，制定了关于被解放的欧洲的宣言，商妥了在敦巴敦橡树会议中未能解决的投票秩序的问题，并决定在四月二十五日在旧金山邀请中法两国，共同召开联合国会议。

整个会议的基本精神在强调英美苏三国的团结不仅对于争取最后胜利为绝对必需，为组织持久的和平，三国的团结同样是绝对必要的。

抽象的说，这道理人人能懂；但在现实生活中，战争与和平之间却有一段极端复杂的过程。这当中的桥梁不是英美苏三国发表一纸空洞的宣言，而是在事实上三大民主强国要对于每一个国家——是被解放国家的内政取得一致的见解和政策。德黑兰会议之后，我们曾经说：英美资本主义国家既然和苏联社会主义国家在民主的基础上合作，那么，反法西斯民主各国的内政也必定以代表国内各阶层的民主力量的民主团结为基础，那时我们这样说还不过是一种推论而已；而现在它已经堂堂正正的写在“欧洲宣言”上了。“欧洲宣言”把欧洲每一个被解放国家内部各民主抗敌力量的合作必要性提到英美苏必须合作的高度：破坏了国内的民主团结就破坏了国际的民主团结，国际的民主团结保证了每一个国家内部必须民主团结；只有奠基在各国国内的民主团结的基础之上，国际上的持久和平才有可能。这就是克里米亚会议的历史意义。

太平洋战事的发展，有如马不停蹄，欧洲战事从现在到结束，也不过是一剑之地；克里米亚会议保证了民主，但我们直到今天还是站在两条路口，第一次联合国会议还有六十天就在大西洋和太平洋汇合的地方召开，为今天的战争，为明天的和平，为解决当前的国内危机，为争取将来的国际地位，为了这一代的我们，为了后一代的子孙，立即自动实现国内民主团结的问题是再也不能拖下去了。

（二月二十三日）

面对着伟大的明天

两幅完全不同的图画

两幅完全不同的图画：一方面是美军在硫磺岛上的进展每日只能以码计算，另一方面美军在吕宋四周的进展却是一跃千里；以码计算的地方是陆地，是陆上的正面攻击，一跃千里的地方是海洋，是海上的迂回运动。

尽管日军在硫磺岛上的正面抵抗非常顽强，作战地区的狭小不利于盟军的展开兵力。由于日军海空权的丧失，海军的避战和增援的不可能，日本在硫磺岛上的顽抗不过是拖延战争结束的时间而已，其不能改变战争的发展，是洞若观火的：二月二十六日盟军第一架飞机从硫磺岛南部机场起飞，美军进攻硫磺岛的初步目标已经达成了。过去了的是四分之三，未来的只有四分之一，就是这四分之一的土地，也不是垂手可得的，但硫磺之战结束的日子已经不远了。

硫磺之战和菲律宾之战是一个对照，在菲岛之战中，马尼拉之战和吕宋外围之战，又呈现出这一对照。美军早在二月三日就攻进马尼拉了，但直至现在，整整的一月了，我们还没有接到马尼拉区战事完全结束的报导；二月二十五日美军对马尼拉区日军提出要求投降的最后通牒，日军是否投降不得而知，可能的是直至今日马尼拉区还有零星的战斗，战斗虽然零星，但于此可见敌人挣扎之顽强。

但吕宋岛外则呈现出一幅完全不同的图画。十日之内美军连续地在六个岛上登陆：二月二十三日在吕宋和萨马岛间圣柏拉狄诺海峡上的卡布尔岛登陆，二十六日在吕宋和明多罗岛间的维德岛登陆，二十八日在巴拉汪岛登陆，不三日而占领其首府，三月三日占领马尼拉湾上的鲁班岛，同日则又在吕宋和马斯巴泰岛间的狄考和布里艾斯两小岛登陆，——在这一连串的登陆作战中，除去巴拉汪外，都是为了巩固进入马尼拉湾的航道。马尼拉湾的位置摆错了。不在吕宋东边而在西边，从西边来就非经过这些小岛不可。巴拉汪的登陆，其意义不在战术上巩固马尼拉湾的入口，而在是为从马尼拉打出去的大军开先锋。巴拉汪遥对着越南的金兰湾，这当中所包含的战略可能性，打开地图就会一目了然的。

解放的旗子飘扬在北面的硫磺，解放的旗子飘扬在南面的巴拉汪，四月二十五日近了，盟军的下一步究竟在那里呢？什么时候登陆，在那里登陆，先在华中华北，还是先在华南越南？这些都是大家急于要求解答的问题。

想象未来不如面对现实，今天太平洋战争中有些什么特点呢？首先是陆地作战的艰苦，这是扑面而来的一件最顽强的事实，谁都逃避不了的；美海长福尔斯特尔说，直至今日美军在太平洋战争中还没有遭遇过比十二师更多的集中的兵力（三月五日），但其作战之艰苦已如上述，一旦到大陆登陆了，其所将遭遇到的情况是可以想见的。这是一。其次，供应问题美副国务卿格鲁说，对日作战，打垮日本所需要的船只吨位，将三倍于击溃德国之所需，太平洋上每一作战士兵每月供应之所需，为容量六吨（雷岛作战时实际上为十六吨），而为了使得在硫磺岛作战的三师美军每一个人得到他所应得到的供应，就需要三百万吨的船只（三月二日谈话），一旦到大陆登陆作战，其所需吨位之浩大是可以想见的。这是二。再其次，我们不能不考虑到欧战和远东战争的相互关系，这首先是表现在兵力的分配上；硫磺是太平洋里一个蕞尔小岛，为了进攻它，美军已不能不动用太平洋舰队的主要部分了（五日美陆长谈话），一旦登陆，大规模登陆，其所需之海军，是可以想见的。这还是海军，尚且如此，陆军兵力所受于欧洲战争之限制更不用提了。

这都是今天面对着我们的现实问题，提出这些问题，不是说美军在最近期内登陆不可能。而是说那一些一心指望着人家的登陆来解决自己的问题的人们，是怎样的不切实际。盟军是会来的，但能够促成他们快来的因素，不是玩弄手法，回避问题，而是面对现实，解决问题。这就是为什么美副国务卿格鲁在发表他对于蒋主席三月一日演词的意见的时候，恳切希望：**“中国内部在这过渡期间能够成立协议，完成统一的军事努力，以应付未来若干月间的重大情势”**（三月三日）的缘故。

问题横陈在这里，今天你不解决它，明天它要解决你的。

千百万道仇恨的河流

中路太突出，两翼必须向前推进。二月初至二月中，朱可夫元帅的南翼向前推进到尼西河边，乌克兰第一战线和白俄罗斯第一战线完成了会师，南翼向前推进了；二月底至三月初，朱可夫元帅的北翼向前推进到奥得河口，白俄罗斯第二战线和白俄罗斯第一战线完成了会师，北翼向前推进了。如今面对着柏林的东门的，已经不是一个剑头，而是一道城墙，不，一排水闸：千百万道仇恨的河流，奔来闸底，如今德军从北到南把守着四大闸门：斯德丁——库斯特林——法兰克福——科特布斯，谁也不能预言这闸后的洪水什么时候泛滥。更不能预言那泛滥着的洪水究竟先夺那一个闸门而出。

这就是今天的东线。

先是二十三日白俄罗斯第一战线的苏军，占领了波森和安恩华尔德，波森作战一月，安城作战两周；接着白俄罗斯第二战线的攻势展开了。二十八日白俄罗斯第二战线苏军打下纽·斯德了，三月二日完成了和第一战线的会师。三月二日第二战线打下了波罗的海旁边的科斯林，这一方面包围了波美拉尼亚东北的德军，另一方面则方便了第一战线苏军向斯德丁外围的进展。三月五日第一战线苏军打下斯德丁的前卫城市——斯塔加特，三月六日终于推进到奥得河口的卡明港。留在这一包围线内的，有从哥尼斯堡——但泽——琴尼亚——里巴——斯杜尔普蒙到科尔堡的一线，消灭这一地区还不是一件容易的事情，但向柏林看去，从斯德丁直到科特布斯，苏军面对柏林的阵地已经拉成一条直线了。

这是一道历史的水闸：闸的这一边是人民的力量，闸的那一边是人类的死敌，闸的上空闪耀着“人民的世纪”——这是一幅壮绝古今的图画。这是一幕决定命运的斗争，那么这斗争何时展开呢？

取决于两大因素：第一，苏军的供应，第二，盟军的战略。供应：我们知道，自从正月中苏军冬季攻势发动以来，最深的地方（从华沙南方的桥头堡垒到奥得河下游），已经进展了五百七十公里，要在这样长的供应线的前哨，聚集起压倒优势的力量，不是一天一日的事情。战略：这不仅关系于整个东线，而且关系于东西线整个战场，因此我们不能不一看西线的发展。

希特勒的十二月反攻，整整把盟军的西线攻势延迟了一月。正月底盟军彻底打垮德军的反攻，恢复了德军反攻前的态势。二月初西线盟军发动局部进攻，改进盟军中路过于突出的阵地，但盟军真面目的进攻却在二月底，距西线德军反攻崩溃之日正好一月。

二月二十三日盟军攻势发动。盟军这一次的攻势，有几点值得我们注意：第一，并没有出现新的番号，盟军在第一次攻势（十一月）中曾增加第九军一个军的生力军，但这一次整个在战线作战的依然是原来的七个军；第二、第三军的主攻方面，稍稍的向北转移了一下，过去它的进攻地区在麦次——萨尔布律根，如今已经转移到特里尔——科布伦次方面来了，过去它是自成单位的，如今它却和第一军接连起来，而另一方面，过去和美第一军同属于一个单位的第九军，则已划归英第二军和加第一军的统帅蒙哥马利指挥了；第三，兵力虽未增加，但进攻的对象却缩小了，第一次进攻的目标是在全部西线上的寻求突破，而这一次的目标好像只限于鲁尔河流域的夺取。这样的缩短攻势战线，增强兵力或可补救第一次攻势中机动后备军太少，锤击力不强的毛病。

战事发展到现在，盟军已收到如下的战果：

二十四日打下朱里赫；

三月二日打下蒙·格拉巴哈；

三月三日打下文罗，罗尔蒙·克累菲尔德和纽斯；

三月七日打下科隆。

所有这些地方——特别是科隆，都是莱因河西岸的交通要道，战略据点和工业中心，德军绝不会轻易放弃的；不过，比打下科隆更加重要的是英美加盟军能否渡过莱因河，建立起足以展开大军的桥头堡垒，这取决于最近十天内的战斗。

不过无论希特勒怎样挣扎，西面的莱因河，东面的奥得河，再也阻挡不了复仇的宝剑从东西两面插进它的心脏了。艾森豪威尔说：失去了西里西亚和鲁尔的工业区，德国的抵抗不可能再支持两月以上（二十四日）；**西里西亚已经一去不复返了，当前的问题是夺取它的鲁尔。**

面对着伟大的明天

克里米亚会议闭幕还不到一个月，这一个世界的面目已经改变了。

克里米亚说：要民主！

首先是挪威和荷兰国王闻风而起，他们都先后发表声明，准备在解放之后政府立即辞职，另组足以代表全国的民主政府。

其次是南斯拉夫国王，他本来不打算答应和国内抗敌民主力量组织联合政府的，克里米亚会议后他“欣然”（！）同意了。

再其次是意大利，二十五日意大利管制委员会宣布了对意大利的四大让步，意大利国内民主力量的生长获得了地基。最棘手的希腊问题，目前虽然还困难重重，但也由于克里米亚决定，“英美苏三国的观察家得以断定希腊人民的意愿”（二十七日英首相报告），而露出了民主解决的曙光。

这样一来，困扰着整个世界的欧洲几个大问题，一举而开始澄清了。

还有那一些人不高兴呢？波兰的流亡政府，不过波兰的流亡政府不仅是流出去而且是已经亡掉了。还有那一些人呢？罗马尼亚的拉台斯哥，拉台斯哥不识时务到向要求民主的群众开枪（二十六日），但现在他那里去了呢？滚掉了！（二十八日）罗马尼亚成立了民主阵线的政府（三月二日）。

克里米亚说：不能中立。

首先是近东的土耳其（二十三日）和埃及（二十四日），旁及于叙利亚和沙特阿拉伯。

欧洲不宣战的中立国家，最惹人注目的还有谁？西班牙和葡萄牙！他们本来就是法西斯的帮凶，如今他们孤立起来了——这是精神上打击法西斯的第一步。

其次是美洲至今尚未宣战的几个中立国：智利、秘鲁、厄瓜多尔、委内瑞拉、巴拉圭和乌拉圭都先后对德日宣了战；如今美洲各共和国还有谁中立呢？阿根廷！阿根廷本来就是希特勒通过西班牙走廊到达南美的桥头堡垒，如今和西班牙在欧洲一样，阿根廷在南美孤立起来了。这是在精神上打击法西斯的又一例。

正如同罗邱的开罗会谈推动了近中东各国的参战一样，斯退丁纽斯领导下的泛美会议（二月二十一日至三月八日在墨西哥城召开），推动了美洲各国的参战——这些都是迟到的旅客们，不过只要不是法西斯，行将上梁的民主大家庭是一律欢迎他们来的。

克里米亚会议决定三月一日以前对德日宣战的国家，始可参加四月二十五日旧金山第一次联合国会议。这样一来，联合国的数目，就一踪由三十六国变成四十四国了。

国内民主，国际团结，国内外民主团结——这就是未来世界的面目，那面目将第一次表现在四月二十五日旧金山第一次联合国的大会上。

在这里不得不指出一些不合拍的调子：法国是最初克里米亚会议决定旧金山会议的五大邀请国之一，但到请柬发出时，五大邀请国中不见了法国的名字，五大邀请国一变而为英美苏中四国了。这当中的详情，我们不得而知，不过戴高乐将军对于克里米亚会议的不满，我们是知道的：法国要求占领莱因河流域全部，但克里米亚会议却决定由英美法三国共同占领；法国希望保持它在叙利亚和黎巴嫩的特殊地位，但克里米亚会议则不赞同任何国家在近东保持特殊地位——这大概也就是戴高乐拒绝为旧金山会议召集国的基本原因吧？

不过，无论如何，法国还是安全理事会里的常任理事国；它的拒绝做召集国的一举，是不可能引起更大的波澜来的。

其时，克里米亚会议关于敦巴敦橡树会议所未能解决的投票程序问题的决定，也公布了。这一折衷方案的要点，是把“安全理事会为谋致和平解决争端时的类似司法机能和为维护和平而采取行动的政治机能，两者间的表决程序加以区别”；区别在：前一种情况下的表决程序，当事者的大小国皆无否决权；而在后一种情况下的表决程序，当事者的大国有否决权——换言之，任何为维护和平的行动皆需五大盟国一致的协议。简单的说：世界和平的前途，言如其实的系于五大盟邦的团结。有团结有和平，为和平非团结不可。这不仅是理论，它已经变成了约束人类的宪章。

美总统罗斯福说：“克里米亚会议实在是三大领袖国家极成功的一次努力来觅取和平的共同基础。过去几世纪试验失败的一切片面行动，排外同盟势力范围，均势政策以及其他一切策略制度，都将同此告一结束。我们主张用一种全世界的组织，来代替上述一切制度。在这种和平之下，我们才能建立一个比较好的世界，供我们的后世子孙居住。”（三月一日美总统演词）

正因为这一全世界的组织，负有这样崇高和严肃的任务：各国代表团的组织都以民主团结，代表人民为其基本原则；多党国家如美国的代表团，就是共和党和民主党各占一半，英国的代表团以保守党和工党为基础，澳洲代表团“代表了各种政治意见，反映着各方面的生活”，因为“世界和平非一党的决定，正如军事胜利不能是一方面的决定；”因为“世界和平的机构不能是一人，一党或一国的工作”。（罗斯福）

世界在前进着；今天你不迎头赶上它，明天它就一脚踏死你的。

（三月九日）

克里米亚是斗争的道路

帷幕即将揭开

试一想象：焚烧着的四座大城大火冲天，远离这城市几十英里的海面入夜都看得见那不断向天空抓拿着的火柱；几十万人流离失所，走投无路；工厂里的汽笛拉不响了；学校关了门，……这是一幅何等可怕的图画！这就是过去两周中的日本三岛，复仇的火终于烧到日本本土了，过去是他们来烧我们的，现在是我们烧他们的时候了。

由于硫磺岛战事的顺利进展（十六日正面作战结束），盟军对日本本土的战略轰炸进入了一个新阶段；轰炸的规模扩大了，轰炸的次数频繁了，今天盟军对日本的轰炸已经可说得上是真正的战略轰炸；在过去的两周中，几乎每三日有一次轰炸（九日炸东京，十一日炸名古屋，十三日炸大阪，十六日炸神户，十八日炸四国九州），而每一次出动的机数都在三百架以上。十八日的一次轰炸是海上的航空母舰起飞，出动的机数达一千架以上，而轰炸的对象又是盟军可能登陆的四国九州地带，美军的轰炸是什么意义呢？是不是要在日本本土登陆呢？

日本惊疑不定，但美第五舰队的特种混合舰队向日本内海开来了，十九日美特种混合舰队在日本濑户内海海面找到了日本舰队，发动攻势。据二十日美方公报，日主力舰被毁一或二艘，航舰被毁二或三艘，轻航舰被毁二艘，巡洋舰被毁二艘，驱逐舰被毁四艘，敌机损失在四百架以上；至于美方损失情形还无确定报告，但由于日本陆上空军所处的劣势，美方损失是不可能很大的。

这是一件大事。但这并不是说日本海军已遭遇了致命的打击（打击是重大的，但还非致命），而是说这是第一次美国海军跑到日本内海和日本海军作战，这就指示着，从制海的条件看，盟军已经可能在日本本土登陆了。

盟军的下一步是否就是在日本本土登陆呢?

在未有回答这一问题之前，我们先一看太平洋战争中其他方面的发展。

首先是在西南太平洋方面，菲岛美军继续进行剪除枝叶的工作，来巩固盟军的既得阵地：八日盟军在民答那峨岛西南海岸登陆，十二日解放三宝颜港，二十日在班乃岛登陆，二十一日占领班岛首府怡朗；可以想象，紧跟着班乃之后，美军还会连续在其他岛上登陆的。这是一方面。

另一方面是中英联军在缅北的进展：八日缅北我军攻占腊戍，二十日英印联军占领瓦城；由于瓦城和腊戍的占领，东南亚盟军已经取得了从缅中向缅南作陆上进攻的有利地位了。

一方面是菲岛战事接近尾声，一方面是缅北盟军日有进展。这样，从西南太平洋和东南亚两方面向中南半岛方面发动联合作战的可能性是日益成熟了。风起云涌，于是，三月九日越南日军突然解除法越军的武装，占领越南各大城市，越南法军奋起抗战，现在我们姑不论越南法军的抵抗前途，日军占领越南这一举，一方面指示着盟军在西南太平洋即将有第二步的行动；另一方面也说明了，尽管日暮途穷，大陆上的日军是不会自动撤退的。

盟军在南中国和越南方面的登陆是确定了的，但是很显然盟军在这方面的登陆是不可能负有从南到北打退中国境内日军的任务的；它的目的是有限制的，一，建立空军基地，完成从空中切断日本本土和南洋占领区的海陆交通；二，打通一个港口，输送物资，装备中国军队。这都是在今天可以确定的问题，这不是争论或研究的对象。

今天争论着的问题是盟军应该直接登陆日本本土有利呢，还是在大陆上登陆作战有利呢？

三月八日美太平洋舰队总司令尼米兹元帅从关岛回到华盛顿，和他同时到达华府的有第三舰队总司令海尔赛将军，美驻中国大使赫尔利将军和在华美军总司令魏德迈将军；这是一个决定太平洋战争下一步的战略会议。无疑问的，上面提出的问题是这次战略会议讨论的中心，因为太平洋战争发展到今天这一阶段已经需要对于这一问题有所决策了。假如中太平洋下一步的攻势任务是由第三舰队来担负的话，那么，海尔赛将军的参与此会更加证明这一次的战略会议要决定本土——大陆战略的取舍了。

华府会议的决定我们不得而知，不过从尼米兹元帅的三月八日谈话看来，他是不赞同立即在日本本土登陆的。三月十一日尼米兹元帅又发表一次谈话，他说：

日舰船不能开往南中国与荷属东印度，但敌方仍将保持他们在亚洲大陆的地位，直到我们在那可能切断他们（本土和大陆之间）交通的地区驻有海空大军而后止；在这个日子到来以前，他们将仍是我们强大的对手。（三月十一日）

很显然地，在战争的现阶段中到日本本土去登陆是需要付出重大的代价来的，试以美军海军陆战队历次进攻海上各岛的伤亡比率为例：

在塔拉瓦，美军死伤总数照所用兵力比率为百分之十八；塞班为百分之二十三点六，增加了；帛璃琉为百分之二十四点九，又增加了；到了硫磺岛，死伤总数竟一跃而为所用兵力（六万余）百分之三十二点六（约二万），几达三分之一，在所有这些地方，美军都具有绝对的制空权和制海权，这些死伤差不多完全是在陆地作战中遭受的。可以想象，一旦美军在日本本土登陆，那比率假如从三分之一变而为二分之一，那是完全可以想象的。日本本土，连正规军，“特攻队”和各种临时性的武装部队总算起来，发动三四百万人作战是可能的，在那种情况下，盟军就得准备以相应比例的牺牲，这是有利的吗？

盟邦要求迅速结束战争；但它所要求的不是无条件的迅速结束战争，它要求的是以最少的牺牲，求得最快的结束；假如估计这一点，那就不能不考虑到登陆中国，装备我一切抗日部队的问题了。

我们不知道盟军的最后决策是什么，不过“那可能切断日本本土和大陆之间的交通的地方”只有可能是山东半岛。自然，要在山东半岛登陆，不是一步就跨上去的。盟军最低限度得先登陆琉球。我们不必过事揣测，风狂雨暴，太平洋战争下一幕揭开的日子已经不远了。

没有谁能阻止

由于苏军在东线雷霆万钧的一击，第三帝国的整个作战机构已经濒于瘫痪状态了。

但敌人虽然走上了深渊的边沿，你不把他推下去，他是不会自动跳进深渊的，而推下他就得有力量，力量是需要聚积的。整个欧洲战场目前正处于为了发动这最后一击而集中力量的前夜。

这不是说今天没有胜利。

到了三月初，苏军在德国境内的战线已经拉平了。过去两周中，苏军的战斗主要地集中在缩小和消灭几个包围圈内的德军。这包围圈包含了：东普鲁士方面哥尼斯堡周围的德军，波兰走廊方面的但泽和琴尼亚方面的德军，北波美拉尼亚波海之滨的德军，上西里西亚布累斯劳区残余无几的德军。此外在前线的作战，限于奥得河口的斯德丁港附近，奥得河中流库斯特林和法兰克福方面，捷克境内兹佛隆四周。被围在苏军后方的四大城市——哥尼斯堡、但泽、琴尼亚和布累斯劳虽然还没有打下，但它们的日子已经一天比一天短了。在苏军的前线，这两周来的战果有：

三月十三日打下奥得河中流的库斯特林；三月十四日打下了布达佩斯北方，捷克境内的兹佛隆；三月二十日打下了奥得河口斯德丁对面的阿尔达姆。这样一来，奥得河这一边苏军的阵地就巩固起来了。

苏军站在奥得河的这一边，奥得河的那一边不远的地方，就是柏林。从苏军的帐幕里已经可以看得见柏林被炸后反映在夜空上的火光了。

正如苏军在东线站上了奥得河边的一样，西线盟军已把他们在莱因河边的战线拉直，相当一致的站上了莱因河边。

三月八日，西线美一、九两军在波恩和科布林兹之间的累马根，渡过了莱因河，建立、巩固并扩大了桥头阵地；九日美第一军在累马根和科布林兹之间与南面的美第三军会师，自二月二十三日开始的西线北路以美一、九两军为主的攻势至此告一段落。

一、九两军的攻势甫停，中路的三七两军的攻势又起（十四日）。第三军的攻势锐不可当，十八日攻克科布林兹，转而向南，从克鲁奇纳赫，而伍姆斯；由于伍姆斯的克复，守卫着萨尔布律根的德军后路将遭受被切断的危机，在这样形势下，三、七两军的夹攻，第七军终于在二十日克复了萨尔区域的首府萨尔布律根，三军二十一日克复了路易港：德国仅次于鲁尔区域和西里西亚区的第三大工业地带的萨尔区，如今也开始崩溃了。由于萨尔区域的大部被克复，盟军已经拉平了他们在莱因河这一边的阵地。莱因河的那一边就是去到柏林的大道，和苏军在北部德国平原会师的场面，那么，那从东西两面的对敌人的最后一击，什么时候发动呢？

这是克里米亚会议的军事秘密，没有人能知道，可以说的是，鉴于西线德军的着着败退，德国的军事机构显已处于不能动弹的瘫痪状态，只要盟军在克里米亚所决定的时机一到，已经再没有什么东西可以阻止东西盟军的胜利进军了。

从历史的发展看，今天的柏林实在像一九四〇年五月初的巴黎；柏林的六月十一已经不远了。

这是斗争的道路

克里米亚决定了欧洲的民主前途，但那前途是不会自动到来的，它和战争的胜利一样，它是需要人民争取的；任何高明的战略不能代替实际的作战，任何重大的国际决定不能代替人民自己的斗争。

欧洲被解放国家的人民懂得这一点，他们的斗争就是按照这一个方向展开的。今天的斗争的目标是什么呢？暴露和打击对克里米亚路线破坏怠工的分子。在这一个斗争的目标之下，罗马尼亚民主阵线赶走了拉台斯哥（三月三日）成立了民主政府；希腊人民解放战线暴露了希腊政府，向美政府提出了抗诉（十一日）；芬兰人民举行了议会选举（二十日），现在着手改组政府……所有这一些事件都指明了没有人民自己的斗争，民主的明天是不会自动到来的。

克里米亚会议决定商请中法为旧金山第一次联合国家会议的邀请国家，法国拒绝了这一邀请，理由是什么呢？三月十七日法情报部长戴兰解释法国的立场道："法国对于集体安全的解释是成立一个具有真正国际民主的国际机构并具有解决一切纠纷，强制施行决定的权力。敦巴顿计划中不得三大国一致因素就不能成立决议的规定实在不是真正的国际权力机关，因为要达到这个同意是非常困难的。集体制度如果没有自动强制实施安全制度的力量，那么法国将来就要用区域协调的方法来保障它本身的安全。”（三月十七日巴黎合众社电）

实际上，不是将来，就是现在，法国已经在着手组织所谓区域协调的组织了：最近荷外相克利芬斯的访问巴黎以及法比荷卢经济协定的签字实际上就是这种组织的先锋；在这里，值得我们注意的是，法比荷卢都是西欧的国家，而法比荷又都是拥有仅次于英国的广大殖民地的国家，这两者的相合绝不是偶然的，这是一方面。另外一方面，我们所知道的，英美苏在克里米亚会议对于法国有关问题所不能一致同意的具体事件，有法国在叙利亚和黎巴嫩保持特殊地位的问题；据英首相二月二十七日在英下院的报告，美苏两国皆不赞成法国在近东的叙黎二国保持特殊地位。假如法国反对敦巴顿建议是主要因为英美苏不能一致同意它的殖民地政策的话，那么，我们看不出来，敦巴顿建议本身有什么缺点。这是一。其次，法国心目中的所谓区域协定假如是一个西欧殖民地国家同盟的性质，而其主要任务又是在维持殖民地政策，我们很难想象这是代表法国人民的主张，最近越南法越联军奋起抗日，得到法国人民一致的赞扬，法国人民并纷纷主张法国改变对越南的殖民地政策——从这里我们可以看出，法国人民是不主张维持那种过时的、腐败的、发臭的殖民地政策的。从法国拒绝为旧金山会议的邀请国家这件事，我们又可以看出，没有人民自己的斗争，克里米亚的决定是不可能顺利展开的。

克里米亚会议决定四月二十五日在旧金山召开第一次联合国会议，四月二十五日近了，无论是在世界军事战线上，或是在世界政治战线上，四月二十五都是一个富有分水线意义的日子；克里米亚的道路是一条斗争的道路，旧金山的金门是不容易跨进去的，扑到脸上来的问题再也不能不解决了。

（三月廿三日）

苏联废除《苏日中立协定》

法统与现实

帷幕终于揭开了。

四月一日尼米兹元帅公布美军在琉球群岛中的大琉球岛登陆，自从三月二十三日以来大家即不断期待着的谜底，终于揭晓了。

三月十九日，美第五舰队向日本濑户内海发动袭击，尽管日寇方面大吹大擂，说它的陆上空军予盟军以怎样重大的打击，盟军于任务完成之后，依然是神色不动的去开始它的第二步工作。二十三日起，美第五舰队的航舰飞机即对琉球施行登陆前的软化轰炸，其范围北起九州南迄台湾，在这连续的和广泛的轰炸之下，日寇真的是不知所措了。这样到了二十六日，美军先遣部队终于在大琉球岛西南十五英里的庆良间列岛中的嘉渡敷岛和赤岛登陆。早在这一天，东京方面就广播出美军登陆琉球的消息来了，盟军不予否认，但亦不予证实。事实的真相是，美军是在庆良间岛登陆了，但登陆的目的，是为了取得炮兵阵地。作为登陆大琉球岛的准备，不管空军的威力是怎样强，在某些情况下，空军是不能代替炮兵的。

二十六日起盟军又继续执行软化工作，空军与炮兵一起袭击与轰炸了六日之久，四月一日，在英美强大特种混合舰队的掩护之下，美第十军终于在大琉球岛的西南海岸登陆了。

盟军登陆，值得注意的是，不仅是日寇的海军未敢出动，而岛上的陆军的抵抗亦甚轻微。在登陆的最初三小时内，盟军已夺得岛上五处机场中的两处。

一方面由于美军的登陆琉球，一方面由于欧洲战争的即将结束，整个太平洋战争的形势发生了基本的变化。这变化首先是表现在小矶内阁的垮台上（四月五日）。

由于确实材料的缺乏，直到现在我们还不能断定小矶的下台究竟主要的是由于那一种原因。从去年十月以来，小矶内阁所遭遇的困难是两重的，一方面是从财阀稳健派方面来的右派反对，一方面是从军阀急进派方面来的左派反对；而自从去年十月底菲岛海战以来，这两方面的反对，则又表现在日本海军是否应该出动的问题上。尽管小矶内阁千方百计，一方面用国家赔偿财阀在空袭中所受损失的方法，另一方面又用组织新党，加紧动员的方法，来缓和这两方面的反对，究竟巧妇难为无米之炊，这裂痕终于爆发了。日本国内对小矶现内阁的不满，发展到什么程度，可以从日寇对于十九日濑户内海的空战的宣传上看到一斑。在这一聊以自慰的宣传中，东京报纸一致强调日本海军非不出动，而是待机而动，而现在“机”是被日本抓住了。不用说，这种宣传由于美军登陆琉球而完全破产了。

其次，我们与其说日寇内阁的倒台，是由于日寇在琉球的败绩所促成，无宁说是由于苏联废除《苏日中立协定》所催生的。这从这次小矶下台和铃木上台的迅速上看，日内阁的改变，是显然早有成算的。

由于《苏日中立协定》的废除（四月五日），太平洋的局势发展到一个新形势；某一些人故意把太平洋战争发展的远景孤立起来看的事实根据，快要消失了。苏联的自动宣布《苏日中立协定》废除，一方面表明了苏联四年前签订这一协定时的反法西斯的本意，另一方面表明了它的外交政策辉煌的成功，欧亚战场合流的日子已经不远了。

从琉球岛向西看去，就是浩荡的长江奔流入海的地方，战局激变不远，盟军必须有一个符合于军事上现实要求的政治政策，法统主义（四月二日赫尔利在华府的讲话）是解决不了现实问题的。

末日在望

好像是木乃伊经风一吹的一样，顷刻之间，齐格菲防线倒下去了，莱因河之战变成历史上的陈迹了。

当三月八日西线中路美第一军在累马根渡河，建立起桥头堡垒的时候，大家对于西线的战局，还未能遽尔乐观，因为那可能是德军有计划地从莱因河西岸撤退到莱因河东岸，真面目的战斗可能还在那一边。因为这一个缘故，三月中下旬，西线中南路美第三军和第七军在萨尔区域的进展，已不能算是真面目的战斗，因为直至二十一日第三军打下路易港为止，所有盟军的进展，都是在莱因河的这一边，在这里，德军的败绩，可能还是一种自动撤退的性质居多。

但真面目的考验来了：三月二十三日，西线北路，英第二军和加第一军，发动了渡河的攻势。这是真面目的考验，因为英加两军的对岸，是德国的鲁尔区域，在任何条件下，很难想象德军会自动退出这一生命攸关的工业地区的。

但出乎预料之外，在最初的一击之下，英第二军，加第一军，美第九军，外加一个空运军，四个军在一晚之内（三月二十三日），顺利地完成了渡河的攻势，在鲁尔区的北面建立起深广的桥头堡垒。

二十三日西线北路的渡河成功，是整个西线盟军渡河进攻的信号。美第一军以南的美第三军、第七军和英第一军，都陆续地渡过了莱因，莱因河东岸的大城——威斯巴登、法兰克福、曼海姆，纷纷地倒下了。

但西线攻势的主要目的，不是在南路，而是在北路，在北路的萨尔区。盟军的战略不是正面进攻，而是迂回和包抄。在这迂回和包抄的计划中，美第九军从鲁尔区北面，美第一军在鲁尔区南面组成第一道包围圈；而英第二军则又从美第九军背后，美第三军从美第一军背后，组成第二道包围圈。根据这样一个作战计划，美第三军应该向卡塞尔突破；英第二军则应该向闵斯德突破，而美第三军和英第二军会师的地区，则应在卡塞尔和闵斯德之间的一个地方。卡塞尔和闵斯德，都在三日被美三军和英二军占领了，但由于西线战报的混乱，直至现在我们还没有接到美第三军和英第二军会师的确实消息。

截至目前为止，西线战斗的特点，不是进展的迅速，而是德军投降的众多，一日一万，这是西线战役中所从来未有的，这当中的原因，主要地自然是因为士气的低落，对于战争前途失去了信心；但另一方面，未尝不包含一个阴谋。因为很显然的，德国纳粹假如没有自信能保得住他们工业区的话，他们是不愿意把他们的工业区在一个没有希望的守势作战中，完全毁灭掉的。留得青山在，不怕没有柴烧，纳粹们可能保有这种幻想，这是一；其次，他们以为这样的“一半装假死”政策，可以引起英美苏间的分裂，促成和英美单独媾和的可能，他们可以从这当中抓到一把，这是二。不用说，所有这些幻想，是不可能产生任何效果的。

现在，鲁尔区虽未完全打下，鲁尔区的命运是注定了。同时，当前的作战，虽然以鲁尔区域为主要对象，但即在这次战斗中，盟军第二次进攻的臂膀，已经伸出去了，这就是第三军从卡塞尔向更东的哥达——莱比锡的进展。

一方面是自西而东，另一方面是自东向西。

三月二十三日西线盟军的攻势不是孤立的，它是克里米亚会议中所决定的英美苏共同战略的一部；和英美盟军在西线的攻势同时，苏军在东线发动了攻势，正如同西线攻势是集中在北路的一样，东线的攻势剑头指向南方。

三月二十二日起，东线苏军在北自布累斯劳以南，南至匈南边境，发动了全面的攻势。在这里必须指出的是，在这一条线上，苏军的战线是不平衡的：在德国境内，苏军的阵地非常突出，而另一方面捷克和匈牙利的阵地，则远落在西里西亚阵地之后，因此，任何较大规模的攻势，必须顾虑到这一点，使得落后的阵地推前；现在，经过了自三月二十二日至目前的战斗，苏军在捷克境内已经占领布拉的斯拉发，在匈牙利西部的已经推进到奥国境内，打下了维也纳新城（三日），从布累斯劳到维也纳，已经拉成一条直线了。

其次，需要指出的是，苏军这一作战地区是山地，在作战上所遭遇的困难，远在平原作战之上，特别是捷克境内的西拜斯奇特山，它简直限制了苏军不可能有比较直线的进展，这是我们比较东西线的战局时所不可不注意的。

最后必须指出的是，直至今日为止，尽管德军在西线纷纷败退，希特勒还是从西线向东线增调援兵，在苏军攻克萨克什菲海发（三月二十四日）的一役中，苏军就打垮了一个第六党卫军，而那一军是新从西线调来的。关于这一点，三月二十七日艾森豪威尔元帅有很好的说明，他说：德军最集中的地方，第一是东线，而在西线，蒙哥马利将军所面对的军团，又是德军最大的军团。这又是我们分析东西线战局时所不可不注意的。

然而尽管东西线作战的情况是如此悬殊，我们可以说，在欧战直至今日的发展史上，再没有一次战役，像这一次的东西线作战配合得这样好了。

鲁尔区肃清不远，维也纳解放在即，东西线盟军在柏林以南一带会师，把德国切成两块，然后从东西两面正面进攻柏林的日子已经不远了。但泽（三月三十日）和琴尼亚（三月二十八日）的陷落，从东面敲响了柏林的丧钟。

机构与政策

不容讳言，在过去的半月中，由于旧金山会议所引起的纠纷和混乱是增加了。

首先是三月二十二日法政府正式发表了它对于敦巴敦橡树建议案所提出的修正案，这一修正案包含两部分：一部分是原则上不完全同意敦巴敦建议案和雅尔达补充案中所规定的五大强国必须一致同意然后才能采取行动的程序，一部分是主张加强区域制度的权力。实际上法政府所企图的，是拿区域制度来补充它认为不满意的敦巴敦原案，而它所做的，好像也是结成类似于西欧集团的东西，来保障它自己的利益，区域制度是敦巴敦原案里所许可的，但排他性的区域制度和协调性的区域制度，是毫无相同之处的。从这里，我们可以看出，假如反法西斯战争的强国，不能对于当前的现实问题取得协调，任何机构是不能解决问题的。

表面上同样赞成加强区域制度的，除掉法国还有澳洲，澳洲主张成立太平洋区域制度，因此，它认为非常任理事的选出，应该根据区域标准。这和法国主张选举非常任理事应以一个国家的工业力量为标准的看法名义上不同，但实际上却是一致的。因为拿工业力量来说，除掉五大常任理事国而外，工业力量最强的地区是西欧诸国。

根据敦巴敦的建议案和雅尔达的补充案，非常任理事由联合国大会所产生，而非常任理事在整个安全理事会中，是有非常重大作用的。诚然，安全理事会任何采取行动的决议，必须得到五大常任理事国一致的同意；但五大常任理事国即使一致同意了，依然不能决定行动，它必须得到最低限度两个非常任理事国的同意不可，从这里我们可以看出非常任理事国的重要性。

举世公认五大常任理事国，是最能反映今天世界的现实力量对比的；但非常任理事的组成，能否符合这世界的现实力量的对比，则取决于联合国家的组成，能否反映这一现实力量的对比。只有当联合国大会——非常任理事——常任理事的组成，都能一致的反映了世界现实力量的对比，联合国的机构，才是一个和谐而有力的机构。

在这一个意义上，新生的民主团结的波兰，毫无疑问的应该参加旧金山会议，白俄罗斯共和国和乌克兰共和国作为两个独立单位来参加联合国家，是完全符合当前的现实形势与要求的。

空洞的法理上的辩论，是不能解决当前的现实问题的，假如不根据现实，而根据空想，我们怎样去解释英国在联合国大会中实际上有六票的投票权呢?

然而就是在这一个问题上，英美苏之间发生了颇为广泛的争论。英美政府方面拒绝波兰临时政府的参加，英美一部分舆论则对于白俄罗斯和乌克兰作为两个独立单位参加联合国会议的一举，纷纷起而责难。这些先生们在和平问题上很懂得数学，但在战争当中他们把数字问题都忘记了：一九四一年苏联向英美提出开辟一个足以牵制德寇兵力四分之一的第二战场，假如抽象的数学公式比活生生的事实重要，为什么那时候这些先生们不主张英美二国所开辟的第二战场，应该牵制德寇三分之二的兵力呢？

从这里又可以看出，假如同盟强国不能对当前的现实问题成立一种现实的谅解，任何机构是不能解决问题的。

根据三日美国务卿斯退丁纽斯的谈话，雅尔达会议中未公开的事实，除掉额外投票的问题外，还有委任统治制度问题，数日来甚嚣尘上的所谓五强会议，其目的大概就在讨论这一问题。据斯退丁纽斯说，在雅尔达会议中：

> 大家都感到这一委任统治机构，广经设计允许上次大战后委任统治领土，和这次大战中夺自敌手而日后可能协议交付委任统治的领土，置于这个机构之下。

这不是一个一般的处置殖民地的问题，也不是马上就要解决和就能解决的问题；但这是一个非常实际的问题，和一般殖民地有关的问题。

正是因为它是一个实际的，而又是和一般殖民地问题有关的问题，拥有殖民地的国家，纷纷对于他们的殖民地采取了花样繁多的表示：法国政府表示战后将在越南成立“联邦政府”；而魏菲尔总督则提出了对于印度的“国民政府”新方案。在这里我们不去分析这些方案，一言以蔽之，这是一个非常现实的问题，假如同盟强国，特别是英法殖民地国家，不能用进行战争那样的决心来合理解决殖民地问题，将来的世界和平固不可保，即同盟强国间的团结，也是没有深厚的基础的。

从现在到旧金山会议，只有二十天的时间了，这是一个决定世界前途的会议，它将标志出这一次战争是否已经打出了一条把人类引上和平、进步、繁荣的道路。正是因为这个缘故，东西方的法西斯及其暗藏的袒护者，正用着千百条看不见的线索，在破坏这一次会议。

时间紧迫了，这两个多礼拜简直是有划分一个时代的重要性；当前的问题不是机构，而是政策，面对现实的政策，面对欧洲现实的政策，面对亚洲现实的政策。

旧金山是大西洋和太平洋汇流的地方。

（四月六日）

民主天空的巨星坠了

十二年如一日

好像是晴天霹雳：四月十二日下午四时三十五分美总统罗斯福突然病逝。

民主天空的巨星坠了！顷刻之间，悲哀的轻纱蒙上了这一个星球的每一个角落：从大西洋到太平洋，从华盛顿到伦敦，从莫斯科到重庆；凡是有争民主的浪潮荡漾着的地方，没有一个人不感觉到那由于这一伟大的民主战士之死亡而遗留下来的无可补偿的空虚。

他是国际反法西斯战争的伟大组织者，他是战后世界和平与安全机构的先驱。现在正当欧战结束在望，世界和平与安全机构的建立有期，这一个世界正在需要他的时候，他竟与世长辞了！

自从一九三三年三月四日罗斯福总统开始在白宫执政以来，到今年四月十二日为止，罗斯福总统整整领导了美国十二年一个月零九天。回头看去，这十二年是一段充满了多少危险和艰难的风狂雨暴的历史长廊！

最初是应付那排山倒海而来的一九二九年开始的世界经济大恐慌；其次是一九三七年起阻止那来自东西两方的日益险恶的法西斯侵略者的威胁；再其次是当战争不可避免的时候，组织爱好自由的各国人民对法西斯侵略者的斗争；而当胜利在望，和平有期时候，他又倡导了战后世界和平与安全机构的组织。

只有一本专书才能道出罗斯福总统在这些险恶的年代和重大的事变中所起的作用；不过，罗斯福总统的基本立场和精神却是十二年如一日。

由于世界经济恐慌的暴发和扩大，深刻和持久，苏联社会主义国家以外的资本主义世界陷进了一个危疑震撼的深渊；普遍地，人们问，民主还能解决问题吗？

两个答案：希特勒的回答是否定的，罗斯福的回答是肯定的：一九三三年希特勒在德国登台，一九三三年罗斯福在美国秉政，十二年来，历史的发展，证明了罗斯福总统的回答是正确的。

正是因为罗斯福总统深信民主能够解决问题，他的基本精神永远是向前看的，他没有怀疑。一九三三年三月四日，他说，“世界上最可怕的东西就是恐惧自身”，十二年后，一九四五年四月十二日，临死之前他在那未广播的演说词里又说：“实现明天唯一的限制，就是今天的犹疑。”从不向后看，永远向前方的精神，还有比这两句话表现得更清楚的吗？

正是因为如此，一九三三年罗斯福总统一执政，对外立即建立了美苏外交关系，对内实行了新政；对内用提高人民购买力的方法来解决国内问题，对外用和所有爱好自由的国家合作的方法，来解决国际问题。诚然，新政不是社会主义性质的政策；但是，不要忘记，十二年来美国的工人阶级和黑人从罗斯福总统手中所得到的经济保障和政治效力比从美国历史上任何其他总统手中所得到的都多，这还不够说明罗斯福总统的对内政策是一种在资本主义范围内民主进步的政策吗？

正是因为有了民主的国内政策为基础，罗斯福总统一九三三年对苏建立邦交以及后来的援华援英援苏，组织反法西斯侵略战争，倡导战后世界和平与安全的机构才有它真实的历史基础和意义。

总之，十二年来，无论是在照顾人民利益，解决经济恐慌的问题上，打击孤立主义，阻止侵略蔓延的问题上，组织联合国家，对敌人共同作战的问题上，或是在把战时团结延长到战后，倡导战后世界和平与安全机构的问题上，对内对外，罗斯福总统的立场和态度在基本上是一贯的。但如今，正当他的事业开花的时候，他竟不及见而与世长辞了，对于他自己这是一个何等巨大的悲剧，对于进步人类，这又是一个何等巨大的损失！

然而从另一方面看，诚如英首相邱吉尔之所指出，他又“死得何等光辉！他已经领导了他的国家渡过了最大的艰难，胜利已经有把握了……他的左手领导着我们百战百胜的盟军，深入了德国的心脏，他的右手则在地球的彼方，以不可遏制的力量，迅速的击破着日本的武力……”（四月十七日）；罗斯福总统死了，但他所倡导和参与的事业在全世界千百万人民大众的衷心拥护之下，一定能够完成的。

他的右手

在盟军不可遏制的军事打击之下，在苏联废弃中立条约的政治打击之下，小矶内阁终于被打下了台。铃木内阁七日组成，它包含了四个海军人物（铃木、米内、丰田、左近司），陆军只有一个陆相阿南维几，和一个无任所大臣南次郎，其余的都是些二三流的政客和官僚，比较值得注意的人物不过是外相东乡和无任所大臣南次郎而已。这是“可战可和”，“且战且和”，“以战求和”的一个和战两栖内阁。

七日内阁组成，同日铃木发表了杉山元为陆军统部统帅，畑俊六为陆军航空总监。战争一天天迫近日本本土，看样子，铃木的主要任务只有缩短海上防线，集中防卫本土，保持日本海、黄海和中国大陆的交通了。

但当前的问题不是政策，而是力量。

五日至七日，日寇出动陆上基地空军集中轰炸琉球海面美军舰队，同时并出动一部分海军袭击美舰；五日战果：美日双方损失不相上下；七日战果：日主力舰“大和”号被击沉，日残余舰队四分之一沉诸海底。这是非常重大的一次海战，因为它显示了，即在铃木内阁的新部署之下，日本的海军依然是没有办法的。

话虽如此，我们没有理由忘记图画的另一面。

在大琉球岛上，日军的抵抗是逐渐加强了，特别是日寇在那霸方面红山地方的反攻，迫使美军不得不把向那霸方面的进展暂时停顿下来。四月十日，盟军又在名护湾登陆四个师团；这一件事实就足以指明大琉球岛上的战事之激烈是有逐渐驾琉璜岛而上之的趋势了。很显然的，日寇把它的全部希望放在陆上的“近距离作战”上。而对这样一个凶顽的敌人，盟军的作战不能不更多的采取包围侧击的方式；近数日来盟军的登陆大琉球岛东中城湾口的津坚岛（八日）和大琉球岛西的阳尾岛（十六日）指明了这一发展。

尽管日寇的陆上挣扎还相当坚强，由于欧战的即将结束，由于盟军在菲岛的顺利进展，由于盟军对日寇本土的战略轰炸的逐渐加强，盟军在太平洋发动下一步攻势的日子已经迫在眉睫了。四月五日，美联合参谋部决定麦克阿瑟将军统率太平洋上所有美陆军及其资源，尼米兹将军统率太平洋上所有美海军及其资源，而安诺德将军则统率第二十航空队。这一任命的发表指明盟军即将在太平洋采取登陆作战的步骤。虽然由于资料的缺乏，我们不能断定盟军的下一步，究在何处，但一方面由于琉球之战尚未结束，登陆日本本土或华北是很难想象的；而另一方面由于盟军在菲岛的顺利进展以及英荷二国将担任收复南洋与荷属东印度的报导（四月十日《纽约先锋论坛报》)，美国盟军先在华南登陆是可能的。

烈火在地下流行，熔岩在喷发之前的一秒钟是没有人注意的。

他的左手

鲁尔区已经远远的落在后头，西线盟军今日的课题已不是占领鲁尔区而是横扫自莱因河至易北河的整个区域；在过去的两周中，西线盟军在基本上完成了这一任务；十二日美第九军在马德堡南北两边渡过易北河建立起桥头堡垒是这一任务开始完成的标志。

两周来西线盟军完成了四大工作：一、完成对荷兰北部德军的包围。二、完成向北部德国平原深远的突破。

三、完成易北河的渡河。四、完成向捷克境内的突进。

加第一军完成第一任务，他们从鲁尔区西北突破到哥罗宁根（四月十六日）；英第二军完成第二任务，他们从闵斯德（三日）突破到汉堡附近；美第九军完成第三任务，他们从卡塞尔（三日）突破到马德堡（十八日）；美第三军则完成第四任务，从富尔达突进到捷克境内。而在第三军以北的美第一军则从卡塞尔一路前进到莱比锡（十九日），三军以南的美第七军则从威斯堡（五日）一路前进到纽伦堡（十六日）。

在这里特别值得注意的是德军抵抗的脆弱和自动被俘的众多；十四、十五两日西线盟军俘德军之多竟达十五万五千之高度，这是什么原因呢？

其次值得注意的是，根据苏联方面发表的数字，从三月初至四月中，一月半内德军在西线调往东线居然有四十四师之众，德军在西线原来的兵力就不过七十五师左右，为什么在西线战斗如此紧张，而东线比较沉寂的时候，把这样大的部队调往东线呢？这是什么原因呢？

再其次，在西线盟军大批获俘物里不仅发现了一百吨金条，而且还发现了一条纳粹的老狐狸——巴本。（此外还有霍亨索伦的亲王，希特勒怕霍亨索伦的王室会绝种呀！）这样重要的人物绝不会不撤退到后方的。为什么把他摆在那里，让盟军俘虏，这又是什么原因呢？

这三大问题是不可能有别的解释的，唯一可能的解释是十一日伦敦《曼彻斯特导报》的解释：希特勒故意加强东线，而在西线则打开门户，让英美盟军进来，好这样来挑起盟国间的怀疑，如此纵不能赢得战争，也将赢得和平。这样说，不是低估西线盟军的显赫战功，而是指出希特勒的卑劣阴谋。

十四日起德军在易北河的抵抗逐渐加强，加强到美第九军不得不放弃马德堡方面两大桥头堡垒之一，而撤回其东岸部队；是不是希特勒已经放弃上面指出的那一阴谋了呢？在未有回答这一问题之前，先一看东线的发展。

两大名城的占领与解放，标志出两周来东线苏军的战果：九日东普鲁士苏军打下哥尼斯堡，十三日苏军解放维也纳；由于哥尼斯堡的占领，东线苏军北路的后方已经再没有德军袋形阵地的残留了；由于维也纳的解放，苏军东线南段已经拉成慢慢地一条直线了，在广大的战略形势上，这两大进展就使得苏军掌有充分的行动自由，它已不再需要顾虑什么了。在哥尼斯堡的征服中，自四月六日至十日，苏军一共俘毙了十三万四千名德寇；而在维也纳的解放战中，自三月十六日至四月十三日，苏军俘毙亦达十三万人以上。

这就是东线的简单形势。

那么，德军在西线的阴谋是否已由于它在易北河的抵抗加强而表示中止了呢？截至现在为止的所有材料，不够断定这一问题；不过，不管德军如何阴毒与卑劣，从奥得河和易北河东西两面的最后大攻势已经可以喊得出来了，世界上绝没有任何力量能够阻止克里米亚军事计划的实现的。

向前，向前，永远向前

东西法西斯的希望不是他们自己还能在军事上打胜仗，而是在政治上英美苏三大盟国在战争的最后阶段中的不和，不管这不和是起于当前的战争问题，还是起于未来的战后问题。

因此，美总统罗斯福的逝世在他们的心上就燃起了一丝希望的微光，东京方面甚而至于说：“三巨头从此要散伙了！”

这一个希望首先是放在二十五日即将在旧金山会议的召开上，他们以为这一来旧金山会议大概开不成了。和敌人所预料的相反，十二日罗斯福总统逝世，十三日杜鲁门总统在就任后一小时内就决定旧金山会议如期召开，绝不延迟。

这一个希望是放在美国政策的改变上，他们以为这一来美国的政策可要回到孤立——半孤立主义上去了。和敌人所预料的相反，杜鲁门总统十六日向参众两院发表演说：美国在军事上坚持无条件投降的政策，绝不中途和敌人媾和；在政治上外交政策不变，坚持国际合作，积极参加战后世界和平与安全机构，以从事作战的决心来从事和平的事业。

这一个希望最后是放在英美苏三大同盟强国在旧金山会议中的矛盾的加深上，他们以为这一来英美苏更无法靠得拢了。和敌人所预料的相反，正是因为罗斯福总统的逝世，莫洛托夫接受了杜鲁门总统的邀请，决定出席旧金山会议；而由于莫洛托夫的决定出席旧金山会议，邱吉尔首相本来准备发表的对于波兰问题的声明也终止发表了。

这不是说对于旧金山会议，英美苏之间已经没有困难了，困难不仅是有，而且也相当大。英美和苏联之间的主要问题就有白俄罗斯和乌克兰作为两个独立国家参加大会的问题，以及波兰临时政府被邀出席的问题；白俄罗斯和乌克兰的问题由于英帝国会议（自六日至十三日召开）表示赞成，可说已告一段落；但波兰问题直至今日尚在僵持之中。英美之间的主要问题，则有委任统制地的问题，这一问题早就传说要在会前召开五国外长会议，以谋求得一共同方案，但直至今日外长会议尚未召开，问题的解决亦尚无端倪可见。

所有这一些都是困难，而且是相当重大的困难，然而困难尽管重大，英美苏三大同盟强国间的协调程度究竟是大于分裂程度；因此，这些分歧就一不足以阻挠旧金山会议的如期召开，也不足以破坏三大同盟强国在世界范围内合作。

困难既然存在，就必须解决它；怎样解决呢？民主的立场，向前看的精神。罗斯福总统说：“实现明天唯一的限制，就是今天的犹疑。”时间不许可，不能犹疑了，历史的发展已到了一个转捩的地方；人类的道路只有一条：向前，向前，永远向前！

（四月二十日）

在柏林胜利的是一个世纪

一个世纪的胜利

万人期待的大消息终于揭晓了，五月二日红军完全占领柏林！法西斯的老巢捣毁了，魔鬼的王城倒下了！光荣啊，伟大不朽的红军！全世界的人民感谢你们，你们旋转了乾坤，你们创造了历史。十二年来人类的历史就安排下这一个问题：是这一个世界毁灭柏林呢，还是柏林毁灭这一个世界？回头看去我们所经历过的道路是多么艰险啊！从柏林流出去的，首先是弥漫于全世界的反民主反共反人民的狂潮，其次是柏林——罗马——东京的三脚轴心，其次是杀人放火，无恶不作的第五纵队和特务制度；柏林张开了血盆大口，吞噬了西班牙共和国，奥地利和捷克，奴役了整个欧洲，威胁着全部世界。试一回想一九四二年的夏天，当希特勒在非洲威胁着亚历山大港，在苏联陈兵斯大林城的时候，那时候全世界的反动分子是怎样把柏林看成他们朝山进香三跪九叩的圣地啊！但如今这二十世纪反动的巴比伦是被伟大的红军捣毁了！单从这一点，我们就可以看出红军的攻克柏林，是具有怎样巨大的深远的历史意义了。在人类的历史上，往往有这样的一种战役，它足以决定其后几十年乃至百几年的历史；红军在柏林的伟大胜利，就是属于这一种。在柏林胜利的不是那一个国家的一个军队，在柏林胜利的是一个世纪，那是人民世纪的胜利。假如柏林不能阻止这一个世纪的凯旋，世界上还有什么力量能够阻止它的前进？远在四月中旬，西线盟军到达易北河边的时候，希特勒“西让东拼”的卑鄙策略就已经非常显著了；好，让你拼吧，东线攻势好像是排山倒海而来的大山洪一样发动了。

四月十六日奥得河和尼西河西岸的朱可夫元帅和康纳夫元帅所统率的大军，向前移动了。在这史无前例的大会战中，苏军虽然由于攻势发动前，对于德寇空军的惨重打击而掌握了全部的制空权，但敌人在地上长期构筑起来的纵深防御的力量，却是不可轻侮的。但是正如同德军在战争初期中的坦克优势一样，在战争末期苏军的炮兵优势，在这里起了决定的作用，于是像蜘蛛网一样的防御工事纷纷倒下了。但防御工事的破坏并不等于纳粹的投降，他们在临死之前还是战斗的，于是在这里就产生了战争史中最惨烈的近接战，这是人对人的战斗，谁胜利了呢？红军！红军的英雄主义应该是看做苏军胜利的最大泉源。正是因为这个缘故，和盟军在西线相反，在战斗初期，苏军在东线所俘虏的德寇非常之少，这是真面目的战斗。

苏军的攻势一发动，立即对柏林展开了包围态势：二十三日苏军正式打进柏林，二十五日朱可夫元帅的大军就同康纳夫元帅的大军在柏林西南波茨坦的西北会师，完成了对柏林的包围。二十三日起柏林的市街战开始。如所周知，这是在所有市街战中最艰难的情况之下进行的，这是言如其实的从这一条街打到那一条街，从这一幢屋打到那一幢屋，从楼顶打到楼下，从平地打到地窖，从地窖的进口打到出口；只要想一想苏军在白天作战不能不用手电行路，就可以了解红军的作战是怎样的壮烈，德寇的抵抗是怎样疯狂了。然而尽管德寇的抵抗顽强，从二十三日到五月二日止，经过了整整十天，苏军终于把柏林打下了。在柏林和柏林以南的包围圈中，红军俘获了德寇十九万名。

胜利的旗帜飘扬在柏林城头，笼罩在欧洲的漫漫长夜，就要破晓了。

两面政策的阴谋

和东线苏军完成对柏林的包围同时，二十五日西线英美盟军和东线苏波盟军，在易北河边的突尔高城完成了历史的会师。从来人们以为西方和东方不能碰头的，现在他们是在战场上握手了。这一握手，不仅是意味着希特勒及其走狗政府的末日即将到来，西线和东线之间的距离不复存在，而且还象征着英美苏进一步的大团结。假如这一握手是出现在六年之前，人类可以免除多么浩大的灾难啊！

直到西线盟军和苏军会师之前，希特勒在西线的战略，几乎是在执行不抵抗主义，这是希特勒的阴谋，但西线盟军却不能因为此阴谋而停止前进。在这当中，值得我们注意的是四月二十三日美第三军的部队本已进入捷克边境，向捷克集中攻击的，二十三日忽然掉转方向，对巴伐利亚和奥地利进攻，和美国第七军、法国第一军形成了一支扫荡德国内堡垒的强大兵团，德国内堡垒的强大据点纷纷崩溃了：纽伦堡，奥格斯堡，慕尼黑和累格斯堡。战略服从政策，从来人们以为希特勒在柏林陷落之后，还会在这内部堡垒内继续抵抗的，但还在“东拼西让”的阴险政策之下，它连它的内堡垒也置之不顾了。二十六日美第三军进入奥境，目前正向林兹一带攻击前进，这是东西线会师以后德国的南线。

在北线，和苏军完成对柏林的包围同时，奥得河上游的白俄罗斯第二战线发动了攻势向易北河推进，五月二日苏军业已占领罗斯托克。在这一线的那一边，英加联军也在五月二日占领卢卑格，从罗斯托克到卢卑格不过一箭之地，苏英二军在北线会师的日子已经近了。

由于德国战场所起的这些基本变化，意北盟军发动攻势的机运成熟了，二十一日意北英第八军占领波伦尼亚，二十四日渡过波河。盟军的渡过波河对意北游击队是一个起义的信号，差不多是在同一天的时间内，他们解放了意大利的北部的四大城市：米兰，都灵，热那亚和威尼斯（二十六日）。意大利北部解放了。五月二日，意北盟军在蒙尼法科和铁托元帅的部队完成了会师。在这种情况下，意北奥西德寇的投降，乃是水到渠成，战争发展的自然归结——五月二日，意北奥西（端）德寇全部无条件投降。在这里需要大书特书的是，意大利人民活捉了墨索里尼（二十九日）。这无赖的如此下场，实在太便宜了，他不应该一枪打死，应该发明一种苦刑，让他进诗哲但丁所早已替他安排好了的地狱。

南边意大利的外战场完了，北边挪威和丹麦的外战场的日子也不会远了，据报德寇已在接洽无条件投降，投降的实现可能是几天以内的事情。

是不是说德寇所有的抵抗会马上完全停止，欧战即可结束呢？据目前的材料判断，有两个地区，它的抵抗不会停止，一个是捷克中部，一个是奥地利东边，而在捷克和奥地利，它将一路贯彻“西让东拼”的两面政策，好这样来引起英美苏对于捷克和奥地利问题上最大可能的不和——在这里，特别是在奥地利的问题上，它是有材料的：二十九日奥地利人民临时政府的成立，立即在英美引起不承认的声明；这一不和的情况愈发展，德寇在捷克和奥地利对苏军的抵抗愈会更有信心的采取“西让东拼”的政策；这是目前人们必需加以严密注意和警惕的。

尽管德寇在军事上还可能有多少的挣扎，但它在军事上的希望完了。今天德寇法西斯，并不把它的希望放在军事上的两面政策。它的最后希望在政治上的两面政策。远在西线盟军渡过莱因河的当时，我们即已指出它的“西让东拼”的诡计，这一个诡计虽未收到预料的成功，但直至今日，它并没有放弃这一策略。汉堡和布拉格的宣布为不设防城市，是这一诡计的最好证明。这是一。其次，前些时它在西线丢下了巴本和黄金，这些时它又把德国国防军的将领们纷纷丢下。我们知道，直至今日，英美方面还有人相信国防军是和纳粹不同，甚而至于比纳粹较好的一种动物，纳粹这一着的用意，非常清楚地表现在它的四月十六日党政分离的指令上。这是二。这些都是不大被人注意的，令人注意的是希姆莱向英美盟军请求单独投降（四月二十四日）；如所周知，这一阴谋落空了，但不可不注意这一阴谋还未终止。这是三。最后希姆莱单独投降不成（二十六日遭拒绝），纳粹党忽然宣布五月一日希特勒死于柏林总部。怎样死的呢？有的说遇害，有的说脑充血，有的说自杀——究竟是怎样死的，真的死了没有，没有一个人能确实回答。而且很奇怪的是顷刻之间，所有纳粹党的罪魁们都不见了。假定说戈林是逃了，戈培尔是死了，希姆莱呢？波曼呢？莱氏呢？这都是值得严密注意的问题。

其时，继希特勒上台的是邓尼兹，为什么不是希姆莱呢？一看邓尼兹短短的文告，一共提了八次布尔塞维克，这全部把戏不是很一目了然了吗？对外离间英美和苏联，对内把纳粹党的全部组织从地上转变为地下，好这样来拖延战争，好这样来保存自己。

打垮了纳粹并不等于消灭了纳粹，赢得了战争并不等于赢得了和平，在军事上击溃了更不就等于在政治上和精神上击溃了法西斯。战争的胜利是近了，但法西斯还没有消灭，从整个战争的发展过程看，还没有比今天更需要同盟国家间在彻底消灭法西斯的原则下加强团结的了。

一条神秘的线索

一方面是战争的结束尚未到来，一方面是和平的设计业已开始；和东西线盟军在德国心脏地带完成会师的同一天（四月二十五日），联合国家讨论世界和平与安全机构宪章的会议，在旧金山开幕了。一条神秘的线索把这一个地球联系起来了：突尔高联系着欧洲的西线和东线，旧金山联系着大西洋和太平洋。

过去了，将要过去了的是反法西斯战争的昨日，到来的，即将到来的将是民主和平的明天。诚如美国务卿斯退丁纽斯所指出（四月二十五日）：

> 这一会议在旧金山举行，在我们美国人民看来，实在是一个具有希望的象征。美国历史上的所谓“西方”，往往就是指的“希望”而言。旧金山就是许多年代以来美国眼光专注的地方。具有信念的美国开拓者曾向西横跨原野，开辟新的道路，他们用勇气应付了并且克

服了沿途的每一困难，直至他们到达所富有希望的地点为止。后来美国人民就认为加利福尼亚和旧金山，是实现希望和完成目标的地方。人类最深切的希望和最崇高的目标——持久和平——现在正在付托在我们的手中，我们是新的道路开拓者，将来一定有许多障碍和危险，我们必须具备加州人民那种横跨原野直到太平洋边的那种勇气和决心，我们必须用坚决而虔诚的态度来从事我们的工作。

工作开始了，可以想象的障碍和危险，一个连一个地发生了。

首先是在会议开幕之前，波兰临时政府的未能参加会议，构成了旧金山会议的一个很大遗憾，虽然由于莫洛托夫的临时决定参加（四月二十二日到美），四国外长有充分的时间来解决这一问题。

其次，大会开始，英美苏之间在（一）大会主席，（二）白俄罗斯与乌克兰与会的问题上，发生了争执；不过，关于这两大问题的争执，都合理地解决了，由四十六国首席代表组成的指导委员会决定了大会主席由四国代表轮流担任，第二次全体大会通过了白俄罗斯和乌克兰代表的参加。

可惜的是对于阿根廷参加会议的问题上，英美及其他各国竟违背了民主的原则，决定了准许他参加；谁都知道阿根廷是南美的西班牙，它现在不过穿上了一件民主的外衣，竟能靠权力政治的运用，混进了旧金山民主的殿堂，这不能不算是一件极大的憾事。莫洛托夫的忿然离座（三十日），实在是代表了全世界进步人民的抗议，美国进步舆论界对这一问题的反应，充分的证明了这一点。

会议日程规定了从四月二十五日至五月四日，为各联合国家的代表对敦巴敦橡树建议案发表意见的时间，现在各国代表的意见，还没有全部看到，据已经看到的归纳起来，各国代表所提出的问题，举其大者有：

一、联合国大会的权力问题；

二、常任理事国的否决权问题；

三、非常任理事国的名额问题；

四、区域制度的地位问题；

五、殖民地和委任统治地问题。

所有关于这五大问题，在我们以前的论列中，大体上都已加以分析过；在这里值得注意的是，美国代表团对于委任统治地的意见可能是形成英美之间争执的焦点。

会议还未进入本题，现在不是做总结的时候；需要提醒的是法西斯还没有打垮，法西斯的幽灵正在到处乱跑。前些时《纽约下午报》发表了一幅漫画，上面画了一个小矶和希特勒并座的画像，希特勒手里拿一张纸，纸上写道“阿根廷参加旧金山”的几个字，上面写着希特勒对小矶讲的话“我们俩都到旧金山”。小矶已经下了台，可能希特勒也的确是死了，但不要忘记，东西法西斯的幽灵都是可能混到旧金山的。

要组织未来的民主和平，就必须在政治上和精神上彻底打垮法西斯，这一点做不到，民主和平的建立是不可能巩固的。我们衷心的希望主持会议的三大同盟强国，和参加会议的所有联合国家，能本着克里米亚会议的精神，和美故伟大总统罗斯福的信心，来完成这一历史的任务。战场上的尸骸还没有掩埋，灾难深重的大地还没有平复，历史的覆辙不能再蹈，人类的命运再也不能当成儿戏了。

西山日落东山昏

西山日落东山昏：西方的法西斯快完，东方的法西斯正在战栗。由于欧战的即将结束，由于《苏日中立协定》的废除，太平洋战争显已临于大转变的前夜。

然而假如西方的纳粹德国在本土的四分之三已经沦陷的时候，还在继续抵抗的话，日本法西斯在今天的情况之下，是绝不会认输的。

首先是在军事上的挣扎：琉球之战，自从四月一日美军登陆以来到现在，是整整一月以上了，然而直至今日，好久以前美军就已推进到相距四英里的大琉球首府，还在敌人的掌握之中，从这一点可以看出日军抵抗之顽强。

这是可以理解的。日本的海军虽然不敢出动，日本的空军虽然不行，但大琉球岛究竟离日本本土近，基地空军的自杀性攻击，仍然是发挥了相当大的威力的，这就逼使盟军一方面不能不采取更迂回的进攻，另一方面不得不实行更多次的增援。一月以来，美军的增援已有三次了。四月二十四日尼米兹元帅在琉球所发表的谈话指明了：敌人的损失虽然惨重，盟军的进攻同样是艰苦的。远在盟军顺利占领马尼拉的当时，美国方面有不少人主张直接到日本本土登陆，在盟军登陆琉球的时候，这一批人甚而至于说日本本土的门户已经洞开了。经过了这一个月的血腥战斗，人们大概可以认识到直接登陆日本本土，不是那么容易的事情了。四月二十日，据报麦克阿瑟和尼米兹两元帅有被召回华府的一说，这表示着：由于《苏日中立协定》的废除，和日寇在琉球岛上的顽抗，华盛顿方面已经在开始重新考虑太平洋上对日作战的战略问题了。

琉球是日本的内堡，南洋是日本的外围，从而这方面的战争，呈现了两幅不同的图画。美澳联军在菲律宾群岛的进展，和英印联军在缅南的进展，其性质虽各有不同，其速度却是同样可惊的。这样到了五月初，这两方面的战事，都发生了本质的变化：一方面是缅南英军攻占庇古，五月一日英印军在仰光之南登陆，三日仰光攻克，缅甸之战已成尾声，中国通南太平洋的大道终于打通了。另一方面是美军占领了民岛大部，五月一日美澳军登陆婆罗洲。由于仰光的克复，继之而来的将是中南半岛的暴风雨；由于婆罗洲的登陆，荷印日寇的丧钟响了。

这是辉煌的新发展，然而具有决定性的战斗，不在这里，因为这里究竟是外围，决定性的战斗在日本帝国的内堡——华北东北和日本本土。在日寇的外围的作战中，值得我们注意的不是它在军事上的抵抗，而是它在政治上的阴谋；离间英美是日寇一贯的策略。在内堡的作战中，日军的抵抗将是非常顽强，目前能使这一方面的战争发生基本变化的，不是战术上的进退，而是战争形势的改变，一月以来日寇的宣传，不断强调美苏之间的矛盾，是非常值得我们注意的。

西山日落东山昏，西方的法西斯完了，东方法西斯的寿命不能久了。

（五月四日）

从共同的危险到共同的希望

欧战是怎样胜利的

五月八日，欧洲反法西斯侵略战争终于胜利地结束了！

从一九三九年九月三日上午十一时英国对德宣战起，至一九四五年五月八日上午十一时零一分德国法西斯侵略者无条件地放下武器止，欧洲战争整整地经历了五年八个月零五天。如今，欧洲的漫长夜已经过去了，地平线上升起了民主和平的曙光。由于欧洲战争胜利地结束，欧洲的面目变了，世界的面目变了，人类的历史掀开了崭新的一页，“人民的世纪”奠下了不拔的根基。

光荣啊，在战争倒下去的所有同盟国家的战士和人民，你们的血不是白流的，你们的战果已经改变了这一个世界的面目，你们怀抱的民主自由的理想已经在全世界的范围内不可抗拒的展开了。

五月二日苏军攻克柏林，这是整个纳粹作战机构趋于最后崩溃的信号。

五月七日德寇的初步投降协定签字，八日在柏林苏军总部批准德国的无条件投降终于完成了。

五月八日斯大林元帅发表演讲，宣布欧洲战争结束，和平发展的时期已经开始。同盟国家的目的——首先是苏联的作战目的并不是消灭德国人民，但所有法西斯分子必须消灭，而法西斯是没有国籍的，虽然德国纳粹的元凶巨憝是战争罪犯名单上的主犯。

当前的问题是严惩战争罪犯。在这里人们必须彻底改变一个观念，以为这次战争是一种通常的战争，从而以一般的俘虏去看待德国的战罪，这是绝对错误的。不幸的是“美国高级军官用‘友好敌人’的态度来对待纳粹党人和德国高级官员”（十四日艾森豪威尔谈话）。这是一个严重的事实，这指明目前已经有一部分人开始用宽容和友好的态度去对待法西斯战争罪犯了。艾森豪威尔元帅说“这种行动直接违反我的命令，我已采取严厉措置，保证这种错误不至再犯”。这是事情的一方面，我们希望艾森豪威尔元帅的诺言立即兑现；另一方面，必须指出，法西斯诚然是打败了，但他们还没有被消灭，要求严惩所有战争罪犯，彻底消灭法西斯残余是人民的责任——首先是欧洲人民，其次是全世界人民的责任；以为欧战既已结束，问题就已完全解决的态度是绝对错误的。

战争结束，和平开始，和平发展的困难不下于取得战争的胜利，但胜利终于到来了。人们问，欧战是怎样打胜的？

欧战的胜利有三个关键：

第一个关键是斯大林格勒——这说明了欧洲战争的主要负担是由红军来担当的，他们是英雄中的英雄。

第二个关键是德黑兰会议——这说明了欧洲战争是一个英美苏根据一定原则，共同作战的同盟战争，德黑兰奠定了同盟作战的基础。

第三个关键是第二战场——这是共同作战的具体展开，法国内地军的奋起尤其指出了这一共同作战的人民战争的性质。

所有这一些特点表现在如下的一个数目字上：一九四四年夏欧洲战场上的兵力对比及其构成。

德军拥有一千一百万人。

盟军拥有一千六百万人。

盟军对德军：优势约为一.五比一，而这优势是如此构成的：

苏军　　　一千万人

美军　　　四百万人

英军　　　一百万人

法军　　　五十万人

地下部队　六十万人

这里对于美军部队估计过高，对于地下部队的估计太小，尤其是它没有把各地游击队及各国人民怠工破坏的力量估计在内，更加使其不能反映真实的情况；不过虽然如此，我们已经可以看出欧洲战争的大致轮廓了：欧洲战争是以苏联为中心的同盟国家共同作战的人民战争。因此我们也可以说：欧战的胜利是红军主力的胜利，是同盟作战的胜利，是人民战争的胜利；这三大因素除掉一个，欧战如此迅速的胜利是不可能想象的。

亚洲战争应该怎样打

由于欧战的胜利结束，世界反法西斯侵略战争的形势起了基本的变化；从整个世界战言，战争结束了一半；从英美的对日作战言，英美的形势已从同时对付德日的两线战争一变而为集中对日的一线战争，而日本则由于希特勒的垮台，不仅是在精神上遭受了一蹶不振的打击，在力量的对比上已经陷于不可挽救的劣势地位。

这真是千钧一发的时候。

远东的地平线上升起了两道暗流：一方面是同盟国家阵营中有些人以为单凭这即将到来的巨大优势已经可以强迫日本无条件投降，另一方面是日本法西斯伸出了妥协和平的触须。日本的希望在：一、由于欧战的结束，英美苏的团结已经失掉了基础，英美苏关系的恶化是它发动妥协和平的物质基础；二、由于欧洲战争的胜利，英美同盟国家内部必然发生陶醉胜利的现象，再加之以局部复员的到来，英美人民必然发生厌战的思想，这是它发动妥协和平的心理基础；三、由于欧战的结束，废除了《苏日中立协定》的苏联必然在远东采取更加积极的步骤，这是日本法西斯所最恐惧的：希特勒的命运已经告诉了日本，苏联的参加战争是一个什么意思；而希特勒坚持到死的做法又教育了日本，对于这一个问题应该采取什么办法：宁可早日向英美妥协，不要等到苏联采取了积极行动，弄得后悔不及；欧战结束后苏联行动前，这是日本法西斯发动妥协阴谋最好的时机。

妥协和平的暗潮激荡绝不止于那些已经在报纸上公开发表了的东西；不过，最近两周来把日本的妥协阴谋不断予以公开揭露的这一事实最低限度指示了：这一阴谋在目前尚无成功的可能。在日本方面，五月九日日政府的公开声明指明了这一点；在英美方面，五月九日美副国务卿格鲁的谈话指明了这一点。问题的关键在那里呢？英美同盟国家方面所要求的是无条件的投降，日本法西斯方面所企图的是有条件的妥协，尽管英美同盟国家的优势已空前的增加了，但那优势还是潜在的，还没有搬到战场上面，还没有发挥压倒的威力，可能性的优势是不可能取得日本实在的无条件投降的。这是一方面。另一方面，日本尽管是已陷于不可挽救的劣势，但它还有相当大的支持下去的本钱，这支持下去的可能性就使日本不可能放弃有条件的妥协来接受无条件的投降。

欧战结束，五月八日英首相美总统都一致强调，战争才到了一半，今后的任务是集中力量打垮日本；十一日英美政府都决定了延长征兵法案，直至完全击溃日本而后止；十日以来，英美大军纷纷东调的消息载满了报纸。

怎样打垮日本呢？五月八日尼米兹元帅在关岛发表谈话说：进攻日本本土的计划已经拟定；进攻日本本土，这是在最短期间用最小牺牲打垮日本的战略吗？

先一看双方力量的对比：

据一般估计，日本现有陆军四百万，最高动员额是一千万。英美盟军能拿多少力量去对付它呢？从表面上说八百万，盟军优势为二比一，换句话说，英美盟军的对日优势大于英美苏盟军对德的优势。这一个比较是不合实际的。首先一个问题不能不指出的是，盟军在太平洋——亚洲作战的运输线长于盟军在大西洋——欧洲作战时的三倍，这就相应的减少了盟军作战的兵力。把这个交通线的因素估计在内，可以确定：英美盟军在太平洋亚洲战场所能使用兵力的最高限度不能超过英美盟军在欧洲所使用的最高峰，美军三百五十万，英军一百万，共四百五十万，而四百五十万补充困难的大兵对于拥有六百万人作为后备的四百万人的优势是不能说是很大的。

这一点，美陆军部在它的五月十日的报告里也明确地承认了这一点，但他们指出：日军是分散的，而盟军的使用却是集中的，日军的分布是互相隔离，不相沟通的，而盟军的运用却是来往自如，能够主动地选择进攻的时间和地点的，这是盟军的优点。一言以蔽之，盟军对日的动力优势远大于它的对日的兵力优势。

然而盟军的最强之点还不在动力，因为这动力的优势是局部地被盟军的交通线长的不利因素所抵消了，盟军最强的优势是它的火力，这表现在各种兵种上，但集中地表现在空军的优势上。这样总括起来，我们可以说：盟军对日的火力优势大于动力优势，动力优势大于兵力优势；在兵力的对比上，英美盟军几乎可以说是和日本打平手的。

目前盟军的战略方针好像是在充分利用欧战结束

后，盟军所拥有的绝对空军优势来摧毁日本本土的战争工业和防御力量作为登陆日本本土的前导，不少人以为这是用最少牺牲在最短期间击溃日本的最好战略，甚而至于以为不必登陆，日本就会在空军的毁灭之下无条件投降了，这种形势在德黑兰会议前也产生过。如所周知这种战略思想不仅没有得到预期的效果，而且还阻止了真正的同盟国家共同作战的人民战争的形成。以今视昔，这种战略思想不是缩短了战争，而是延长了战争；而欧洲战争的迅速胜利却是由于它执行了同盟国家共同作战的人民战争的纲领的缘故。

现在欧战胜利，在太平洋——亚洲方面，缅甸之战告一段落（五月五日），琉球之战结束不远（十五日美军攻入那坝），与远东有关的同盟国家应该认真的来考虑在亚洲用最小的牺牲在最短期间内击溃日本的联合战略了。在这里有一个重大因素阻碍着这一同盟国家共同作战的人民战争的纲领之形成，那就是中国的团结问题——太平洋的这一边，有些人正因为战争形势好转，硬是倒行逆施，骗人骗己，太平洋的那一边有些人则以为胜利已经在握硬是避开不谈，明知故犯，而后者这一批人的做法又加强了前一批人的自信；这不仅是决定地妨害着今天对日战争的彻底胜利。而且严重地影响着明天亚洲的民主和平。条件成熟了，亚洲战争的德黑兰阶段不能再延迟了。

共同的危险到共同的希望

一方面是战争胜利地结束了一半，一方面是和平顺利地完成了开端——旧金山会议的第一阶段结束了。

旧金山会议第一阶段的主要工作是中美英苏四强完成了对敦巴敦橡树园建议案的修正案。

四强一致提出的修正案包含了如下的几个折衷要点：

一、敦巴敦建议案自去年秋天公布以来，英美及各小国方面即不断加以指摘，认为这一个建议案关于机构的规定很多，关于理想的内容太少，从而认为关于目的的一章，太缺少道义的性质。事实上敦巴敦的建议案是根据旧国际联盟的经验教训而制成的，国际联盟的约章上不少崇高的语言，但那些崇高的语言在实际上所产的却是卑鄙的行动，由此可以看出，抽象的崇高语言在现实的生活里是不能发生任何作用的；虽然这不是说任何抽象的原则一概没有意义，但从这里可以了解为什么敦巴敦的原案对于这一方面注意较少的背景和原因。四强一致通过的修正案明确规定和平宪章应遵守正义及国际法的原则，尊重各民族主权独立，地位平等，民族自决的权利。这是些伟大的原则，但重要的不是把它写在纸上，而是付之于实践。

二、敦巴敦建议原案被人批评最多和最激烈的地方是安全理事会的权力太大，大会的权力太小。敦巴敦原建议之所以作如此金字塔式的（即常任安全理事——安全理事会——大会）民主集中制的建议的缘故，一方面是参考了旧国联形式主义的经验教训，一方面则为能合理地反映今天这一个世界现实的力量对比——这是我们以前所不断反复加以说明的，但反对者的理由是说不完的，这是形式逻辑对辩证法的论争。值得我们注意的是，在这一个基本问题上，中美英苏四强同意——再度肯定了敦巴敦的原案，这就从机构上奠定了战后世界和平与安全的基础。

三、同样争论较多的一点还有敦巴敦原案中关于区域制度的原则性的规定，但四强的修正案在这一点上维持了原案的基本精神，即区域制度不能有完全独立行动的权限。和区域制度有关的是国际机构是否有权修改战争中所结条约的问题这是美国代表团提出的，其实际目的好像是在针对苏英法波南捷在战争中所缔结的一些互助的协定。从实际的效果上说，这是不合理的；从法律的根据上说，这是违反民族自决的原则的，从而，这一个提案的被打消是很自然的。

四、在这次的修正案中尚未取得一致协议的只有关于委托制度一个比较重大的问题。对于这一个问题，苏联认为委托制度的目的在促成殖民地和附属国的“完全独立”，美国认为是“独立”，英国是“自治政府”，法国是“土人幸福”，从这几个用词说我们已经可以看出几个主要国家的真面目来了。未来的问题还多，但由于四大同盟强国的修正案的提出，旧金山会议已经顺利地完成了它的初步工作。由于欧战的结束，英美苏三强之间的纽带已经从共同的危险转移到共同的希望来了。

（五月十八日）

世界新形势

两条路线的斗争

六月六日苏美英法管制德国委员会的代表在柏林开会，同时公布了德国无条件投降条款与管制德国条文，欧战结束后一月以来的混乱情势已经开始走上澄清的道路了。

远自德国无条件投降的那一天起，欧洲的混乱局势就开始高涨，有一些人不愿意德国法西斯完全消灭，他们在德军作战机构刚刚崩溃的时候，就已经着手把德国保存起来作为第二次反苏的枪头；有些人不愿意欧洲民主政权的建立，他们在反法西斯战争的炮声还没有完全消逝的时候，就已经采取公开反对欧洲人民政权的步骤；有些人不愿意整个欧洲形势所已发生的变化，他们在整个欧洲已经发生了基本变化的时候，还是念念不忘于他们旧的帝国主义政策，他们企图控制海洋来包围以至封锁那已从战争的炮火中诞生的新的大陆。

这是一股逆流，在这逆流的激荡中反映出同盟国家对于战后欧洲的两条路线。

这是两条路线，这是一个斗争：一方面是不愿意德国法西斯完全消灭的路线，一方面是坚持并保证德国法西斯消灭的路线，一方面是反人民反民主的路线；一方面是人民的民主路线，一方面是苏英美合作的路线，一方面是英美和苏联对立的路线；一方面是反克里米亚的路线，一方面是坚持克里米亚的路线——人们只习惯战场上同盟国家军队和德国法西斯军队的斗争，而不习惯于这两条路线的斗争，于是有些人只看到表现在水面上的逆流，而看不到深藏在水底的主流；只看见反动者气焰的高涨，而看不见进步人民已有的，正有的和将有的胜利；只看见混乱，而看不见澄清，这是完全错误的一种想法。需知取得战争的胜利固然需要斗争，流血的斗争，取得民主的和平，更加需要斗争，严肃的斗争。

斗争是艰苦的，但赢得胜利的人民已经开始赢得了和平与进步。

有些人不愿意法西斯完全消灭；在这一个动机下，人们对纳粹战罪采取了宽容的态度，和不明身份的邓尼兹政府实行了暧昧的合作。这是对于千千万万在希特勒的暴政下，在延长了五年多的战争中倒下去的男男女女之寡妇孤儿的一种不能忍受的侮辱，人民愤怒了，人民要求严惩战争罪犯，人民要求取消邓尼兹政府。在人民的压力之下英美盟军开始对战争罪犯采取了比较合理的政策（五月十四日），同时取消了邓尼兹政府（五月二十四日），这是人民胜利的开端。现在同盟国家管制德国委员会已经建立起来，德国无条件投降的条款和管制德国的条文亦已公布，管制德国的区域正在划分——将来的问题（例如撤兵赔偿等）还很多，但不能不指出，处置德国的问题已经获得了第一步的澄清。

有些人不愿意欧洲民主政权的建立；在这一个动机下，不仅是在克里米亚会议已经确定了的波兰问题的解决方针不能实现，而且在奥地利的问题上增加了新的困难。如所周知，奥地利的民主政府早在战争中的四月底就已成立了，成立当时英美盟邦尽管表示不承认，但是他们之中没有一个人是否认它是符合于莫斯科会议《关于奥地利的宣言》原则的，他们所不满意的仅仅是成立之前苏联方面没有和英美协商，换句话说问题仅在手续上，伦纳政府的民主性是没有问题的。这样看来问题是可以解决的，但五月二十四日英美盟军忽然宣布在奥地利成立军政府，这一举，其目的显然是在对抗伦纳政府，其结果使得问题的解决就更加困难了。

今天成问题的不仅是个别的波兰问题或奥地利的问题，而是英美盟邦对于整个东欧和中欧的政策问题。经过了这次战争，整个中欧和东欧的形势改变了：人民翻了身，他们在英勇红军的协助之下，打走了侵略者，惩办了同谋犯，建立了保证法西斯永不再起的民主联合政权，粉碎了封建的和半封建的专制势力，解决了土地问题——这是一个新的形势，英美同盟国家以怎样的态度去对待这一新的形势呢？还是像上一次欧战后一样把东欧转变成反对——进攻苏联的基地吗？不少人有这样的企图，他们计划把以反苏为职业的波兰流亡政府的军队调到德国西北部是这一企图的明证，而目前所有关于波兰，奥地利的问题在本质上也都包含着这一基本倾向。这是可能的吗？不可能。你不能叫一个已经觉醒了和组织了的人民放弃他们所自愿建立起来的政权，这道理是不分东西南北的，当前的问题是这些人民政权不仅已经建立和巩固起来，而且已经和它的东方强大盟邦建立起友好协定，换句话说人民已经取得了战略的主动地位，而目前某些顽固分子的企图不过是一种战术上的反攻而已。中东欧的大势已定，这是谁都改变不了的。

有些人不愿意整个欧洲所已发生的变化，在这一个动机下他们企图用控制海洋的办法来封锁进步的欧洲。伦敦《经济学者》杂志就早已指出过：苏联的东欧防御线横贯欧洲，而这一条线的南北两端都是坐落在北部德国的波罗的海大港斯泰丁和意大利北部亚特里亚大港特里雅斯特，这是代表英国官方的一种看法——不正确的看法。这种看法虽不准确，但从这里可以看出英国对这两个区域的政策——一言以蔽之，他们生怕任何进步力量完全据有这两个区域的港口和岛屿，因为从他们看来，只有控制住这两个地区方能一方面保证大英帝国的海上安全，另一方面阻止进步的东欧大陆出洋。这就产生了丹（英）苏之间的关于占领波荷姆岛问题和英（意）南之间关于占领特里雅斯特问题。波荷姆岛问题由于苏军的坚持，已告暂时解决；特里雅斯特问题，由于双方让步，亦告一段落，问题的最后解决要等和平会议的召开，但是我们问：西方盟邦的这种复活帝国主义政策的企图能够成功吗？不能，当一个大陆已经走上了进步途程的时候，一个反动的海洋是阻止不了它的前进的。

逆流激荡，不限于欧洲：叙利亚和黎巴嫩的问题指明了，西方同盟国家复活帝国主义政策的企图不仅表现在英美盟邦对于欧洲的某些问题上，而且表现在法国企图使用武力维持它在它的旧托治地区的叙利亚和黎巴嫩的特殊权益以及英国运用法叙之间的矛盾来巩固乃至扩张它在中东的地位上。

叙利亚和黎巴嫩的独立要求是完全正当的，但不可忽视叙利亚问题不仅关系于叙法两国之间，而且关系于英法在中东的权益的争夺；不仅关系于叙黎和英法，而且是一方面关系于整个阿拉伯国家，另一方面关系于整个同盟列强——英法美苏，这仅使得问题呈现了一幅非常复杂而错综的图面。

一般的说来，波斯湾——苏彝士——鞑靼海峡这一三角地区，由于它扼欧亚两洲的咽喉和保有丰富的石油产量，自然就是英美法苏关系交错的地带，特别是经过了这次战争的变化，它浸假有取战前巴尔干而代之的趋势，这是问题的一方面，整个中东和近东的阿拉伯民族的独立运动是再也不能阻遏了，阿拉伯联盟的成立是这一发展的指标。

任何关于中东问题的解决必须照顾这两方面，一方面它必须照顾到阿拉伯民族的独立要求，另一方面它必须照顾到英法美苏的利益；任何继续压迫阿拉伯人民的独立和加深英美法苏矛盾的做法，像几个世纪的经验所昭示了的一样是命定要失败的。现在，用来打击法西斯的大炮（美国的租借物资）第一次在大马士革向争独立的人民开出了（三十一日）。问题怎样解决呢？两种方法：英国所主张的英美法三国会商的办法，苏联所提议的英美中苏法五强共同解决的办法。很显然的，前一种办法只能有一个结果：继续压迫人民，加深列强矛盾；而后一种办法不仅能解决当前的叙黎问题，而且还将为整个中东问题的解决铺平道路，把整个近东的落后地区拉向民族独立，国际和平和工业建设的道路。

欧洲变了，企图把欧洲恢复到原来面目的一些国家也在变着。五月初法国地方选举中以共产党为首进步各党派的获得压倒优势，证明经过了战争教育的人民不会长期地让他们的统治者恣意横行下去，很显然的，法政府目前对于叙黎的政策是不能代表法国人民的意见的，因为刚从希特勒的铁蹄下解放出来的他们，深深地知道压迫别的民族的国家本身是不能自由的，实际上法国对于叙利亚的这一举把新生的法国荣誉降低到怎样可耻的地步啊！羞耻是没有用的，法国人民恢复法国光荣的办法只有改变现政府的机构及其政策，五月初的地方选举指示着这日子是不久就会到来的，法国的大选已经不远了，这是从西欧地下即将升起的烈火。

其次被人假借名义和南斯拉夫捣乱的意大利亦在激烈的变动之中。还在去年六月间波诺米组阁的时候，他就答应了一旦意北解放，意政府即将大改组。现在意大利完全解放了，意政府改组之期不远，而这改组只能有一个前途：更加民主化。在这里困难的倒不是意大利的王室——专制主义者——帝国主义者这一批法西斯的同谋犯本身还有多么大的力量，而是英国的反动分子在支持这一批人阻挠意大利的民主化。例如意北盟军总部就借口地方安全，拘留过社会党领袖奈尼，禁止意共领袖陶格里亚特演讲——这些都是违背莫斯科会议对于意大利的决定，《德黑兰协定》和克里米亚对于欧洲解放宣言的基本精神的举动。从这里可以看出意大利民主前途的困难，但是战争教育了人民，人民终将赢得进步与和平，我们对于人民的信心是无穷尽的。一旦意大利的政府真正的民主化起来，意大利就不再可能是西方强国用来搅乱欧洲和平发展的工具了。这是从南欧地下即将升起的烈火。

远自十八世纪法国大革命以来，英伦三岛就一直导演着一种不名誉的角色：反动的英伦三岛监视和扑灭欧洲大陆的革命——一七八九年以后如此，一八四八年以后如此，一九一七年以后亦如此，屈指算来，这不光荣的历史已经前后贯串三个世纪了。好像是一种牢不可破的历史的惰性在支配着人们，这一次人们又在导演这一套把戏了，远自去年希腊事件以来欧洲所发生的一切不幸都可以回溯到这一个总根源去；英伦三岛还能像过去一样的完成这一不光荣的任务吗？姑不论欧洲的面目是变了，英国自己也在变了。这表现在最近英工党退出联合内阁，邱吉尔政府解体（二十一日），保守党（邱吉尔）重组看守内阁（二十三日），并决定六月十五日解散国会，七月五日决定大选——这一连串的发展上。

英国的现国会是十年前一九三五年十一月选出来的；十年来世界翻了一个身，英国的政策也经历了重大的变化；以十年前选举出来的国会其不能反映英国人民的意见是显而易见的。现在，欧战结束，英工党决定退出内阁，举行大选，这一次大选的结果对于整个世界发展的重要性是不言而喻的。

大选的前途如何呢？从英国两大主要政党——保守党和工党所标揭的政策上来看，根据他们在纸面上所发表的，两党政纲在国际政策上（和美法苏中合作，保证对日作战到底）的差别不如在印度问题上的差别，而在印度问题上两党之间的差别又不如在国内问题上的差别，虽则这三方面的差别都不太尖锐。保守党看到它的重大弱点了：一是在印度问题，所以他们目前正在集中力量于“解决”这一问题；可以想象，这一问题最近将来会有若干开展。但今天更重要的是保守党拥有邱吉尔这样一个很有力的领导者，而工党的竞选政策却一直到现在还是拒绝和其他进步党派结成选举同盟，这两党上层机构的一强一弱就阻碍了英国内部阶级力量的改变适当的反映到选举中来。因此，尽管英国内部情况是激烈的改变了，由于选举机构的复杂性，和工党领导层的错误政策，这改变可能有相应的反映到选举结果上来，这是一方面。另一方面，尽管保守党再度以很小比例的优势而当选的可能，但回复到目前保守党在国会中占有三五九名压倒优势的多数，而工党只保有一六三名少数的情况是绝不可能的；这就是说，保守党尽管有可能再度当选，但它对于其他党派的优势是相对地减少了，这可以说是一定到来的变化，而这变化是不可避免地要反映到政策上来的。自然，这仅仅是一种估计，大选的真正结果还是要看最近一月内英国国内外形势的发展和竞选运动的进行；预言具体结果，现在还不是时候。但目前可以断言的是，不管选举的具体结果如何，回复到一九三五年去的可能性是一去不复返了，英伦三岛周围的世界变了，英国人民变了。

而且当前的问题是非解决不可的，这要求的迫切性，英美甚于苏联，美国甚于英国，因为从英美方面说，战争才打胜了一半，欧洲和平问题不解决，英美特别是美国无从真正的集中力量去打击日本，这是一个非常现实的要求，于是在英美人民的督促之下，在现实要求的压力之下，美总统杜鲁门终于派遣了贺浦金斯和台维斯分别访问苏英，作为英美苏三巨头会议的前导，同盟国家管制委员会的成立显示了美总统二特使活动的结果；据六月一日杜鲁门总统的谈话，三巨头会议的日期已经不远。混乱的局势必须澄清，英美苏三国必须团结，当人们认识到团结问题不是一个主观的愿望问题，而是一种客观的必然的时候，团结的前途就已经有了保障。

欧洲的人民已经赢得了战争，赢得了战争的人民一定会赢得进步与和平，因此，目前欧洲的逆流虽然相当高涨，但英美苏团结的主流一定会冲破各式各样的困难和阻碍，而达到和平发展的宽阔的彼岸。

妥协和平的危机

由于欧战的结束，世界反法西斯侵略战争的形势起了基本的变化：从整个世界战争言，战争结束了一半；从英美对日作战言，英美的形势已经从同时对付德日的两线战争一变而为集中对日的一线战争；而日本则由于纳粹德国的垮台，不仅在精神上受了一蹶不振的打击，在力量的对比上，它已陷于不可挽救的劣势地位。

这真是大转变的前夜。

于是远东的地平线上升起了两道暗流：一方面是同盟国家的阵营中的孤立分子和绥靖分子以为单凭这即将到来的巨大优势已经可以迫使日本无条件投降，一方面是日本法西斯向各方面伸出了妥协和平的触须。日本的希望在：一、由于欧战的结束，英美苏的团结已经失掉了基础，英美苏关系恶化是日本妥协和平可能成功的物质基础；二、由于欧战的结束，英美同盟国家内部必然会发生陶醉胜利的现象和及早结束这一半战事的希望，这是日本妥协和平可能成功的心理基础；三、由于欧战的结束，已经对日废除了中立协定的苏联必将采取进一步的行动，而苏联的这一步骤必将使日本永无回头之望，因此欧战结束后苏联行动前是日本发动妥协阴谋最好的时机。

这样，日寇的妥协阴谋就从四面八方施展了开来，然而尽管同盟国家的孤立分子对于它抱着很大的兴趣，但这阴谋是到底不能成功的；理由很简单，尽管同盟国家的优势是空前的增涨了，但那优势在今天还是潜在的，潜在的优势不可能取得日本的无条件投降，而另一方面正因为那优势还是潜在的，它绝不会放弃它的妥协和平，这是一。其次，英美同盟国家内部诚然有一部分陶醉胜利的松弛现象，但另一方面战争也教育了人民，英美的人民是绝不容许对日妥协和平的。最后，目前任何英美对日的妥协和平必然地在本质上包藏着反苏的阴谋，而苏联是绝不会让这阴谋实现。

妥协和平虽不可能，盲目的乐观空气依然笼罩着天空。人们说，日本尽管挣扎，它的溃败已经指日可待了：一方面是空中堡垒逐渐地轰炸着日本本土，一方面是在琉球岛的占领已经不久即可完成，再向前去就是日本本土，美军登陆日寇本土的日子不能远了。美军即将登陆日寇本土，日寇在中国大陆的前途只有撤退，最低限度是在华南撤退。（被略）两周以来我军收复了如下的地区：

一、福州（五月十八日）及其附近诸据点。

二、河池（五月二十日）及其附近诸据点。

三、南宁（五月二十七日）及附近诸据点。

由于欧战结束盟军第二次登陆的迫切性，由于《苏日中立协定》的废除，苏联采取积极行动的可能性，远东战场的基本形势变了。在这一个新形势下，日军有重新部署它的兵力的必要：这一新部署的战略趋势是加强华北，巩固华中，糜烂华南，这一新部署的战术原则是改变平面的占领为重点的建立，根据这两大原则，敌人在华南某些更重要地区的撤退还是可能的，但虽如此，我们直至今日还没有看出敌人从整个华南撤退的象征。

然而，盲目的乐观空气依然弥漫四方，这是因为对日战争的轻率估计不仅是支配着太平洋的这一边，而且支配了太平洋的那一边的缘故。

在妥协和平的暗潮激荡在太平洋彼岸，美国的孤立分子们跃跃欲试的时候，六月一日美总统杜鲁门的国会咨文是有着澄清局势的重大作用的。在这一咨文里杜总统重申了美国对日作战到底的决心，坚持无条件投降的和平条件，这是值得我们鼓掌欢迎的。在这里，杜总统并不过低估计日本抵抗的能力，他认为美国军队还没有和日本的主力接触，这是完全正确的；但是美国的作战方针呢？

> 美国参谋首长联席会议和麦克阿瑟及尼米兹会商已决定我军在太平洋上发挥最大的打击力量，将于一年以内，迅速获致最后胜利。维持这种规模的军队我们就能够使我们目前在太平洋上的力量增加一倍以上，并且能够投入比曾和我们盟国比肩作战以摧毁德国国防军和空军的三百五十万大军还要大的海外军队来打击日本。

很显然的，这“比三百五十万大军还要大的海外军队”和日军四百万第一线作战部队比较起来不能算是决定性的优势，怎样取得这决定性的优势呢？一个是从政略上争取同盟军，共同作战，一个是从战略上灵活运用，造成区域性的决定优势？美总统采取哪一条路线呢？很显然的，为了取得迅速而牺牲最小的胜利，两者同样重要；但美总统杜鲁门咨文的重点却是放在后者，而关于争取同盟军作战的一点，在全部咨文中美总统只提到一句，这是非常值得注意的，因为它指示了：美总统所宣布的这一战略是美国准备单独击败日本的战略，（被略）但从迅速而牺牲最小地击败日本法西斯侵略者的观点看，从战争中奠定战后和平的观点看，都是值得加以研究的。

在今天重要的倒不是这战略本身，而是根据这战略出发的美国的对华政策以及它的一般远东政策（其中包括对苏），这些政策所产生的后果在实际上不是加速了对日的共同战争，而是阻碍了对日共同战争的迅速胜利。但是人们不认真地考虑这一点，因为他们自信他们那一套是能够迅速而又牺牲最小地打败日本的。但一旦战争旷日持久了，特别是伤亡日渐重大了，再回过头来考虑争取同盟军共同作战的时候，发现过去的政策在主观上是因为自信有把握能够迅速而又牺牲最小地打败日本的，实际都正是这一政策产生了延长战争和加重牺牲的后果。

事实教人，历史的逻辑是谁都逃避不了的。

美苏关系的变化

由于五大同盟强国对于否决权问题协议的成立（六月七日），荏苒之间，举世瞩目的旧金山会议已经达到快要结束的阶段了。目前，尚待决定的问题还相当多，但根据过去一路来的发展推测，旧金山会议之必将完成它那建立和平机构与制定和平宪章的伟大历史任务是毫无疑问的。这是联合国家在成立世界和平的艰难道路上一个划时代的进展。

但如所周知，旧金山会议的目的是建立和制定一个维持和巩固世界和平与安全的机构与宪章，不管这机构与宪章是如何的至美至善，单靠它是不能维持世界和平与安全的；世界和平与安全的维持和巩固决定于联合国家全体——首先是英美苏中法，特别是英美苏三大同盟强国的团结和合作，有了它就有和平，没有它任何美善的机构是不能创造和平的。在这一个意义上，旧金山会议是一面镜子，英美苏同盟关系的一面镜子，从这面镜子里，我们可以看出英美苏同盟关系的发展和变化。而这关系的发展和变化对于将来的世界和平而言，实际上是比旧金山会议的成败顿挫更具有决定性的影响的。

旧金山会议自从四月二十五日开幕以来到现在已经有四十五天了，一连串被克服了或者部分被克服了的困难已经远抛在后面，而且会议就将顺利的结束了，但是研究一下这些困难的真相及其来源在今天是有重大意义的，因为它指出了潜存在今天的关系中的一些矛盾和裂痕，为了今天对日战争上顺利结束，为了明天全面和平的迅速到来，这些矛盾和裂痕是非加以彻底克服不可的。我们对于全世界和平——进步——民主的前途抱着不可摇撼的信心，但那信心不是建筑在盲目的乐观的，而是建筑在对于客观历史法则的深刻把握，整个世界力量对比的周密分析和对于全世界进步人民不知松弛为何物的斗争上面。

那么，旧金山会议一路来所经历过和正经历着的一些困难具备那一些特别需要我们注意的性质呢？大大小小的问题是数不尽的，我们没有意思在这里写一部旧金山会议的实录，然而具有本质意义的问题却是大家稍一回想都能历历数出的。在会议的第一阶段中引起国际间轩然大波的问题是民主的波兰政府被拒绝参加会议，而法西斯的阿根廷却在美英盟邦的支持之下混了进来。其次在英美法苏中五强完成了共同的修正案之后，在会议的第二阶段中，引起的波澜最大，争执时间最久的是区域制度和托治地区的两大问题；特别是托治问题几乎形成了美苏之间一时不能解决的问题。

事情发展是具有充分的戏剧性的。在这一问题尚未正式提出以前，英国代表团的兴趣几乎全部集中在实质上维持其现有殖民地的一点上，而对于美国代表团的要求保有太平洋战略基地的一事，虽未表示正式反对，但亦不作明确的肯定表示；而美国代表团虽有一部分竭力主张保有太平洋战略岛屿，但其全体对于英国代表团实质上维持其现有殖民地的观点，虽未表示完全反对，但亦未作明确的肯定的支持。这是代表一个拥有大批殖民地国家和一个没有大量殖民地国家可以想象的不同的态度。诚如五月七日莫洛托夫所说：英美观点不同，“值得研究”。问题提出了，英国代表反对以独立一词作为委托地域的目标，美国代表则坚持美国单独占有太平洋上从日本手中夺得的战略岛屿，这表示了英美之间对于这一问题所持态度的差异。但旦夕之间，五月十七日，美国代表团代表史塔生忽然改变态度，转而支持英国立场，反对规定以独立为托治地区的终极目标，很多人不明白史塔生为什么忽然改变态度。事实上很简单，英国提出了交换条件，支持美国占领或合并太平洋上的战略岛屿。这样一来，英美两国间因为一个有大量殖民地和一个没有大量殖民地之故而发生的矛盾，就一昼夜之间在已有殖民地和将有殖民地的基础上统一起来形成了对苏联和中国的对立。这是一个具有重大意义的转变，其重大不是因为这一问题因此而形成僵局，使得旧金山会议无法进行；不，问题是在解决中，旧金山会议还是在顺利的进行着，问题的重大性是史塔生事件指明了汹涌在美国国内外的一股逆流，假如让它自由发展下去，其后果将是不堪设想。

总观旧金山会议三个阶段中的争论过程，不论是在准备阶段中的波兰——阿根廷问题，第一阶段中的美代表团提议国际机构有权修改条约的问题，第二阶段中的区域制度和托治制度问题，甚而至于最近的否决权问题，在争论中形成尖锐对立的是美和苏联，美苏之间是不是已经发生了些问题。旧金山会议讨论的是机构和宪章的形式问题，英美苏的真正关系才是问题的实质，那么，美苏之间的关系究竟怎样了呢？这是比旧金山会议本身的成败利钝更重大的问题，不弄清这一个问题是把握不住问题的本质的。

从太平洋那一边传来的一连串演词指明了美苏关系已经变成了全美国进步人民注意的焦点。那一连串的演词是：

一、五月二十四日美商务部长华莱士在纽约世界时事研究会的演讲。

二、五月二十六日美助理国务卿麦克利希从华盛顿广播的演词。

三、五月二十六日美负责欧洲和远东事务的助理国务卿邓恩从旧金山广播的演词。

四、五月二十六日美国务院欧洲司副司长希克森从旧金山广播的演词。

五、六月四日美商务部长华莱士在接受教会人奖金的晚餐席上的演词。

这前后相隔仅十日间连续发表的五大演词都是阐明

美国外交政策，特别是远东政策（邓恩）的，在这当中都一致强调美苏之间并无利害冲突，美苏之间的关系必须加强。为什么在这个时候有必要重三倒四的强调美苏之间的团结呢？五月二十八日美国务卿斯退丁纽斯在旧金山发表的总报旧金山会议一月成就的广播词中泄露了问题的真相。在那里他说：

“美国在可能范围内，将设法恢复其在英苏两国政策间之中间地位，即有时居调停人的地位，有时居领导者的地位。”（五月二十八日中央社旧金山专电）从这里可以看出，直至罗斯福总统死前美国在英苏之间所占有的居间地位已轻丧失了。如所周知，美国的这种居间地位在整个英美苏的复杂关系中是起着重大的作用的，但如今这地位是丧失了，这是英美苏同盟关系中一个重大的变化；现在的问题是美国这居间的地位是怎样丧失的，丧失了之后，美苏之间的关系又是怎样了。

美国怎样丧失这中间地位的呢？第一个不能不指出重大原因是罗斯福总统的不幸逝世，在罗斯福的死亡中，美国丧失了一位保持这中间地位的老舵工。第二，欧战的结束使继罗斯福总统登台的新手更加不能控制美国国内外的混乱形势。第三，旧绥靖——孤立主义者加新帝国主义的联合活动加深了这一危机。所有这一些因素集中地反映在旧金山会议，一位敏感的观察家对于这一转变有过如下的深刻分析：

> 在复杂的情况中，大不列颠的外相艾登在旧金山会议表演了一套最驯熟的外交手段。他已经成功的做成各方面的朋友，在一切之中最重要的是他已取得美苏之间调停者的地位了，换句话说，他已把罗斯福总统的旧角色完全倒转过来了，因为直至他死前，是罗斯福总统一直保持着英苏之间的调停者的地位的。

邱吉尔和斯大林之间意见上的差别不仅是属于个人性质，而是有着历史的根源的。不仅是因为那是邱吉尔在第一次欧战后竭力主张派遣大军帮助白俄去推翻布尔塞维克政权的缘故，而且是因为他曾经勾搭过克莱夫登系的人物，这批人物在一九三九年主张德苏之间应该发生战争，而英国则应坐山观虎斗。这是邱斯之间不易互信的基础。在历史上邱吉尔是一直在执行那有百年之久的英国孤立俄国的政策。一百年来，那拥有全世界最大陆地的俄罗斯被那拥有全世界最大海军的英国阻止着不能获得一个暖水海港。在这一个政策下，英国和日本结成同盟，好这样通过日本来阻止沙俄获得满洲和太平洋上的暖水港口。在这一个政策下，英国在伊兰（波斯）建立了势力范围，阻止沙俄利用波斯湾。在这一个政策下，英国发动克里米亚战争，英国军队和军舰曾经在三巨头会议的地方——雅尔达登过陆；在那里英国军队行了一个血腥的战争去阻止沙皇获得鞑靼海峡，和到地中海的出口。在这一个政策下，在第一次欧战后，英国从苏联夺去了拉特维亚、立陶宛、爱沙尼亚和芬兰，以阻止它向波罗的海的出口。

这一个矛盾同样出现在德黑兰——雅尔达会议里；在那里英苏是对立的，但罗斯福坐在当中。在德黑兰会议中争论的问题是在何处开辟第二战场，邱吉尔主张在巴尔干，斯大林主张在法兰西……最后，罗斯福决定了支持斯大林——在法国开辟第二战场。……在雅尔达，罗斯福依然是很聪明地保持着中立地位，虽然那时他的身体已经不行了。

> 现在美国已经不知不觉的滑到作为苏联的主要的竞争者和潜在的反对者的地位，而英国却运用手腕站到中间去了。（五月八日堪特基，《交通报》，皮尔逊专栏）

这是一个一般的分析，在那些具体问题上，美国浸假有变成苏联“主要的竞争者和潜在的反对者”的趋势呢？

举波兰问题为例以明美国对于欧洲的政策：

> 关于未能根据《雅尔达协定》建立新波兰政府一案，英国负有较苏联更大之责任。罗邱斯三氏交换信件，罗斯福曾表明美国之立场；此类函件至少已提出协调之基础，惟此于罗斯福总统逝世后，就未予以施行，且在联合国会议举行前，即已放弃作此努力。三人交换之函件曾透露罗斯福总统对邱吉尔对于如何根据

《雅尔达协定》建立波兰新政府之解释表示不满，并指陈英国倘坚持其原有解释，则美国可以连同英国遭受指摘，谓为破坏协定。该次函件中所提及之其他各点为：一、英苏间歧见之焦点为卢布林政府是否予以消除，抑以其为新政府之基础。二、罗斯福未支持邱吉尔之意见。但罗斯福既已逝世，美国乃公开支持英国之观点。（五月十七日《纽约先锋论坛报》，安德普专栏）

举基地问题为例以明美国对太平洋的政策：

现在已经很多材料证明美总统希望控制他的海军将领。这很多材料中之一就是关于从日本手中夺来的太平洋岛屿基地的问题。两年多以来，故美总统罗斯福不断主张美国应该保持这些岛屿但必须是在联合国的委托制度之下，这就是说其他国家可以在这些岛屿上得享有飞行和停泊船只的特权，假定那些其他国家在他们所领有的岛屿上给予美国以同样权利的话。

在雅尔达，罗斯福总统个人同意了这样的做法。他从雅尔达回来后，就把这样的决定，作成指令送到国务院，陆军部海军部和内政部是负责管理岛屿属地的。但当四部长坐下来要制定详细执行计划的时候，海军部和陆军部一脚把罗斯福总统的指令踢翻了。而三部国务院很不高兴地服从罗斯福的指令，剩下来只有内政部全心全意地在服从着他的指令。最后，全美舰队总司令金氏上将完全把事情抓到自己的手里，发表公开声明，反对罗斯福对于太平洋岛屿的政策。换句话说，他不顾上司的决定。这种举动不用说在内政上是一件严重的事情，它在国际上的反响是更加严重的。

苏联方面——它的情报是全世界最好的——早已知道金氏上将是竭力主张要建筑一支强大的舰队来防御将来的苏联的。他们已知道，金氏上将是反对苏联来参加对日作战，主张美国一国单独来完成这一任务的。他们也知道，美国方面的某些海陆军方面的大亨是支持金氏的（马歇尔元帅、艾森豪威尔元帅以及其他美国方面更负责的将领是不属于这一类的）。（四月二十五日，《交通报》，皮尔逊专栏）。

明了了这一段背景就可以知道史塔生事件所指示的美国太平洋政策的方针是包含着些什么内容了。

举对日战略问题以明美国对于整个远东政策的方向：

现在欧洲战争是过去了，目前面对着杜鲁门总统和三巨头的最重要的问题，是苏联在对日战争中的合作问题。对于这一个问题，很奇怪的出现了一个向后转。

两年以前，现任新总统的杜鲁门委员会以及参院军事委员会会派一个考察团到澳洲考察，回来时带回一个麦克阿瑟将军的谈话，大意说：假如苏联肯把西伯利亚基地借给我们轰炸日本，我们可以节约成千美国人的生命。前参议员路其向参议院同时发表了这篇谈话，当时立即造成了一种对于苏联非常不好的反响——虽然马歇尔元帅已经告诉参议员们：即使是苏联借给我们那些基地，我们也是不能守的。

但是，今天那些两年前竭力主张苏联应该参加对日作战的人都主张正好相反的事情（即不要苏联参战）。在这里美参谋总长马歇尔是不赞同这种意见的，因为他相信任何能够缩短战争和减少死伤的步骤都是应该采取的，但是很多高级陆海军将领私下里坦白承认他们不要苏联来参加对日作战。对于海军，这种意见格外普遍。应该起着全美舰总司令金氏反对英国派遣海军到太平洋作战，因为他觉得我们能够单独完成这一任务，而另一方面英国军舰的航速不能和美国的配合；但如所周知，他这主张是故罗斯福总统压下去了。同样，金氏现在是属于那相信苏联不应该参加对日作战的一派。

反对苏联参战的主要理由是生怕它将要求

满洲和高丽，支持华北的军队反对南方……

（同上报，皮尔逊专栏）

从这一系列的材料中——波兰问题，基地问题，对日战争问题——我们可以看出美国孤立主义者——帝国主义者的活动在美国国内是活跃到何等嚣张的程度，但必须着重指出这一派人的活动和主张远未有在美政府中占到决定的上风，一个尖锐深刻而广泛的斗争正在太平洋的那一边进行着，美国民主进步的阵营要求美政府答复：

一、美国是否已改变罗斯福的关于英苏两个同盟国间发生争端时美国出面调停的政策？

二、美国是否已改变罗斯福对东欧的政策？

三、美国是否已变成英国外交政策的附属品？

四、美国是否参加了反苏的集团？（六月四日美众议员多人在科菲·多拉西领导之下，招待记者时发表的他们致美格鲁所要求的解答的要点）

这是四个重大的问题，这是影响整个世界前途的大问题；美政府对于这四大问题的答复一律是否定的，但是诚如科菲·多拉西之所指出，美政府这种值得称赞的立场“应该由国际的成就来表示”。从最近半月来，美政府所采取的行动（四月五日、二十三日派遣台维斯和贺浦金斯分别访问苏英首长）及其所公布的各种表示（从五月二十四日华莱士的演词到六月四日同氏的演词）看，最低限度证明了美政府已经感觉到从进步方面来的压力了。

有三大理由使得我们相信民主进步的政策终将取得了胜利：

一、欧战结束，欧洲战后问题非求得一个解决不可，而由于既成力量对比的改变，任何可能的解决，非采取英美苏团结合作的政策不可。

二、美国对日的优势是空前地增加了，但那优势从任何一个观点看都不足以取得美国孤立——帝国主义者之所想象的那样迅速而损失轻微的胜利，一旦对日战争的时间和损失特别是损失超出了他们的预料之上，整个问题就会重现出完全不同的面目；而且，更重要的是有许多决定性的因素是这些孤立——帝国主义者所不能控制的。

三、英美苏之必须团结不仅是因为面对着共同的危险的缘故，不团结无以致胜，而且是因为他们追求着共同的希望，不团结无以和平。天下人都知道希特勒和铃木压迫着英美苏团结的反因素，而不知道战争教育了人民，惊醒了和组织了的全世界进步人民迫使英美苏团结的正因素；而这一千百万人的力量正是保证英美苏一定团结的进步世界的脊梁。

欧战结束，世界命运的大船正航进一个浅窄的峡道，尽管那浅窄的航道还可能需要一些时间才能渡过，但是到头来是谁也不能阻止它驶进宽阔的海洋的。

（六月八日夜）

旧金山会议是一面镜子

欧洲问题的本质

三大问题的解决铺平了英美苏三强会议的道路：三大问题——波兰、奥地利和德国。

如所周知，波兰问题早就在今年二月初的克里米亚会议中解决了。问题从何处来？首先是所谓英美苏对《雅尔达协定》的解释不同，其实是英国方面故意曲解雅尔达的协定，这纠纷特别是因为罗斯福总统在四月中的死亡，更加形其复杂。其次是所谓苏联逮捕波兰十六民主领袖的事件，其实苏方所逮捕的是十六名捣乱苏军后方的法西斯分子，华盛顿不察，一味盲从伦敦，五月中使问题顿然陷于僵局。但所有这些问题，都一举而廓清了。六月二十九日波兰临时政府改组的完成（五日英美中正式予以承认），一方面实现了克里米亚的协定，澄清了二月以来延续了近四月的纠纷，另一方面奠定了民主波兰的基础，拔去了自从十月革命以来就指向着苏联的反苏的剑头。严格说来，这不是一个新历史的创造，而是一段旧历史的纠正。

其次，所谓奥地利问题是这样产生的，四月底苏军解放了奥国大部分领土之后，奥国人民在伦纳博士领导之下成立了奥地利临时政府，英美不承认这一政府仅仅乎是因为事前未和英美商量，至于这一个政府民主的性质就是伦敦的保守的《泰晤士报》也认为是完全符合莫斯科会议对于奥地利的宣言的。五月中，欧战结束后，英美又在奥国南部成立了军政府，这样一来，苏联支持的伦纳政府和英美军政府的对立形势就形成了。现在，英美苏决定仿照盟军分区占领德国共同管制柏林的办法，分区占领奥国，共同管制维也纳，具体办法不得而知，但军政府和伦纳政府各自为政的办法总算是取消了。

最后，关于处置战后德国的问题，本来在克里米亚会议已决定了，但一则由于罗斯福总统的死，二则由于纳粹们在垂死期间所发动的阴谋，三则由于欧战结束后英美绥靖——孤立分子的策动，差不多所有克里米亚的决定都有濒于被推翻的状态。言战罪，英美和苏联各有委员会，不相为谋；言赔偿，英美某些人士始终对于实物赔偿，特别是劳役赔偿不赞同；言占领，因为纳粹们的"东拼西让"的政策，英美的占领区域远大于克里米亚所划分给他们的战区，所以他们当中的有些人对于重新调整占领区域一事，根本不愿意听，他们主张英美法苏各各继续占领其已占领区域，共同管制没有必要。这是一个混乱的形势，但事经一月，所有这些混乱情况都一一澄清了。

在战罪问题上，苏联派代表参加英美的战罪委员会，英美苏共同处置纳粹元凶的办法已经提出来了。

在赔偿问题上，英美苏共同组织的赔偿委员会已经在莫斯科开过第一次会，大家对于实物（包括劳力）赔偿的原则最近已经听不到什么严重反对的声音了。

在占领和管制问题上，六月中英美苏盟军管制德国委员会在柏林商定了具体的办法，七月一日起苏军开进英美退出的占领区域，而英美则开进苏军单独占领的柏林；七月四日英美法苏四国军队在柏林举行胜利大检阅，这是一个具有历史意义的大阅兵，因为它象征着：

团结终于战胜了分裂。

进步终于战胜了倒退。

民主终于战胜了反动。

时代变了，一九一八年的重演是终于不可能了，这是一个团结的战争，团结从战时延长到战后；这是一个民主的战争，民主的原则战胜了一切；这是一个反法西斯的战争，民主团结的大旗飘扬在法西斯的巢穴——柏林的上空。

欧战结束，到今天刚刚是两个月，两个月中世界局势的变化非常之大，但到头来，团结终于战胜了分裂，民主终于战胜了反动。

团结战胜了分裂，这主要地表现在德奥问题的解决上，试一设想，假定英美苏对于德国问题不能执行一个共同的政策，今天的欧洲是一种何等情况？然而团结不能是没有原则的。

民主战胜了反动，这主要地表现在波兰问题的解决上，试一回忆，当苏联坚持《雅尔达协定》的民主原则，对波兰流亡政府中的法西斯分子表示没有丝毫让步可能的时候，全世界的反动报纸是在怎样斥责苏联没有妥协精神啊！这一种无原则的谩骂一直到六月中英美苏三方发表了被邀请的波兰民主领袖名单的时候都未止息。这一批人有两个法宝，一个是把法西斯说成民主，一个是法统主义。说句老实话，流亡政府有什么法统呀？它的法统根本就是不合法的，去问一问魏刚，没有魏刚的刺刀，第一次欧战后成立的波兰政府可以想象吗？

三大问题的解决，从一方面说是实现了，初步的实现了克里米亚的宪章，从另一方面说则又铺平了英美苏三强会议的道路；三强会议所讨论的主要地是欧洲问题，但波兰、奥地利和德国并非欧洲问题的全部，更何况波奥德三大问题只是在一些基本原则上的解决，还有很多的侧面——例如边境问题就是一例——到现在还没有谈。

三强会议举行在即，它所面对着的是刚从战争的烽火中诞生出来的新的欧洲；把它所有的问题一一列举出来不是我们的事情，但得指出法西斯宣传的恶毒。

其中之一就是强调社会主义和资本主义的对立：例

如六月二十日的东京英文《日本时报》就发表了论德国赔偿问题的文章，该文大意说：

关于德国赔偿的详细内容还有待于莫斯科赔偿委员会的决定，但已可看出英美苏三强已决定抛弃第一次欧战的赔偿公式。从英美方面所得到的材料证明，这一次的赔偿，重点将是放在实物上，而不是像第一次欧战后放在金钱上，这一决定的基本观念是认为实物赔偿最能在经济上解除德国的武装，使其不能复活为一强大的国家。在这一个公式下，德国将被迫用生产机器，消费和劳动力来赔偿它的征服者，……在这种情况下德国将在未来的若干年月中陷于经济的瘫痪状态之中。这种经济瘫痪的后果必然地是政治的和社会的不安定，而一个不安定的德国势不可免的在经济上要对于它的邻邦发生影响，因为德国是战前欧洲资本主义经济结构中高度重要的一环。

苏联在这一个问题上的态度如何不得而

知，但对于英美维持欧洲资本主义制度的利益而言，却是极端不利的。战后欧洲经济的混乱和不安定只能有一个后果，就是为另外一种经济制度铺路，而那另一种经济制度是和资本主义制度完全不同的。但对于那些相信战后欧洲的资本主义的必须终结的人们，这种情况是再好也不过的。

从英美方面说，这是这一次战争一个最大的嘲讽：英美为了维持资本主义和德国打仗，德国打败了，但英美也打败了，因为他们在欧洲掘开了资本主义的坟墓。

其中之二，是强调新民主和旧民主的对立，六月二十一日的东京《读卖新闻》就发表了一篇文章，题名《新旧民主之争》，该文大意说：

反轴心国家号称他们的作战目的是毁灭法西斯，建立民主，但事实上民主已经形成英美和苏联之间一个斗争的根源了。

苏联是一个社会主义国家，但它的外交政策却是严格的遵守着民主原则的。诚然苏联是共产主义者的支持者，但苏联在罗马尼亚，保加利亚和南斯拉夫外交政策的实例却是尽量获得最大可能的民主分子的支持，在经济上苏联主张农业改革和重要企业的国有化，但在这些国家中苏联从未企图破坏资本主义的经济制度。

苏联公开宣布要把欧洲民主化，它的民主化是把民主发展到理论上可能的最高度。但英美的不同，英美对德国人民采取高压政策，为了执行这一政策不惜起用反民主的分子，但同时，另一方面对于上层分子又采取怀柔政策，左右摇摆；动摇不定。而苏联的政策却是坚定的，对纳粹分子紧，对一般人民宽，在民主的基础上，改善人民的生活，这就形成英美苏在处理德国和欧洲问题上经常冲突的根源，虽然这冲突一时不致发展为不可调和的对立。

英美苏之间对于处理欧洲问题上有相当程度的差别是真的，但一，这差别没有形成不可克服的对立；二，这差别在经济上既不是资本主义和社会主义的差别，在政治上也不是，最低限度目前不是新民主和旧民主的差别。从欧战结束后直到现在的两个月看来，英美苏在政治上的差别与其说是新旧民主的差别，无宁说是真假民主的差别，而在经济政策上的差别与其说是资本主义前途和社会主义前途的差别，无宁说是有没有决心根绝法西斯的经济基础的差别。

问题只有一个：根绝法西斯还是容忍法西斯？要根绝法西斯就要有真正的民主，真正的政治民主是消灭法西斯经济基础的前提条件，而消灭法西斯的经济基础在欧洲就要做到两件事：消灭土地关系上的封建制度（偏于东欧）和取缔及管制大独占资本的活动（偏于西欧），而这两者的实现是无损于欧洲资本主义制度的分毫的。所有这一些都是彻底消灭法西斯的不可避免的后果，实际上也是分明的写在欧洲的解放宣言上的。总而言之，英美苏对于欧洲问题的态度和政策是有差别的，但那差别一没有超过团结所许可的范围，二没有，也不可能发展到不可调和的程度，夸大这些差别不过是法西斯没落的一种分裂盟国的宣传伎俩而已。

欧洲是新生了，一切把它拉回一九一八年的努力，不论来自何方，都是徒劳的。

旧金山会议的历史意义

旧金山会议胜利地闭幕了。

旧金山会议的任务是制定一个世界和平与安全的联合国的大宪章，不管宪章怎样美好，它不能创造和平，这是谁都了解的。在这一种意义上，旧金山会议的成功是不能予以太高的估计。

世界和平决定于领导列强的团结，特别是英美苏的团结，旧金山会议是英美苏团结关系的一面镜子，旧金山会议的成功证明了英美苏的团结经得起从战时转变到平时的考验，在这一个意义上旧金山会议的胜利闭幕，其意义是非常重大的。

旧金山会议开始于四月二十五日，终结于六月二十六日，前后经历了整整的两个月，而这两个月的时间在英美苏的关系却是充满了重大考验的一段历程。

在这两个月的前一些时，美总统罗斯福死去了，罗斯福总统自苏德战争以来一贯就担任着英苏之间桥梁的作用；但如今这桥梁是非其时地中断了，这对于英美苏的团结是一个重大的考验。

在这两个月的开始时，正是德国山崩水溃，希特勒发动猛烈政治攻势的时候，它的“西让东拼”政策迷惑了英美盟邦中不少人士，这对于英美苏的团结又是一个重大的考验。

在这两个月的第二周，欧战结束了，英美苏的团结是在战争中生长的，虽说这团结是基于英美苏三方面的基本利益的，但英美盟方不少人正以和苏联合作为不得已的苦事，因此战争一结束他们就可以除去这和苏联合作的镣铐了。从战时过渡到平时，这对于英美苏的团结又是一个重大的考验。

在这两个月的第三、四……周，战后问题来了，欧洲混乱，举世昏迷，逆流高涨，不可终日，这对于英美苏的团结又是一连串重大的考验。

两月以来，考验尽管层出不穷，旧金山会议的胜利闭幕证明了英美苏的团结这些严重的考验，它已经走出这考验的长廊，单凭这一点事实我们已经可以看出旧金山会议的成功的意义的重大了。

《联合国宪章》静静地摆在前面，但它却是从五十个国家的代表们在六十天的时间里讨论和争执的暴风雨里产生的。如上所示，旧金山会外，那一套的考验性的事件不可避免地要反映在旧金山会内，这样一来，旧金山会内的争执就益发带上了狂风暴雨的性质。

很多事情到现在已经是昨天的陈迹了，但重温一下在今天也还不失其历史意义。

一、会议准备阶段中阿根廷和波兰问题。

二、会议的第一阶段中，美代表团在英美苏共同提出的修正案时所提出的所谓联合国应有权修改战时所订条约的问题。

三、会议的第二阶段中的托治制度和区域制度的问题。

四、会议的结束阶段中所争执的常任理事的否决权和大会的相对权力的问题。

在这一系列的重大论争中在表面上好像是英美代表

常是力持民主原则，尊重小国利益，而苏联代表却力主权力集中不顾小国发言，但实际上这仅是表面的现象，中心的问题是英美某些个别代表借民主的空洞形式，破坏克里米亚决定的民主精神，而苏联却坚持克里米亚的精神，力排空洞的议论。假如说英美是真的尊重民族自决的原则的话，为什么对于苏中两国所提议的以独立为托制的终极目标一案报以如此猛烈的反对呢？这是一个小毛孔，但从这毛孔中可以看到真世界。

然而尽管是经过了这样猛烈而相持的论争，所有的问题都在克里米亚的基础之上，在英美苏三大强国协调的精神之下解决了：在团结，民主和进步的起点上，现实主义战胜了空想主义（空想主义的背后是反动），合作主义战胜了孤立主义（孤立主义的背后是倒退），集体主义战胜了区域主义（区域主义的背后是分裂）。一个新的世界机构和一个新的和平宪章诞生了。

法西斯还有什么话说呢？

有的，六月二十七日东京的《朝日新闻》写道：

所谓新的国际机构和旧的国际联盟不同，

新机构是在苏联的支持和参加之下形成的，而旧国联则是一开始在本质上就是反苏的，谁都知道这是苏联在这次战争中作为一个世界列强而兴起的后果，不过也正因为这个原因，英美也更加嫉视苏联的成功和怀疑它的意向。

英美战后政策的焦点是防止苏联的影响在世界范围内的扩大。为达到此目的，英美有两条路可以选择——第一是向苏联发动一个全面的政治攻势，第二条是绥靖苏联，用和平的方法达到他们的目的。很显然的，英美已经决定了采取第二条办法，成立一个国际机构，通过它来把欧洲现存的力量对比予以一定限度内的永久性。

因此，这一个机构将成为英美和苏联两种相反的世界政策一个激烈的政治和宣传斗争的泉源。新机构的未来决定于这一斗争的结果。

我们不否认的确是有一群吞火者在嫉视苏联的成功，怀疑苏联的意向，从而到处防范苏联，甚而至于不惜倡言美苏必战的梦话，但这绝不能代表英美的进步人民及其支持下的政府的政策。那么，问题的关键在那里呢？团结之中有斗争；过去是战争中的团结，现在是团结中的斗争。而那斗争的方向是向着民主，向着进步，向着团结，世界力量对比的改变和全世界人民的觉醒和组织保证了这斗争是一定胜利，未来几十年的和平是可以保持的。

太平洋战争的新阶段

六月二十一日尼米兹元帅正式宣布琉球之战结束，新任美第十军军长史迪威将军虽然表示琉球岛上的扫荡还要继续一个相当长的时期，但从实际的观点看，琉球之战是结束了。从四月一日起到六月二十一日止，大琉球的战争整整持续了八十一天。

北面大琉球之战结束，南面的菲律宾之战亦于七月五日由麦克阿瑟将军正式宣布结束。从去年十月二十日美军登陆雷伊泰起到今年的七月五日，菲律宾之战整整持续了八月有半。

此外还有两个战争，一个是缅甸英军还未完结的扫荡战，一个是婆罗洲新开始的美澳联军的东印度之战：由塔拉甘，而婆罗乃，由婆罗乃而发展到目前的峇厘巴板。但这两个战争在太平洋战争的全幅画面上是次要的。具有决定意义的是大琉球之战胜利地结束。

由于大琉球之战的结束，美军在太平洋上全盘的战略，提上了议事日程。美军的下一步攻势究竟向何处发动呢？

这是一个重大的问题。

六月三十日美海军部长会议在旧金山召开，尼米兹将军赶回去参加的太平洋海军将领的战略会议，显然是讨论的这一中心问题。我们不知道美海军将领们究竟做了什么决定，不过最近（七月三日）美第七舰队司令金开德将军发表谈话主张不必登陆中国而直接进攻日本本土是和这一会议有关的。

怎样决定呢？

显然不是打开一幅太平洋地图看看大琉球的前后左右有些什么地方，这样的决定太单纯了，问题的核心在如何评价大琉球之战的成败得失，学习大琉球之战的经验教训，这是决定问题的唯一指针。

关于大琉球之战的历史发展和船舶人员死伤的具体数字已经是众所周知的事实了，这里不去重提，从而简单的真理常常是容易被人忽视的真理，从大琉球之战有几次简单的真理是值得提出的：

一、由于大琉球距离日本本土近，日寇仅有局部的陆上空军的优势，这优势包含着自杀性的战术，使美军的舰只遭受了巨大的损害，这损害的程度不如日寇宣传之盛，但有一件事实是公认的，琉球之战差不多把美军的太平洋舰艇船舶用到最高的限度；琉球之战继续一天，美军不能在任何其他地区发动较大规模的登陆作战。这是一件简单的事实，但这事实对于未来的作战却是有着深远的影响的。

二、由于日寇在大琉球拥有充分的后备军和各式国民义勇队，本来估计为六万人的战斗的，但到战斗结束时却增加了一倍以上，据盟方估计敌军死伤十万，残余者还有三万，总数已达十三万以上，这就使得大琉球的地面战斗在最后的五十天中呈现了空前艰苦的情况，远驾所谓地狱一般的琉璜之战而上之。所有这些地面战斗是差不多都在近接战的情况之下展开的，双方死伤的惨重是可以想象的。

琉球之战是未来的本土之战的缩影，盟军应该怎样决定他的下一步攻势呢?

最后的决定不得而知，可能是最后的决定根本还没有下，不过一个激烈的论争好像正在太平洋的那一边展开着。我们从新闻报导上所知道的是一鳞半爪，不过把这一鳞半爪拼凑起来已经可以看出那论争的全貌了。那争论的范围从兵种性质一直牵连到战略和政略。

一、在兵种性质上的争论：决定战争的是海空军还是陆空军？主张海空军决定战争的人，也承认陆军必须完成占领的工作，但他们把空军的性质夸张到实际上是唯一决定战争的武装。

二、在战略上的争论：迅速决定战争的战略是直接登陆日本本土还是先登陆中国大陆。大陆论者并不以为在中国大陆进行决战就不需要进攻日本本土了，需要进攻日本本土，不过大陆的决战应该在击溃日本的全过程中占有决定性的地位，一如俄罗斯平原之战之于欧战然。在这里需要指出一般理论上主张海空军决定论的大部倾向于直接进攻日本本土，而以陆军为战争中决定性的兵种者则又大部分倾向于大陆决战。前者的代表人物如金开德，后者的代表人物如史迪威。

三、在政略上的争论：由美国一国单独来击溃日本好呢，还是太平洋同盟国家联合作战好呢？从一方面说，海空军决定论和直接登陆日本本土论者的自然归结是美国一国单独击溃日寇主力的政略，而陆空军——大陆决定论者的自然归结则又是同盟作战的政略；但从另一方面说，正是因为人们内心希望单独致胜，所以才采取了海空军决定战争的理论和直接进攻日本本土的战略，军事理论不过是政治主张的烟幕而已。

大琉球之战激起了这一场论争，论争的结果虽不得而知；不过华盛顿方面目击大琉球伤亡惨重，显然已开始在考虑修正过去那曾经是一面倒的本土决战和单独致胜的战略和政略，而试探去准备大陆决战和同盟作战的战略和政略的条件了。大陆决战必须促成中国内部的团结，同盟作战必须争取苏联的积极参加，而这两者又是互相关联着的；如所周知，在这两方面华盛顿都采取了一些比较过去稍为积极的步骤。

巨风起自琉球，太平洋上空正激荡着一股新的风向；事情在开始转变着，但必须指出这转变是非常的不彻底的。

这转变是非常不彻底的，因为严格说来空军——本土——单独致胜的理论，战略和政略直至今日还在太平洋的那一边起着支配的作用。试举最为典型的一例：

六月十五："美众院拨款委员会主席加农先生发表谈话，认为假如日本不在九十天内崩溃的话，那么'战争或许还会延长一个时期'，在那种情况下，美国将充分使用它的空军，进行消耗战，'我们宁可这样把战争拖长些，一方面饿死日本，另一方面可以节约我们的生命'。"（同日纽约合众电）

这一段话一方面的意思非常清楚明白，但另一方面的意思却扭扭捏捏；说得干脆一点就是这样：三个月内单靠空军就可以促成日本投降（实际上是妥协），反正空军的轰炸是必要的，假如到那时不投降呢？那么，再说吧，等到那个时候，再说吧。

大琉球之战的教训虽然咄咄逼人，催人改弦更张，但一方面由于欧洲美军的东调还需要三个月的时间才能完成，牛刀未试，自信甚强，另一方面又相信空军的轰炸，或者也可以促成日本的投降（妥协）——在这种情况下，它所能产生的效果是不会太大的。这就是今天的实际情况。

从理论上说琉球之战结束，美军的下一攻势有两个可能：一个是北上奄美岛，一个是西来华中登陆。作为建立空军基地的攻势，这两方面都有可能，但作为本土或是大陆决战的开端，美军显然还没有下最后的决策。

不管美军的最后决策如何，由于大琉球之战胜利的结束，太平洋战争已进展到一个新的阶段。这是一个新形势，敌人需要一个新的宣传政策，一种新的兵力部署。

对于这两个问题，不能一一加以详细的分析，这里仅仅扼要指出：

敌人新的宣传政策在强调本土之战即将到来，国破家亡的痛苦，好这样来激动起它那日渐消沉的士气，但绝不能据此而认为日寇已走上即将崩溃的边缘。须知这是一种宣传政策，西方的德寇早在一九四三年初就一变它那过去的夸大胜利的宣传政策，转而以强调亡国之痛来鼓励它的民心，推进它的动员了；但德寇的总崩溃却是在一年半以后的一九四五年的五月才实现的，以西例东，彼此同理。不能说日寇已濒于即将崩溃的边缘，它还拥有很大的兵力，它正在准备着长期挣扎的新部署。

根据两月以来日寇本土，中国大陆，和南洋三方面的动态来判断，可以得出这样一个确定不移的结论：尽管日本在某些次要突出地区有局部撤退的可能（六月二十九日退出柳州），它的新部署是以分区独立作战为方针。因此，不管盟军的下一步攻势是在那里，因为盟军在日本本土登陆，日寇从中国大陆撤退；盟军在中国大陆登陆，日寇在南洋撤退；甚而至于盟军在华中登陆，日寇在华南撤退的可能性是没有的。

那么日寇的希望在那里呢？军事上的极硬和政治上的极软，军事上拼撞到底，延长作战时间，政治上发动妥协阴谋，促进同盟阵营的分化，特别是英美苏在欧洲的矛盾的加深，美苏在亚洲问题上的不合作；而这一阴谋最具体地又表现在它对于中国团结问题的幻想上。在这一个问题上，美国的空军决定论者，所谓本土决战论者和单独致胜论者在客观上正是中了日本法西斯主义者的下怀。

三强会议不远，三强会议主要的议题，自然是战后的欧洲问题，可以想象这一会议所讨论的范围是涉及于全世界的，理由很简单，经过了这一次战争，苏联已经变成了领导的世界列强之一；过去只是关涉到英美的世界重大问题，如今不能不变成英美苏三强共同讨论和决定的对象了，例如苏联的提议召开四强会议解决叙利亚和黎巴嫩问题，例如苏联的要求参加丹吉尔问题的决定，都是这一历史趋势的表现，在这当中，其将涉及远东问题是十分自然的，没有苏联的积极参加，远东问题是不能得到最后解决的。

日本法西斯的希望在哪里呢？一在英美的绥靖孤立主义者阻止所谓苏联的影响在世界范围内的发展；要苏联只成为欧洲的列强，但不得成为世界的列强，好这样来加深英美苏之间的一般性的矛盾；二在英美的绥靖孤立主义者拒绝苏联参加远东问题的决定，名义上承认苏联是远东的领导列强之一，但实际上却是否认苏联是远东的领导列强之一，好这样来分化同盟国家在太平洋问题上的团结。

这是一个好梦，这好梦出现在如下的一篇通讯里：

此间（瑞士）认为未来的三巨头会议所讨论的主题将限制于欧洲，但亦将涉及较为广泛的问题。

英美的远东政策是尽可能的拒绝苏联参与远东问题的解决……在过去一个时期苏联的远东政策还不清楚，但最近苏联报纸对于中国问题的评论已经把这政策的面目描画出来了。

在克里米亚会议当时英美苏好像已经同意了远东问题等到欧战结束之后讨论。欧战结束，伦敦和华盛顿即开始征询莫斯科对于远东问题的意见。贺浦金斯在莫斯科好像就负有这一使命，美国愿意知道苏联对远东的要求是什么，这些要求美国是否可以接受。

……作为苏联不参与远东问题最后解决的代价，美国是很愿意对苏联作若干让步的，目前有很多材料指示着这种谈判是未来三巨头会议的主要议题之一。（六月二十九日同盟社瑞士专电）

这是日本法西斯的好梦，但亦得承认：一部分孤立——绥靖主义者的确是怀抱着这样的企图，这种企图能够成功吗？不能，绝对不能，而且这好梦已经开始在大琉球幻灭了。

大琉球之战的教训咄咄之逼人催人，改弦更张，三巨头会议不远，忽视人民的力量，孤立苏联的企图不能成功，事件的发展要求当机立断，现在是面对现实，改变政策的时候了。

（七月七日夜）

妥协危机

两种战略的斗争

由于英美舰队的轰击日本本州（七月十日），太平洋战争进入一个新阶段。

欲知这一个新阶段的真面目，先得一看美军的新部署。

六月二十一日琉球之战结束，六月三十一日至七月一日美太平洋海军将领在旧金山召开一个战略会议，这一个战略会议的具体内容虽不得而知，可以想见它的任务是进一步组织太平洋战场的下一攻势的。

旧金山战略会议后，美军在太平洋的军事部署上所采取的第一步骤是成立以史巴兹将军为首的太平洋战略航空队。在此前，塞班基地的第二十航空队直属于安诺德将军指挥，预定以琉球为基地的第八航空队只能受华盛顿的联合参谋部指挥；由于战略航空队的成立，这两大指挥系统不同的航空队统一起来了。这一陆上空军指挥部的成立意味着今后太平洋上陆上基地空军的活动要加强了。这是一方面。

另一方面，由于太平洋战略航空队的成立，美军在太平洋上三位一体的指挥系统最后的完成了。如所周知，长时以来，美国方面就不断有人要求太平洋战区应该有一个类似于艾森豪威尔在欧洲战场的最高统帅的机构，但由于太平洋美海军将领的意见不一致，这一要求迟迟未能实现。四月初，华盛顿联合参谋部发表尼米兹将军为美太平洋海军总司令，麦克阿瑟将军为太平洋陆军总司令，初步地解决了这一问题。这一问题解决的方式，一方面表示了海陆军之间的意见并未得到彻底的统一，另一方面表示了美军今后在太平洋的作战将不是以分区作战为原则，而是以集中攻击为目标；这种部署就强烈的暗示着美军不准备在中国陆上进行决战，而将以直接进攻日本本土为第二阶段的行动对象。现在，由于太平洋战略航空队的成立，这种不以区域，而以性能来划分的三位一体的指挥系统终于确立起来了。简单的就是：

陆军方面的最高统帅——麦克阿瑟

海军方面的最高统帅——尼米兹

空军方面的最高统帅——史巴兹

这是旧金山战略会议后美军新部署的第一步。第二步，是调动太平洋作战的海军将领。据七月十四日美海长福尔斯特尔的报告，这一次调动的范围将达三十名高级海军将领之多，调动的原则是以空军将领来代替海军将领，在机构上则新设海军航空正副总司令一职。据美海长说，经此调整，美海军的空军力量将为美海军全部力量的百分之六十，一言以蔽之，海军空军化。尽量加强空军作战在海军中的比重，完成所谓空军化的海军。

应该从两个角度去看美海军的这一新调整：第一，根据战术和技术的发展，空军在近代作战中的比重是加强了，从这一个角度看，美军的调整不过是适应新的战术和技术条件而已。第二，这调整不单是为了技术的原因，而是为了第二阶段作战的要求，从这一个角度看，美海军的新部署亦强烈的暗示着美军第二步的作战目标是登陆日本本土。

总括以上美军在太平洋上的新部署可以看出一个趋势：从兵种上说，美军非常重视空军的作用，从战略上说，所有这一些安排都强烈的暗示，登陆日本本土的可能远比到大陆进行决战为大。那么还有什么理由说美军的最后决策还没有下呢？是的，我们曾不断指出这一点，我们现在还是要指出这一点——但得说明，我们说美军对于本土乎大陆乎的决策未下，不是说人们在主观上还没有下决策，决策是下了，但那不是最后的决策，因为那一登陆本土的决策是假定美国的强大空军是能把日本在本土的抵抗彻底软化，软化到它的陆上抵抗微弱到不足轻重的地步的。空军真能完成这样的任务吗？这待事实证明，一旦发现空军的威力并不如此之大，那么，事情就呈现出另外一副面目来了。

新部署——新行动。

七月十日英美舰队联合出击东京区，出动航舰飞机和基地飞机千架以上，此后转而北上北海道，十四日轰炸北海道大港室阑，十七日又转而南下，再度轰炸东京区，及至最近盛传美舰队曾一度突入东京湾。

这是太平洋战争中破题儿第一遭，其意义自然是非常重大的。

有些人以为这是盟军即将登陆日本本土的前奏，甚而至于有人以为登陆的地点将在北海道了。很显然这种从主观愿望出发的估计是不值识者一笑的。

一般的说英美海军这一次的出动，其目的有三：第一是熏出日寇龟缩起来的海军；第二，消灭日寇藏匿和分散了的空军；第三，破坏日寇的军需工业和交通系统。在过去，日本海军是否出来应战，好像还是一个未知数，但今天它的龟缩不出已经无宁是理所当然了。那一点海军无论如何要留到盟军真正登陆时来用，现在搬出来绝非其时。其次要消灭藏匿和分散的日寇空军大部分要看盟军出动的奇袭成分的多少，而在这一点上航舰飞机显然是有它的弱点的。但七月十日左右日寇在海上发现盟军的海军及其行动方向的时候，北海道方面的日寇空军显然是早有戒备了，这，据我们想，就是为什么十四日英美航舰飞机轰炸北海道的时候，其毁灭空军的战果并不十分丰硕的缘故。这样一来，英美舰队的出击就只能集中在第三个目标上——破坏日寇的军需工业和它的内部交通系统上来了。

一般的说，目前盟军的战略轰炸是集中在毁灭日寇的工业和封锁它的内外交通上。关于后一点，尼米兹元帅在七月十七日的广播有一段很好的说明，他说：

> 太平洋战局已由美舰炮轰日本诸城，而进入一新阶段。在这阶段中，日本本土诸岛间已遭受美国海空军的严密封锁……美方对日所施的封锁政策，已有积极的效果：日本因盟军占领菲律宾和琉球本岛已无法获得南太平洋的天然资源；华中和日本间的航运已为我巡逻机和水面船舰所剥夺；前由中国东海运到日本的主要工业原料，现已不得不改用漫长的铁道运输，路经东三省而到朝鲜，再以船装而横渡日本海——但就是这条航路，现在也很危险了；从阿留申群岛起，到北太平洋舰队密布于千岛群岛之旁，而横扫日本鄂霍次克海。日本已逐渐成为瓮中之鳖，想依旧获得海外大量的煤油、铁及其他原料已经很困难了。
>
> 美军一方面从事剥夺日本的一切重要原

> 料，另一方面则借超级堡垒和航舰机群的合力，对敌工业施以彻底的破坏。

这是杜鲁门总统六月一日在他的国会咨文里所宣布的，支解日本帝国的战略，一支解日本本土和它的南洋占领区的联系，由于菲律宾和琉球之战的胜利结束，这任务是完成了；二支解日本本土和满洲——华北——朝鲜的联系，这任务由于琉球之战的结束只完成了一部分；三支解日本本土各岛之间的联系，这工作现在刚刚是开始。

为了针对美军支解战略的第一步，日寇部署了分区作战。

为了针对美军支解战略的第二步，日寇成立了日满华联运体系。对马海峡的保有是日本生死存亡之所系。

为了针对美军支解战略的第三步，日寇成立了地方总监部，地方总监部的设置无疑问是准备盟军登陆本土，本部各区可以独立作战的。

盟军登陆日本本土最好的条件是一方面借海空军的轰击能把对马海峡完全封锁起来，而另一方面则以航舰飞机和超级堡垒的合力，彻底的摧毁日本的工业，使日本完全处于瘫痪状态。当前，以现有的基地能完成这一任务吗?

一百天血腥的琉球之战在美国激起了两股相反的浪潮，一股浪潮是总结琉球之战的经验和教训，认为单靠空军不能解决问题，直接进攻日本本土所将遭遇到的伤亡一定是惊人的重大，因此对于全盘的战略和政略必须加以再度的考虑。另一股浪潮是目击大琉球的死伤惨重，认为今后更应加倍借重于空军的使用，进攻日本本土的策略不变，但不妨以进攻日本本土的威胁作为压迫日寇投降的条件。

“改约”运动与妥协和平

道高一尺，魔高一丈，一方面是催人改弦更张的巨风起自琉球，另一方面是不妨妥协和平的逆流涌自琉球。半月以来，太平洋上的逆流又一度高涨起来了。

逆流的来源不同，但其归趋却是一致的。

首先是从军事方面来的:

七月七日前美太平洋海军陆战队司令斯密斯少将发

表谈话，认为“日本的城市一旦被毁，他们的工业家将设法停战”，有人问他“登陆日本是否必要”，他说，“对于这点不打算有所评论”。（七月七日旧金山路透电）

这里值得注意的是：第一，登陆日本不一定必要；第二，工业家设法停战；第三，单靠轰炸可以促成日本投降。必须指出，斯密斯少将不过是有此主张者中的一人而已，怀抱此种主张者绝不止斯密斯少将一人。

其次是从政治方面来的：

七月三日美共和党参议员怀特要求美政府宣布日寇无条件投降的具体条件，他以为这样一宣布可以缩短日本的抵抗时间。

从表面上看，这种主张并无什么反动之处，因为果真是一种彻底的无条件投降的具体条件，宣布了不仅没有坏处，而且有防止妥协阴谋的好处。但这只是一种理论上的看法，实际上今天在美国最热心于提出此等要求者不是为了防止妥协阴谋，恰好相反，它是一种妥协和平运动的一个表现。必须指出怀抱这种主张的在美国绝不只是怀特一人。

七月十日美副国务卿格鲁发表谈话，第三次的否认日本有向美政府提出和平条件的传说，美国对于日本所坚持的依然是无条件投降。但无条件投降的内容究竟是什么呢？格鲁先生不作正面答复，他仅指出无条件投降并非奴役日本人民之意。正如同无条件投降一词在今天并无实际意义一样，并非奴役日本人民一语同样是空洞的，不着边际的。

格鲁的谈话是一个信号，美国各报纷纷的讨论起对日无条件投降的具体条件来了。议论之多，不胜枚举。但值得注意的是鲁斯先生的纽约《时代周刊》的主张，他认为对日无条件投降应包括下列各项："一、日本所有武装部队不论其现在何处都应放下武器；二、根据《开罗宣言》，日本放弃其自一九一四年所攫取或占领之一切土地，包括朝鲜台湾澎湖列岛在内；三、日本本土之军事力量应一切解除；四、凡为满足国际正义所必需之一切战争罪犯均应受惩；五、一切赔款均应偿付；六、美国在东京及其他各地实行短期之军事占领后，凡能表示其才能足以协助履行上述各条件之日本当局，即由盟国承认其为日本之合法政府。至于处置日皇之问题，目前不作决定，应由将来日本人民自决"（。十三日纽约

中央社专电）

该刊对于日皇问题表面上看好像是介于保留和废除的两派之间，实际上这只是表面，因为照它上述第五条的规定，假如天皇证明了能履行上述各条件，其自然的结论不就是保留天皇吗？

目前问题的争执之点在保留天皇或废除天皇；如所周知，去年二月二日，格鲁先生曾发表谈话，说：

> 我愿意郑重声明，无论于公开或在私人谈话中表示过意见，认为战后日本天皇是应该保持或不应该保持……。（一九四四年二月二日《纽约时报》）

但若干政府高级人员皆反对此项理由。

> 据美国务院消息灵通之官员称：美国代理国务卿格鲁赞成在日本战败后，暂时保留日皇昭和。格鲁深觉在日本本部各岛屿占领后，唯有日皇始有充分权力可以强迫中国境内之日军停战

云。格氏相信，日本军事领袖不能单独发生充分力量使日本完全投降，唯彼激烈反对美国废除日皇及日本所有军事领袖完全无条件投降外，不接受任何日本投降条件。但若干政府高级官员皆反对此项理由。杜鲁门总统对处置日皇问题极感兴趣，渠于赴德参加三巨头会议前，曾召国务院官员会商。（十六日，华盛顿合众社电）

问题发展到这里，已经慢慢的从民间理论研讨转变到政府的实际政策来了。

一连串令人不安的消息从太平洋的那一边传来：

《纽约先锋论坛报》的华盛顿记者报告道：美国正在严重考虑着在不占领日本情况下的日本无条件投降的定义。

这里边将包含：一、日本放弃其一切由武力占领之土地；二、解除其海军与空军；三、拆散其船坞与重工业；四、盟国将派遣一象征部队监视其执行上述投降条件。

据云，杜鲁门总统在其起程赴欧前对此计划“甚感兴趣并有一般同意之表示”。此计划闻与杜鲁门总统赴欧归来之行程有关。（七月十七日，纽约路透社电）

何谓与行程有关？

而与杜鲁门总统本日（十五日）抵德一讯同时宣布于华府者为总统于三巨头会议完毕后即将立返华府，此乃预期届时太平洋美军将有重大发展之结果。杜总统预定会后续访哥本哈根，奥斯陆及其他各地；波茨坦之会可能延长三星期之久，果而则其离华府之时间将达六星期之久。此间认为杜鲁门临时变更行程计划可能与日本早日无条件投降，对日战争提早结束有关，盖当此等事件发生时，杜鲁门总统必须在华府也。（十五日，华盛顿路透电）

这些消息虽令人不安，但绝不是说所有这些消息是可靠的，把它引证出来的意思，无非是说明上面指出的那股逆流，不仅是表现在某些个人的理论检讨上而已，它已经波及到实际政治的范围里来了。

从理论上说，争执的问题是保留或废除日本天皇的问题，但实质上问题的关键是对日无条件投降的条款应该是保存日本法西斯侵略者的政治——经济——社会的基础呢？还是和对德寇的无条件投降的条件一样，消灭日本法西斯侵略者的政治——经济——社会的基础呢？或隐或显的主张保存天皇制度的实际上是主张保存日本法西斯侵略者的政治经济的基础。请再看一遍《时代周刊》的四条，有哪一条是指明要消灭日本法西斯侵略者的政治——经济的基础的呢？正好相反，它的第五条在基本精神上正是积极的以保存日本法西斯侵略者的政治和经济基条为目的的。

主张废止天皇制度不一定就是等于消灭日本法西斯侵略者的政治与经济的基础，这在太平洋的那一边看不出来，但在太平洋的这一边却一望而了如指掌。例如以下的五条："一、解除武装；二、铲除侵略组织及其教育制度；三、放弃其占领土地；四、赔款；五、交出战争罪犯。”——再加上一条废除天皇制度能消灭日本法西斯侵略者的政治和经济的基础了吗?

现在我们姑不问把消灭或保存日本法西斯侵略者的政治和经济基础的问题简单化为废除或保留日本天皇的问题是否妥当，必须指出的是，在战争的现阶段中，这种所谓天皇保存论者的抬头是非常危险的。因为这里边所掩藏的实质上就是一种妥协和平的阴谋。

在两个意义上，这种说法的抬头是危险的，第一在战争的现阶段中，美国的进展正达到登陆未登陆的边缘，太平洋的那一边有人有妥协和平的幻想，太平洋的这一边有人有妥协和平的企图——日寇以盟军不登陆为条件而向美国投降的传说已经不止一次的在流传着了，可以想见，目前这一种策动只有增加不会减少。至于太平洋那一边的幻想，我们早在本节开头的时候就已指出了。这是一方面。

铃木的阴谋与格鲁的企图

另一方面，从日本现内阁的构成上，这种实质上的妥协和平的企图更加值得重视。谁都知道铃木内阁是一个两栖内阁，在战的一面我们曾不断强调过它的“拼撞”政策，但强调它绝不是忽视它的另一面——和的一面。

关于铃木内阁的这一面，有一位观察家的意见是值得重视的。

> 我相信日本可能在今年十月一日以前投降，我这样说是因为我坚信日本现内阁就是一个巴多格里奥内阁，它可能作持久的抵抗，但它是把无条件投降的后门大开着的。
>
> 铃木内阁是发动太平洋战争的东条内阁的一个遥远的尾声。它为一群谨慎的、旧式的保守分子所支配，而这些保守分子中的很多人在过去是认为属于温和派的。
>
> “珍珠港事件”以前，格鲁大使和他的助手杜曼先生所喜欢的正是铃木型的这一种温和派，很显著的，国务院在日本失败后所愿意维持的也是这一类型的温和派。
>
> ……

日本完全的失败仅仅是一个时间问题。日本统治者今天的问题是如何从底下爬出来，好让他们将来再爬进去。

日本的统治者希望从苏联和西方盟国间的裂痕中生存下去。他们指望着英美的保守分子将欢迎或容忍一个相当强的、但是保守的日本作为缓冲苏联的一个可靠的堡垒。

因此，他们希望，纵即他们不得不接受无条件投降，我们可能给他一种秘密的谅解，不破坏日本的社会的、经济的和政治的机构——特别是皇室的地位和大财阀对于经济的控制。……

……

（铃木和天皇非常接近，他是“二·二六事变”的被难者，他和近卫平沼的密切关系无一不指示出他之所以出任首相为了他是英美可能接受的人物）。（大意）

日本的大资本家自然希望在他们的所有财产被毁灭之前逃出战争。他们在现内阁中强有力的代表人物是军需省大臣丰田贞次郎。他带着海军的头衔，但他所代表的却是大资本家的利益，他和三井家族有亲家之缘，他自己曾经是日本制铁的总裁。

为了处理日本退出战争时，把苏联孤立在一边的微妙问题，外务省大臣一职任命了东乡茂德，他是一个职业外交家，在一九三八年——四〇年间他任驻苏大使，任内，他是以和莫洛托夫相处甚得而闻名于世的。

值得注意的是铃木内阁中的两位陆军人物都是因为他们彻底效忠于天皇而选拔出来的——没有被极端行动所沾染的一种效忠。陆军大臣阿南维几曾经做过天皇的侍从武官，这是一个最被信赖的人才能干的差事。国务大臣安井藤治在一九三六年“二·二六事变”时曾经做过当时的戒严司令部的参谋，负责扑灭当时的暴徒起义。

这两个人的出任阁员好像是为了一旦铃木内阁接受投降叫他们来防止少壮军人的叛变的。

> 总而言之，日本现政府的组成指示了这一小群顽强的保守分子已经准备好时机一到，就接受投降的政治基础。六月初铃木内阁向国会要求并且得到战时紧急处置法案的大权不是偶然的。(六月二十六日，《纽约邮报》，A. 罗斯专论)

这是日本法西斯的单相思吗？不是的。请再看图画的这一面。

> 华盛顿年青的自由主义的远东问题专家，已经得到这样一个结论：战后日本将仍然是在经济的帝国主义者们的控制之下。仅仅是极端派的军人和他们最密切的同谋者是注定了要被去掉。
>
> 这一个结论是根据此地一些强有力者对于日本统治层里的一些文治派的人物——特别是对于天皇和大金融财阀的领袖们公开表示尊重的态度上得来的。

……

国务院的公开表示和最能反映国务院主张的佛莱雪的文章认为当日本战败之后，解除它的武装，占领了相当时间，然后最大可能是把日本政府还给日本现统治者那一些所谓温和的和可敬的分子——三井、三菱及其他金融巨头，鼓励侵略的皇室和普鲁士式的官僚。

在一九四四年十二月，参院外委会的咨询席上，格鲁认为天皇证明是日本“唯一安定的势力”，他主张保留日本天皇。他警告，非然者，我们或许不得不面对一个“在无定期的时间中维持和控制一个解体着的七千万人口的社会。

最近，格鲁先生在日本问题最信赖的一个助手杜曼先生在对一批日本军政府训练班的官员讲话。在六月十六日《民族杂志》的通信栏里，一个受训的未来日本军政府人员透露出：“杜曼劝告他们，日本的大企业家过去是我们诚实的朋友，将来也是我们的好朋友，要他们来管理日本的经济是很适宜的。”（六月二十七日同报，

同氏专论）

太平洋的这一边望着那一边，一水传情，心心相印——这就是为什么我们必须对上面指出的逆流有加以充分警觉的必要的原因。

警觉是一件事情，但事件本身的发展却又是另外一件事情。虽然太平洋的两边遥遥相望，一水传情，事情的困难却是非常巨大的。第一，尽管两方面都有意在无条件投降的大帽子下讲妥协条件，双方愿意出的条件在现状下是不可能完全相同的；这决定于战争的发展，盟军最近的进展虽非常之大，但谓其已足以填塞双方的距离，显然是太早的。其次，日本的这一边，虽有铃木等一干人愿意从底下爬出来，但也还有不少少壮军人不愿出此一着，最低限度目前不愿，这是一道难关。再其次，太平洋的那一边，虽不乏强有力者愿作实际上的妥协和平；但美政府中“若干高级人员”反对，而美国的人民不用说更是反对这一举的。例如，七月十四日美自由主义的《民族杂志》，就发表了四篇文章，批评国务院的现行政策，其中一篇就指出：“未来数月中，美国对日的和平条件将是美国人民所最关心的事件，但美政府直至现在显然未能满足美国人民的愿望。故美国人民应即行干预政府，使对日和平的获得和军事胜利同样彻底。美国对日无条件投降的最低原则是保证战后日本人民能参加选择并负责他们自己的政府。”（据《大公报》七月十九日专电）。人民反对，这又是一道难关。

问题的关键：中国的团结

问题的关键在哪里呢？

从表面上看，美国的孤立主义者目前之所以愿意考虑日本在无条件投降笼罩下的妥协和平是由于认真打到底，死伤将不可想象，而日寇之所以加紧无条件投降下妥协和平的阴谋是因为美军的轰炸太凶，早点投降可以保存财产。但实际上，按照太平洋战争今日所达到的阶段看，这两方面的压力都远还没有达到使那在无条件投降笼罩的妥协和平可以成为双方所能接受的程度，为什么这一逆流在太平洋的两边汹涌得这样厉害呢？

英美苏三强正在波茨坦开会啊。

三强会议的主题在讨论战后欧洲的问题；但大势所

趋，远东战争势非在讨论之列不可。不问讨论的具体结果如何，这一件事情本身对于美国的极端孤立主义者和日本帝国主义者都同样是一种不能忍受的压力。日寇希望在苏联积极参与远东问题之前退出战争；美孤立主义者愿意在苏联积极参与远东问题之前结束战争；纵不能结束战争，亦可以用结束战争的可能性，来安排苏联在他们提出的条件之下参与远东战争。

孤立主义者的面目出现在如下的一篇通讯里：

> 假如中国问题如一般之所料在三强会议里提出来，它将对于远东形势特别是日本前途有着深远的影响。
>
> 最近宋子文氏的访苏，其目的显然是在探明苏联对于远东问题的真意何在。在太平洋战争的问题上，美国（应该说是美国孤立主义者——引用者）目前所追求的是一种双重政策。它一方面希望苏联能在满洲牵制日本最大可能的兵力，但另一方面它又希望苏联的影响不向其他更远的地方深入。

由于这两重政策的缘故，杜鲁门在波茨坦会议大概不会向斯大林直接提出苏联参加远东战争的问题，因为杜鲁门纵即提出在美国（应该是美国孤立主义者——引用者）的眼光中，苏联参战的代价将是不可思议……不过，所有的迹象指明，这一次的三强会议对于日本要比以前任何时期都更有其直接的影响。（七月十九日，东京，《朝日新闻》，瑞士通讯）。

一般的说：日本的最后希望有四：

一、美国人民目前急于祈求亚洲战争迅速而又牺牲最少的结束；它将来亦不愿意支持长期监视一个战败了的日本的负担。

二、强大的同盟国家对于远东问题团结的削弱。

三、日本可能作为防止“布尔塞维克主义威胁”的堡垒。

四、中国内部的民主团结不能实现，它将是一个分裂而又贫弱的中国。

但归根结底日本的希望却只有一个：美苏两国在远

东问题上的不一致，这不一致又集中反射到中国内部的团结问题上来；实际上这两大问题是一脉相通的。三强会议的具体结果，我们无从预言，不过正如同在国际范围内条件的发展虽往往有迂回曲折的可能，但到头来，总是英美苏的团结统治一切的一样，中国内部问题的解决最后亦必定是走上民主团结的道路。

只有一个民主、团结的中国才是同盟国家迅速而又牺牲最小地打败日本的键钥。

只有一个民主、强大的中国配合着战后民主进步的日本才是同盟国家消灭日本法西斯侵略者，使其不能复活最大的保证。

只有一个民主、独立、强大而又繁荣的中国作为美苏两国在远东合作的桥梁，才是保障远东持久和平与安全最深的础石。

这是太平洋战争全部问题的关键。

问题的本质不是美政府是否应该立刻对日宣布无条件投降的具体条件，而是目前现行的具体政策：一个在表面上高叫促成中国团结，但实际上却致中国人民力量于不顾，专心致意于分裂性的活动的人（注意：国民党反动派所长期布置的内战业已爆发！！），必然的也就是尽管表面上口口声声要日本无条件投降，但实际上却是对于日本的民主力量心怀畏惧，而主张妥协和平的人；而这一批既不愿见中国今天的民主化，又怕明天日本民主化的人，也必定就是在表面上愿意和苏联合作，但实际上却是对于苏联的参与远东战争，抱着一则以喜，一则以惧的心情，暗中对苏联进行两种政策的人。

妥协和平的阴谋绝不能实现——中国人民不准它实现——现在是全国的考虑改变政策的时候了。

（七月二十二日，晨）

柏林会议

工党胜利

万人期待的英国大选揭晓了：和全世界所有反动者们的希望相反，工党获得了压倒的优势，十年来好像是一块赘瘤一样沉重地压在英国人民的头上的保守党政权终于垮台了。

这是英国人民划时代的一个胜利。

和去年的美国大选比，其意义是同样重大，但其斗争却是加倍的艰难。去年罗斯福总统的当选，不小的一部分原因是因为美国处在战争当中，美国的人民不愿意临阵易帅：所谓"中流不易马"的口号大大地帮助了罗斯福总统的当选。但现在这好处是在保守党方面，对日战争还未结束，邱吉尔首相又是举世公认的英国战争领袖，“中流不易马”是保守党竞选的王牌。从这里，可以看出；英国工人政党在这次竞选中所遭的困难是何等的巨大！是的，一般的说，在中流是不大应该轻易地易马的，但当那马实在是跑不动的时候，尽管是在中流也还是要换的；英国人民换了他们的马，在奔腾澎湃的中流！

英国人民这一伟大的抉择表现了两件事情：一方面是英国保守党反动派内外政策的破产，一方面是英国人民的觉醒和团结达到了空前未有的程度。

保守党反动派内外政策的破产：一般的说，从表面上看，这次英国的竞选主要地是集中在内政问题；在外交政策上，保守党和工党及其他政党是没有很大差别的。但这只是表面上的观察。实际上保守党的外交政策是和其他进步政党有着本质上的差别的。

算旧账，我们中国人记得中日战时开始保守党的对日政策，我们更记得慕尼黑是保守党外交政策的结晶。从整个最近十年来的世界史看，我们可以大胆地说：法西斯侵略者是保守党反动派纵容起来的：张伯伦和希持勒同是这一次战争第一号的战争罪犯。自然，自从一九四〇年春邱吉尔组阁以来，保守党的外交政策变了，但得注意这种变是不彻底的，被动的，一旦压力取消，保守党反动派的外交政策又逐渐走回到它的老路去了。去年夏秋之间西线有了大胜利，秋冬之交保守党在欧洲就恢复它的帝国主义——均势政策了，希腊的内战不过是这当中一个较为显著的例子而已。及至今年春，对德胜利在望，保守党的反动政策更是变本加厉了：例如二月间邱吉尔在克里米亚签订了协定，但在下院中讨论这一问题的时候，竟有二十二位保守党议员反对这一协定，而这当中的一位竟做了看守内阁的外务次官。

但保守党反动派外交政策的真面目出现在欧战胜利以后。五月十三日邱吉尔的胜利广播里就根本不提英美苏三强合作以致胜的事实，而却指出英美两国维护民主的必要；法西斯还未根除，但已暗示共产主义是民主之敌了。这是保守党反动派的对外政策第一次的明朗化。接着来的事件就是层出不穷了：波兰问题，战罪问题，特里雅斯特问题，保守党反动分子在旧金山会议美中分裂苏的活动[1]……一言以蔽之：保守党反动派俨然地变

[1] 原文如此。——编者注

成了分裂三强团结的发动机，敌视欧洲民主的策源地，世界反动的大本营。

十年来保守党的对外政策如此翻来覆去，看来好像是不能理解，但在本质上却是非常自然的：一个在国内维护独占主义者的利益的政党在对外方面是不可能彻底执行进步的外交政策的。政策的运用有时而穷，阶级的利害经久是要露出本来的面目来的。但，如今所有这些内外政策是开始破产了：一个新的欧洲需要一个新的英国，而一个新的英国是诞生了。

英国人民的觉醒和团结：往常惯于对英国大选结果作事前推测的人，这一次缩手了，因为，他们没有法子知道三十岁以下，那最近十年内才成年的英国人民的政治倾向，更无从知道几十万在海外作战的士兵投票的可能结果，但决定这一次工党获得如此压倒胜利的却正是这一批所谓政治上并无经验的人。战争教育了人民，人民赢得了进步；除掉了今年春法国的地方选举而外，这真理再没有比在这次英国大选中表现得更为清楚的了。

人民的团结自然而然地要表现为进步政党间的团结，但正是在这里，这一次英国进步人民遭遇到特殊的困难。由于英工党上层领导分子的官僚化和顽固，英国共产党所提出来的竞选联盟始终为工党所拒绝，但拒绝尽管拒绝，英工党及工会群众的觉悟提高了。在五月底英工党的黑池大会上，联盟的提案被九万五千人的多数拒绝了，但赞成竞选联盟的党员是多少呢：一百二十一万九千人，这是一个惊人的数字。这指示着：尽管进步政党间的团结是被工党上层分子所拒绝，但工党群众主张团结的人却一天天地多起来了。

工党领导干部拒绝竞选联盟，英国工人阶级的先锋政党怎么样呢？英国共产党在这次竞选中的举动是空前的；为了团结，他们牺牲了自己的候选人，改选工党的选人。最初他们提出五十二名候选人，后来减为二十二名，最后又减为二十一名，他们对于工党的支持是无条件的。没有英国共产党这种无条件的团结政策，英工党的胜利不能如此压倒；这是一方面。另一方面，假如不是因为英工党领导层的这种关门政策，可以断言，英工党和其他进步政党的胜利比今天一定还要辉煌。据七月二十七日不完全统计，英工党共得选票一千一百九十六万二千票，席次三百九十席，保守党实得选票九百零一万八千票，席次一百九十五席。换言之，工党在席数上倍于保守党，但实得票数不过约强五分之一而已。这当中的原因完全是由于英国的选举制度，非然者工党的优势不可能是如此压倒的。

由于英国人民的觉醒和团结，由于保守党反对派内外政策的失败和破产，保守党反动派的十年政权结束了。

这不仅是有关于英伦三岛的事情，它的影响和意义是超越于英国的国境之外的。

从英伦海峡看去，十里之外就是欧洲；经过了这次反法西斯战争的洗礼，欧洲是新生了，但在历史上，一个进步的欧洲和一个保守的英国因冲撞而产生悲剧的情形已不止一次了。

一七八九年法国大革命的初期，进步的欧洲大陆和保守的英国发生过冲突。

一八四八年欧洲民主革命当时，进步的欧洲和保守的英国发生过冲突。

一九一八年第一次大战结束后，革命的欧洲和保守的英国又发生过冲突。

分析了第一次的冲突，目击着第二次的冲突，马克思曾经说过：在十九世纪市民社会的太阳系统里，太阳不在欧洲大陆，而是在英伦三岛。这一个总结虽然不完全适用于二十世纪，但第一次欧洲战后，英国又站上了“欧洲警察”的岗位的历史，确实是叫人寒心。

现在由于苏联的勃兴，欧洲的形势是基本地改变了；但百足之虫死而不僵，自命为欧洲警察的英国保守党反动派一刻都没有忘记过他们几百年来所不断执行的政策。因此，尽管形势改变，但他们并未忘情于对欧洲反动力量的支持。从去年冬天以来，这一政策的真面目就逐渐表现出来了。首先是所谓对抗东欧的西欧集团计划；这一计划由于法苏协定的成立而破产了，但他们是不到黄河心不死的。于是而有希腊的内战，于是而有对意大利的干涉，于是而有比利时的危机，于是而有西班牙葡萄牙的“中立”。

尽管这一连串的做法，到处遭逢了人民的反对，同盟国的不满，国内的批评，但这企图是没有被放弃过的。这样，一个民主进步的欧洲就被套上了一个专制反动的边缘，这边缘若断若续的从希腊经过西班牙一直伸延到比利时，老实说，在不同的程度上，没有英国保守党反动派在政治上和经济上的支持，这些国家里的反动力量纵还挣扎，是绝不可能猖獗到如此程度的。例如希腊的法西斯保皇党，没有斯考比枪杆的支持，他们可能有今日吗？例如“中立”的西班牙，没有英美反动政策的支持，它可能“立”到今天吗？例如比利时的利奥波德，没有英国保守党反动派在精神上和物质上的支持，他可能顽强到如此地步吗？

现在，由于英国保守党反动派政权的结束，欧洲边缘上的这批反动力量终于失去他们的靠山了。自然，英国保守党反动派作为一个统治政权的力量是消失了，作为一个根深蒂固的统治阶级，他们的影响还是存在的，更何况工党的具体政策在这一点上也还没有完全确定。不过，无能如何，由于保守党反动派在英国的失败，欧洲的反动力量已经失去了一个积极的靠山，这就大大地减轻了一百五十年来进步欧洲和保守英国时常冲突的可能。在实际政治上，这就表现为：邱吉尔的下台不可避免地要影响到戴高乐在法国的前途。美国的孤立主义者把邱吉尔和戴高乐的并存和合作视为阻止欧洲民主化的两道闸门，如今这外闸门已经破了，内闸门是绝不能负起孤立主义者所希望于它的任务的。

新的欧洲需要新的英国，而新的英国是产生了。

保守党反动派的垮台不仅影响于欧洲，它影响全世界，在全世界的范围内，重大的事件决定于三强的合作，因此三强之中任何一强的改变是要影响到战后世界的前途的。在这一点上，罗斯福总统的逝世是全世界的一个损失，特别是当杜鲁门总统居中偏右的政策日渐显著的时候。

由于罗斯福总统的死亡，由于欧战的结束，英国保守党反动派曾经企图离间美苏关系使其居于两极端，而自己则转而居于中间地位。这企图由于美国人民的反对和美总统的坚持而失败了。但失败尽管失败，在目前的新情况下，假如邱吉尔再度当选，一个“居中偏右”的美国加上一个全部向右的英国，这样的两个资本主义国家再加上一个社会主义国家——这样的一种三强关系是值得警戒的。虽然领袖人物的更动和执政政党的进退到头来并不能阻止三强合作必然的趋势；但假如美国的孤立主义者和英国的绥靖主义者联合起来向进步世界进攻，其对于世界前途的影响是不能忽视的。而现在，由于英国保守党反动分子的垮台，在世界范围内，美国孤立主义者是被孤立起来了。

新的世界需要新的英国，而新的英国是产生了。

工党组阁，新的英国开始走上世界舞台了。当前有四大问题，需要工党立即处理：一、英国战后的国内问题；二、还未完成的另一半的对日战争；三、又可能形成僵局的印度问题；四、欧洲方面若干急待解决的问题（希腊……）

对于这四大问题工党的政纲是我们所熟知的，英工党能完成它的历史任务吗？

必须指出，在历史上，英工党组阁这不是第一次；工党的胜利只是一个进步的起点，而不是进步本身，虽然有了这起点而可能向前和没有这起点的然向后之间的区别是非常之大，把进步的起点当做已经完成的进步是错误的。这是一。几十年来英工党上层干部和下层群众之间不沟通的趋势还未消失，尽管今天工党群众和英国人民是进步了，这进步还不足以动摇工党的领导干部，这是二。第三，英国独占资本家在历史上向来是以“软化”战术闻名于世的，一不小心，一个自命为工人阶级的政党往往是会不自觉的变成大独占资本家的尾巴的。

有此三者，我们就不应该对工党政府有立即过高的期待。当前的问题是什么呢？进步的起点是取得了，目前的任务是展开全面的求进步的斗争。英国工党的某些领导干部以为既然取得了工党一党的压倒胜利，工党和其他进步政党的团结更是不必要了；但工党群众和英国人民的任务都是坚持为进步政党的广泛团结，为进步政策的彻底实现而斗争，没有这斗争，英工党是不可能取得真正的进步，防止大资产阶级的软化，和其他进步政党一道，把英国领上进步和繁荣，和苏联与美国一道把欧洲领上民主发展，把世界领上和平团结的道路上去的。

柏林会议

欧战结束已经三个月了。

三月以来，全世界的反动分子不断地在破坏着克里米亚协定，有人甚而至于扬言克里米亚协定已经死去了。

英美苏三强柏林会议的胜利结束，证明了克里米亚协定——英美苏三强战时团结的最高峰——不仅是没有死去，而且正在发扬光大，因为柏林会议的结果不仅是发展了克里米亚协定，而且补充了克里米亚协定。

柏林会议是英美苏三强领袖在和平时期第一次的会议，这次会议的胜利结束是有它的重大意义的。因为：它证明了，英美苏三强不仅在战时能团结取得辉煌而彻底的胜利，而且在平时也能团结取得公益而持久的和平；证明了，美英苏的战时团结是能经得起和平时期的考验；证明了，英美苏的团结不仅是根据于三强领袖们的主观愿望，而是根据于英美苏三国和一切联合国家的客观利益的。

英美苏三强的团结既然是三强的客观利益之所要求，三强领袖的更迭就不会对于三强团结的大势造成不能克服的困难，虽然这不是说，三强领袖之一像罗斯福总统的逝世，对于三强团结没有影响。

七月十七日开始的三强会议于八月二日胜利地结束了；具体地说，它决定了些什么呢？

摆在柏林会议前面的主要问题是“和平”，更明确的说是“欧洲的和平”，而欧洲和平的中心问题又是如何处置德国；德国问题解决了，欧洲的问题实际就已经解决了一半，德国问题不解决，欧洲问题的解决是无从谈起的。这样，很自然的，三强会议的中心问题就是如何处置战后德国的问题。

怎样处置战后德国，才能根绝它的纳粹主义和军国主义，使它不再为害于世界呢？

如所周知，关于处置战后德国的原则早在一九四三年尾的莫斯科和德黑兰会议以及今年年初的克里米亚会议上有了原则上的确定了。但问题不在原则，而在如何执行。例如，关于严惩战罪的问题，早在德黑兰会议三强领袖所共同签订的严惩战罪的宣言里昭告于全世界了，但这并不妨碍英美某些上层优待戈林，这是一。其次，有些问题在战时的讨论只能限于原则，而现在却非具体决定不可的，例如赔偿问题在克里米亚当时只能谈到原则，而现在却非加以具体解决不可了；而这种具体解决在克里米亚会议当时，由于不可能预见战争结束时的实际情况，是不可能的。

因此，柏林会议有对克里米亚协定加以发展和补充的必要。克里米亚协定中的原则予以具体发展，克里米亚协定中所不可预见者，予以补充。这就是柏林会议的主要任务。

当人们谈起和平条件的时候，有一个概念是相当牢不可破的，那就是条件的“宽大”和“严厉”；实际上什么是“宽大”，什么是“严厉”呢？很显然的这种简单的概念是解决不了问题的。在原则上，对于德国法西斯的无条件投降的条件，一开始就应该包含了“宽”“严”的两面：对于法西斯分子要无条件的严，对于德国人民却应该是尽可能的宽。但欧战结束后两月以来，英美盟邦对于德国的态度有些地方却是反其道而行之的：对于法西斯分子非常宽，而对于德国人民却有些不合理的严，这是一个情形。还有一种情形是从对德国人，不问其为法西斯分子或非法西斯分子一律“宽”，突然地转变到一律对德国人，不问其为法西斯分子或非法西斯分子一律“严”，忽宽忽严，动摇不定。事实上，这两种态度和两种政策都不是合理的。

这种不合理的，不协调的政策，最低限度在原则上是纠正过来了。这就是对法西斯分子无条件严，对德国人民尽可能宽的合理的政策。这就是柏林会议关于处置德国的政治原则。

这些原则的规定是非常细密而具体的，试举一例，以期其对于法西斯的“严”。

什么是战争罪犯呢?

“公报”中政治原则项下第五类说：

> 战争罪犯，和参加策划或实施纳粹计划，而结果造成暴行或战争罪行的人物……纳粹领袖和支持纳粹作战的有力人物……

根据这规定德国的财产金融界的有力人士，就不能算是非战争罪犯了。

怎样禁止这一批人的活动呢?

> 一切纳粹党徒，不仅在名义上参与该党活动的人，和其他一切对于盟国持敌对行为的人，不仅不得担任公职和半公职，并且在若干

> 重要的私人事业上也不得居于负责地位，这些人士必加免职……

既然用这样严厉的政策来对付法西斯，那么不是没有人来维持“社会秩序”了吗？不少反动的资产阶级分子拿“行政才能”作为他们袒护法西斯分子的口实，事实上这是骗人的鬼话。压迫人民的技术绝不是行政才能，而真正具有管理行政的才能是反法西斯的人民自己。真正能够保证法西斯彻底根绝的力量是民主的力量。所以政治的原则项下第九和第十类又作了如下的规定：

> 德国的行政，应以政权的分散和发展地方政权为原则。为了达到这个目的，一、德国全国各地按照民主原则，尤其要经由选举委员会在军事安全和军事占领的目的之下，尽快恢复地方自治；二、德国各地的一切民主政党，应准许并鼓励其成立，并予以集会和公开讨论的权利；三、代表和选举的原则，在可能顺利实施地方自法方面，应尽快在区政府省政府和邦

政府中间实施；四、目前并不设立德国中央政府，但在某种必要的德国中央行政部门尤其是财政、运输、交通、对外贸易与工业等，应予设立，以部长作首长。这些部门将受管制委员会的指挥。

除维持军事安全有所必要外，言论、出版和宗教的自由将得到准许，宗教机关也将受尊重。除维持军事安全有所必要之外，组织自由的职工会也在许可之列。

从地方自治和言论、出版、集会、讨论的自由直到组织工会的自由——若说对于德国人民“宽”，这可以说是“宽”到最大限度吧?

总括三强会议对于处置德国的原则，我们可以看到一方面是旧德国的死亡——纳粹的死亡，一方面则是新德国的诞生——民主的新生：今天的重点在旧德国死亡，只有旧德国彻底的死去了，新德国才能诞生；明天的重点在新德国的诞生，只有新德国产生了，旧德国才不致于复活。斯大林说，希特勒不过是德国历史上一个匆匆来去的过客，而德国人民却是不朽的；这句话不是充分地表现在这处置战后德国的政治具体原则里了吗？

一般人的所谓宽严之分不仅表现在处理德国的政治原则上，在经济上同样出现了这一所谓宽严之别。在经济上，主张严厉处置德国的，以为必须把德国变成一个农业国家，才能永杜侵略之门。这种意见中的动机是可喜的，但它的结论却是错误的。在这一个问题上，冈野进同志说得好；

> 是否进行战争，不决定于工业之有无，战争不是机械发动的，而是人造的。（见《群众》十五期，冈氏：《消灭日本法西斯的道路》）。

不仅工业不能制造战争，退一步重工业虽同战争有着更密切的关系，重工业也是不能制造战争的；问题不在工业，而在谁管理工业。根据这一个原则，柏林会议所决定的决不是毁灭德国所有的工业，而是消灭德国的作战潜力，为达到此目的，就必须禁止一切作战物资的生产和严密管制所有和作战有关的工业的生产。而“组织德国经济时，将首先着重于农业和平时国内工业的展开”。

在这一个宗旨下，一方面把“德国视为一个经济单位”，但另一方面，却决定“在最早可能的日子，德国的经济应予以分散，以消灭德国目前经济力量同‘加特尔’‘辛迪加’‘托辣斯’和其他独占办法而造成的过分集中现象”；并“管制德国的工业和一切经济金融的国际转移，其中包括进口和出口，以防止德国再度发动战争的潜力或达到其他目的”。

这是什么意思呢?

从一方面说，工业本身并不能发动战争，因此没有毁灭德国一切工业，使其成为农业国家的必要；但另一方面，在阶级基础上，德国的法西斯却正是德国大独占工业资本的产物。独占资本，特别是有着广泛的国际联系的独占资本家是德国纳粹主义的阶级基础，因此，铲草除根就必须一方面彻底消灭德国大独占资本的国内基础，另一方面，严密管制它的国际转移，只有这样，才能消灭德国纳粹的阶级基础，使其无所遁形于天地之间。

同样的原则实用于赔偿。

在第一次欧战后，在赔偿问题上，曾经由于协约国家决定货币赔偿，而陷于自相矛盾的境地。即：一方面为了德国能够支付，不能不让德国扩展它的所有工业；而另一方面，德国工业——包含与战争有关的工业，发展了，德国同时就培养了它发动战争的潜力。这一次，同盟国家决心毁灭它的作战潜力，但假如同盟国家坚持货币赔偿的话，那么，同盟国家同样要是陷于第一次欧战后自相矛盾的境地的。实物赔偿的原则解决了这一矛盾。

实物赔偿的基础最方便的莫过于三强各就其占领区内德国工业的资产及其海外资产取得满足，但有一个问题必须解决，那就是德国工业在地理上分配的不均衡性。德国的西部工业比重远大于其他部分，但牺牲最大的苏联所占领的区域是在东部，而牺牲较小的英美占领区却在西部。为了调和这种不均衡性，英美答应苏联以实物换取西部德国应该迁移的工业设备的百分之十五，无价取得百分之十，而另一方面苏联对于英美在西线虏获的百吨以上的黄金则放弃一切要求。

在领土的变更上，三强同意苏联占有东普鲁士哥尼斯堡及其附近地区，并同意在和会前，波兰管辖奥得河——尼西河一线以东地区。

这就是关于处置德国的四大问题——政治经济赔偿和领土问题上的主要决定。在所有这些问题上，我们可以看到：是根绝法西斯的政策战胜了纵容法西斯的政策，是鼓励民主的政策战胜了压制民主的政策，是公平的政策战胜了不公平的政策，是团结的政策战胜了分裂的政策。假如在这一个中心问题上，还有什么美中不足的话，那就是：对于各占领区政策的调整，没有约束性的决定，虽然我们相信，英美占领区当局是一定会按照柏林协定的精神来执行他们的行政工作的。

假如三强会议在处理德国问题上的决定是非常具体的话，对于一般欧洲问题的决定则是比较不明确的（战争罪犯和波兰问题除外）；这一方面固然是因为问题的范围太广，有许多问题没有当事国的参加不能确定（例如疆界问题）；另一方面也是因为有了五国外长会议机构的设立，有些问题可以从长考虑；但无论如何，对于大家期待的某些问题——例如希腊问题，三强不能取得一致的协议，不能不说是一个不小遗憾。在这里，值得大书特书的是三强会议对于不承认西班牙为中立国的决定；创及履及，是英美法同盟国家认真考虑和西班牙断绝一切外交和经济关系的时候了。

欧洲战争结束后第一次的三强会议胜利地闭幕了。无疑问地，由于三强会议的成功，英美苏之间的关系已经加强，他们之间的合作与了解也随之而扩大了；这就证明了：英美苏同盟的力量经得起和平时期的考验：尽管迂回曲折，克里米亚的理想与原则，在三强必然团结的客观趋势之下，是一定能够实现的。

波茨坦宣言

三强会议结束了。

在三强会议期间，同盟国家发表了两件直接与远东战争有关的重大文献，其一是：六月二十六日英工党在大选中胜利揭晓后一小时内由英美中三国领袖（英方仍为邱吉尔）共同签署的对日无条件投降的公告；其二是：

三强会议结束后的第一日，八月三日，美总统杜鲁门访英时，在奥古斯达巡洋舰和伦敦二处同时发表，由杜鲁门总统和阿特里首相共同签署的关于柏林会谈期间英美对日的联合声明。

现在我们没有充分的材料判断以下一系列的问题：

为什么“三国投降公告”发表在波茨坦，其作用究竟何在？

为什么“三国投降公告”发表的时间，不前不后正落在二十六日英国大选揭晓后一小时之内？其与邱吉尔首相个人的关系如何？有什么动机非使这公告发表在这一天不可？为什么不能迟一两天用阿特里首相的名义签署？

“三国投降公告”既已发表之后，为什么又有联合声明发表之必要？而这发表的时间和地点又不是偶然的，其作用究何在？

推测这一系列问题的意见多得不可胜数，我们没有充分的材料回答这些问题，我们只能就这两大文献中之最重要者——“三国投降公告”的内容略加论列。

首先，必须指出的是：在“三国投降公告”没有发表之前，英美特别是美国方面关于对日投降条件的讨论正是甚嚣尘上的时候，这里包藏着妥协和平的阴谋（请参看本刊十五期《论妥协危机》一文）；现在由于“三国投降公告”的发表，这些讨论沉静下来了。这不是说，“三国投降公告”已经杜绝了一切孤立——绥靖分子妥协和平的策动，而是说，他们活动的方式改变了。

那么，“三国投降公告”是哪些内容呢？

“三国投降公告”共分十三条，但无条件投降之条件却只限于第六条至十二条，其原文如下：

（六）欺骗及错误领导日本人民，使其妄欲征服世界者之权威及势力，必须永久剔除。盖吾人坚持必将负责之穷兵黩武主义驱出世界，则和平、安全及正义之新秩序势不可能。

（七）直至和此之新秩序成立时，及直至日本制造战争之力量业已毁灭，有确实可信之证据时，日本领土经盟国之指定，必须占领，俾吾人在此陈述之基本的目的，得以完成。

（八）《开罗宣言》之条件必得实施，日本

之主权必将限于本州，北海道，九州，四国及吾人所决定之其他小岛以内。

（九）日本军队在完全解除武装以后，将被允许返其家乡，得享有从事和平的及生产的生活的机会。

（十）吾人无意奴役日本民族或消灭其国家，但对于战争罪犯，包括虐待吾人之俘虏在内，将处以法律之判裁；日本政府必须将阻止日本人民民主趋势之复兴及增强之所有障碍予以消灭，言论宗教及思想自由以及对于基本人权之重视必须成立。

（一一）日本将被许维持其经济所必需及可以偿付实物赔偿之工业，但可以使其重新武装作战之工业则不在其内。为此目的，可以准其获得原料，以别于统制原料，而日本最后参加国际贸易关系当可准许。

（一二）上述目的达到及依据日本人民自由表示之意志，成立一倾向和平及负责之政府后，同盟国占领军队当即撤退。

在妥协和平的逆流高涨，太平洋局势处于空前混乱的时候，英美中三强这一严正的声明是适时的，特别是它重申了三国坚持《开罗宣言》的决心，打破了许多妥协主义者的妄想。这是一方面。

从另一方面说，这虽然是一个原则性的声明，但比之于英美苏三强在克里米亚会议对于德国的声明，却是欠明确得多了。为了方便读者们的比较，我们把克里米亚会议关于“德国的控制与占领”的一部分抄在下面：

> 我们不屈不挠的宗旨就是要消灭德国的军国主义和纳粹主义，要确保德国决不能够再扰乱世界的和平。
>
> 我们决定要把德国一切武装力量解除武装，予以解散；把那曾经一再极力使德国军国主义复活的德国总参谋部永远解散。
>
> 把德国所有一切军事装备撤去或者破坏掉。
>
> 把所有一切可能供军事生产之用的德国工业排除，或予以统制。

使所有一切战争罪犯受到公正而迅速的膺惩。

实行和德寇所造成的破坏相当的精确的实物赔偿。

扫除纳粹党，纳粹法律、组织和制度，从德国人民的公共机关中，从文化生活与经济生活中消除所有一切纳粹的和军国主义的影响……

我们的宗旨决不是要消灭德国的人民，但是唯有当纳粹主义和军国主义已经根绝了的时候，德国人才能过适当生活的希望，他们才有在国际交谊中占有一席地位的希望。

我们不打算在这里对于这两大文件加以比较分析，不过单就消灭军国主义的这一共同之点上来看，我们已经可以看出这当中的差别了。克里米亚协定，在这一点上说：

我们不屈不挠的宗旨是消灭德国的军国主义和纳粹主义……

但“三国投降公告”的措词却是：

欺骗及错误领导日本人民，使其妄欲征服世界之权威及势力，必须永久剔除……

自然，有人会说：侵略主义者的权威和势力的剔除是和消灭侵略主义者本身的说法没有原则上的差别的；但得注意：在一个历史性的文件上，就是一个字的选择也绝不是偶然的。至于在“三国投降公告”中对于日本军部这万恶的机关一字不提，更是不可忽视的一个漏洞。

“三国投降公告”的不明确性，最低限度有下列三点：

一、究竟哪一批人是必须消灭的战争祸首呢？所谓“稳健派”或“温和派”是不是同盟国家可以接受的人物？

二、占领日本，由盟国指定，究竟是全部占领呢？还是择地占领？“象征式的占领”是否算是占领呢？

三、占领期间的政府是一种什么样的政府，日本的政权是否中断？按照第十二条的解释好像是中断的；但按照第十条中……“日本政府”……的上下行文看，又好像是不中断的。假定是不中断的；那就是等于希望一个日本的邓尼兹政府能够“将阻止日本人民民主趋势之复兴及增强之所有障碍，予以消灭……”这是问题最严重的地方。七月十九日《纽约时报》公开要求：“美国对日无条件投降最低限度的原则是保证战后日本人民能够参加选择，并负责他们自己的政府”。我们相信这不仅是美国人民最低限度的要求，也是同盟国家人民全体一致的愿望；但就在这一核心问题上，三国公告的规定是不明确的。

“三国投降公告”发表后，不少人在期待着日本方面的反响。一方面有人以为日本可能接受这条件，自动地无条件投降；另一方面：有人以为假如日本拒绝，那就是说战争必定进行到底，日本毫无投降的可能了。

如所周知，无论是在铃木首相的谈话里，或是在南次郎的声明里，日本政府都表示拒绝了；但这是说日本政府不考虑这些条件了吗？

自然，从战争的现阶段来看，日本政府是不可能接受这条件的；但问题不在战争的现阶段中，按照字面的解释，日本是否可以接受这一条件，而是随着日本战争形势恶化，日本是否可以接受这一条件？这一方面固然要看日寇的战争形势恶化到什么程度，另一方面要看同盟国家对于这些原则性的条件作如何确定的解释。至于目前，它的表示拒绝却无宁是非常自然的。关于这一点，美国的海陆军杂志说得好：

> 铃木首相所说：日本政府将波茨坦最后公告置之不理一语，实不能依它的表面含义而加以接受。我们所应料想到的，即倘若这个最后通牒能获得郑重考虑，则必定有一首相发表这种声明……（华盛顿四日路透电）。

这就是说，虽然按照字面解释，在战争的现阶段中日本不可能接受这一条件，但由于内容的不明确，日寇还是可以加以“郑重考虑”的。怎样郑重考虑呢？一方面加紧作战，扬言拒绝考虑，但另一方面则希望同盟国家对于这些似不可能接受的条件解释到日本可能接受的程度。

因此为了杜绝日寇的妄想，同盟国家应该对三国公告的原则加以明确的规定。这是一方面。

另一方面，自从“三国投降公告”发表以后，孤立——绥靖主义者的叫嚣在表面上是停止下来了。但这是说，他们已经停止了他们对于妥协和平的发动了吗?

不是的，他们之所以对于“三国投降公告”表示接受，不是因为它包含了无条件投降的正确原则，而是因为这些基本原则规定得如此不确定，他们可以作有利于妥协和平的解释的缘故，他们策动的方式改变了。他们活动的目标是不变的。假如在“三国投降公告”以前，他们的活动主要地表现为修改无条件投降条款的“改约运动”的话;那么，现在他们的活动已经变为而解释“三国投降公告”的“释约运动”了。

因此，为了粉碎孤立绥靖主义者妥协和平的策动，同盟国家有对“三国投降公告”加以明确规定的必要。

其次，再就这公告的本来对象——日本人民言，这公告也是不充分的。同盟国家对日作战的目的不是消灭或奴役日本的人民。但就说明这一点，“三国投降公告”就必须对民主日本的将来予以更明确的规定，但“三国投降公告”所着重拉拢的对象好像并不是日本真正的民主势力，而是日本的大财阀和大资本家；这是和鼓励日本反军部的民主力量背道而驰的。

因此，为了唤起日本人民的反战情绪和活动，同盟国家有对“三国投降公告”加以明确规定的必要。

无论从哪一方面看，对于“三国投降公告”的具体内容加以明确的规定是必要的，但政策的规定是一件事，政策的执行却又是另一件事。例如在政策的规定上，恐怕没有比克里米亚协定对于战后德国和欧洲问题规定得更为明确了的吧？但这并不妨碍五六月间欧战结束前后的混乱。从这里可以看到，一个明确的对于战后日本的政策，固然是重要；但更其重要的是同盟国家现行的军事和外交政策。对于战后日本不彻底的政策不是现行军事政策和外交政策的因；相反，只是因为现行的军事政策和外交政策不合理，所以才产生了对于战后日本政策不彻底的果。

美国对华政策

八月三日中国战区美军总司令魏德迈将军招待记者

发表谈话，其中有一段说：

> 延安广播：美国武器被用以攻击中共；此事我并不欲予以否认。但自我统率军队以来，并未将美国武器供给进攻中共之用。美国武器只能供给进攻吾人之公敌日本之用。（八月四日本市《新民报》）

这是一个寥寥不到一百字的新闻，但在这不到一百字的新闻中，中国战场上一个空前严重的形势被暴露出来了，那就是：

一、中国的内战已经爆发。

二、美国的租借武器是被用以攻击中共。

这是空前严重的事实，在这铁面无情的事实下，尽管魏德迈将军声明，并未“将美国武器供给进攻中共之用”，但“我虽不杀伯仁，伯仁由我而死”，中国的情势发展到如此严重田地，美国的对华政策是不能辞其重大责任的。

如所周知，美国的对华政策直至去年十一月间，是以在理论上和实质上促成中国内部团结，动员一切抗日力量，共同作战为其主要目的的，但到十一月底十二月初这政策就开始改变了。

美国为什么放弃这一政策，直到现在我们还找不出适当的理由来解释。值得注意的是，这一政策的转变出现在英美魁北克会议以后，而魁北克会议是紧接着英美盟军在法国获得决定性的胜利之后召开的。

魁北克会议之后，在远东战场上就出现了两大新部署：一方面英国在东南亚成立了新战区，一方面是美政府撤换其中印缅战区美军总司令史迪威将军和驻华大使高思。从此以后，中印缅战区就分为印缅和中国两个独立战区，而以魏德迈将军任中国战区美军总司令；另一方面则以赫尔利大使代替前大使高思。

这不仅是一种人事的变动，而且是一种政策转变的开始。

从去年十二月到今年三月初的三个月当中，美国的对华政策在基本上是改变了，但在运用上，似乎还未完全抛弃前一个时期的理想。

但其实，欧洲的形势又起了基本的变化：苏军的东线攻势发动了，德国在西线的反攻被停止了，二月间克里米亚会议注定了纳粹必败的命运，盟军对德的最后胜利不再会发生波折，欧战的结束已经可以指日而待了。

这是一个基本的变化，其意义和作用远大于去年八月间盟军在法境的大胜利。假如八月间西线的胜利曾经是或多或少地影响了远东战局的变化的话，那么，二三月间欧战的急转直下是绝不能没有影响的。

三月初华盛顿召开了一个战略会议，这一个会议的具体决定不得而知，但值得注意的是，在这一个时期中，直接进攻日本本土的论调是一天天地高起来了。

欧洲战局的改变引起整个远东战争中力量对比的改变，而这力量对比的改变又势不可免的引起了战略上的改变。所有这些因素都集中地反映在美国孤立——帝国主义者的远东政策上。

其时不可不回溯一下一九四四年中国战场上所发生的巨大变化。日寇在中原和湘桂所发动的两大战役虽未能完成它所预期的打通大陆交通线的目的，但它却充分的暴露了反动的作战机构的无能；而中国人民的力量却像春风下的野火一样，从华北烧到华中和华南，这是一个翻天覆地的大变化——中国战场上的力量对比基本的改变了。对于中国人民这是一个福音，但对于中外的反动者却是一个噩耗。所有这一些因素同样不得不部分地反映在美国孤立主义——帝国主义者的远东政策上。

四月二日，赫尔利将军在华盛顿发表的谈话是美国对华政策转变后第一次明确的表示。

从四月二日赫尔利将军的谈话到八月三日魏德迈将军的谈话，相隔又是四月了，这四个月又是充满了重大事变的日子。

首先必须指出的是美国总统罗斯福在四月初的逝世，虽然一个个人的作用不能估计过高，但在欧洲战争行将结束，远东战争的若干基本问题还未解决的时候，罗斯福总统的死是有重大的影响的。

其次是欧洲战争的结束改变了整个国际形势，这改变主要地可以分成两方面：

第一，同盟强国必然团结的客观形势虽然如故，但反动的孤立——绥靖集团却在全世界的范围内嚣张起来了。关于这一方面的具体例证，从五月初以来直至柏林会议前后，是不胜枚举的。这些分子们的活动方式虽然不同，但他们的基本目标是一致的：纵容法西斯、反苏、反共、反人民。在远东战争的问题上，这就表现为反苏、反共和反人民的要求有浸假压倒民主团结、共同击败日本法西斯的要求之势。

第二，日本法西斯侵略者还未被打垮，远东战争还未结束，上述的趋势是不可就实现的。为了彻底和迅速地击败日本法西斯，必须促成同盟国家内外的团结，因此一面作战，一面反苏反人民是反不成的；但不可忽视，由于欧洲战争胜利结束，英美同盟国家对日的力量优势是空前增加了。这一批人尽管不反对，不，他们甚至欢迎苏联在他们的条件之下略加战争，但在中国，他们是绝不会回复到一九四四年的进步政策去的，为什么？很简单，他们自信他们的力量很大，他们并不需要动员和装备中国人民的力量。

这四月来政治和军事形势上的改变最后就表现为英美同盟国家的对日战略上。

这就是所谓直接进攻日本本土的战略。

这就是以为强大的海空军可以逼使日本无条件投降的战略。

这就是把中国大陆战场转变为次要战场，不惜以租借物资供给中国内战之用的战略。

用一位美国记者的话，那就是：

> 太平洋上的大战大概是注定了要从中国旁边滚过去了。由于太平洋战争的迅速展开……已经再没有一个人，指望在未来对日的重大打击中，中国会起什么重大作用的人。[1]现在的目标是日本本土。在下一阶段，在中国的作战，不论是由中国人或美国人担任，都将是以极端有限制的目标为对象的一种象征性的作战。（四月二十三日，《新闻周报》）

从太平洋战争本身的发展来说，事情是这个样子。

但太平洋战争的发展不是美国孤立主义者所可能控制的：四月初苏联的对日宣布废除中立协定，七月初在莫斯科举行的中苏谈判以及最近在柏林召开的三强会议都一再指示着：大转变前夜的到来已经不远了。

---

[1] 原文如此。——编者注

但那大转变的前途，从孤立主义者的眼光看来却是：

> 在亚洲，和欧洲一样，未来事态的发展围绕着新兴的俄罗斯的巨人。对于美国，和对于其他国家一样，外交政策上第一号的问题是对苏关系。这是从这一次战争中涌现出来的唯一的一件新事实。这一新事实的滋味在欧洲已经到处尝得到了。在亚洲，人们不久将要感觉到同一问题。（五月二十八日《新闻周报》）

怎样应付这不能控制的即将到来的新形势呢？

一方面通过外交的方式控制这不可避免要到来的形势的后果，而另一面通过它的对华政策，来加强他们认为足以抗衡苏联影响的力量；但这一政策的后果则是不可避免的要引导到反共反人民的内战上去，反动的孤立帝国主义者的对华政策，其基本的目的本来就在造成所谓未来的远东均势，在他们眼中，中国人民的力量原是和苏联的影响划着等号的。因此假如他们的对华政策引起反对中国人民的内战的后果，这不可能说是有背于他们的初衷的。

然而这种对华政策的后果是严重的。

首先，在军事上，不管进攻日本本土之战的结果如何，单是日本之战是不能决定战争的。日本在中国大陆有百万以上的大军，在这里他们是能够而且一定要进行长期而执拗的战争的。远东战争的最初一战在中国，远东战争的最后一战亦必在中国。但在美国现行对华政策之下，决没任何条件，保证同盟国家能打胜这战争的最后一战。

这是战争的最后一战，这也是和平的最初一战；但假如美国的孤立帝国主义者一意孤行他们的反动政策，其结果不单是一个内战的中国，而且将是一个分裂的亚洲，其影响之严重将是不堪设想。

张伯伦和达拉第在西班牙绥靖佛朗哥，埋下第二次世界大战的祸根，把整个人类带进血泪汪洋的大海；现在，美国孤立帝国主义者在远东所做的正是要把中国变成第三次世界战争的西班牙。为了眼前，就是眼前纷纷在太平洋各战场上倒下去的战士们的血不致白流，美国人民责无旁贷，要立即起来，改变这种出卖中美人民利益，妨碍战争，破坏和平的反动的对华政策。

中国的内战爆发了！美国人民，起来，是你们说话的时候了！

（八月七日夜）

天亮了

长夜终于破晓

好像是不能相信的一样，日本无条件投降了！

漫漫的长夜终于破晓，天亮了！

无边的欢呼从世界的这一头涌到那一头，这一个世界已经再没有战争，和平发展的时代终于在全世界降临了。想起全人类在这一次世界战争中所遭受的无穷的牺牲和苦难，谁能禁抑得住心头的欢快。

无边的欢呼淹没了这一个山城，抗战了八年一月零三天的中国人民，终于把这一天抗出来了。想起中国人民在这八年当中所忍受的艰难和困苦，颠沛和流离，死亡和灾难，谁能禁抑得住心头的欢欣？

特别是重庆的同胞，他们有的是从北平逃难来的，有的是从上海来的，有的是从汉口和广州来的，有的是太平洋战争爆发后来自香港，有的是因为去年的中原湘桂之战，来自衡阳和桂林，有的是已经妻离子散，欢祭疑生，有的曾经上了前线，而如今是带着创伤流浪在重庆的街头……今天在重庆街头欢呼的人，哪一个人的身世不是一部充满人血与泪的受难史？中国人的命运好像就是过不完的苦难，但如今，战争结束了，苦难到了尽头，他们怎能不发出衷心的欢呼？那真是像我们的大诗人杜甫所说的：

剑外忽传收蓟北，
初闻涕泪满衣裳。
却看妻子愁何在，
漫卷诗书喜欲狂。

白日放歌须纵酒，
青春作伴好还乡。
即从巴峡穿巫峡，
便下襄阳向洛阳。

我们受了两千九百五十六天漫漫的苦难，今天我们是有充分的权利和理由来尽情欢乐的。

是的，中国人民是有充分理由来尽情庆祝这一天的。中国人民求民族独立和民主解放的斗争，算来已经有了一百年以上的历史，而全面的拿起武装来和这五十年来就是不共戴天之仇的日本侵略者拼命，也已经有了八年以上的时光了，人民的血泪不是白流，如今，我们已经收到了第一颗丰硕的果实。正如同辛苦耕耘的农民尝到第一粒新谷而衷心感激的一样，中国人民面对着中华民族的死敌——日本帝国主义的覆灭和中华民族独立新生的伟大光荣，是应该欢喜欲狂的。

笼罩在神州大陆上的漫漫长夜终于消逝，天已经亮了。

血泪铺成的道路

我们欢呼，我们鼓舞，我们欣喜欢狂；但我们必须记起走到这胜利来的那血泪铺成的道路。我们当中好多人的朋友亲戚，他们已经静寂地睡在土中，他们不能再同我们来一起庆祝这伟大的胜利了，而这胜利是他们的血泪筑成的。

是的，这是一条血泪铺成的道路。

我们记得在太平洋战争爆发前，这战争是我们一个国家来担任的。抗战初期一段的壮烈斗争，对于我们很多人还是恍如昨日记忆犹新的。一九三八年武汉广州弃守以后，中国战场上的形势起了基本的变化，我们住在大后方的同胞或者不十分明了自一九三八年下半年以后即担任着抗击日本侵略者主力的中国人民在敌后战场上的斗争，但实际上没有这牵制着敌人在华兵力百分之五十以上，伪军兵力百分之九十以上的中国人民军队的艰苦斗争，今天的胜利是不可能想象的。

太平洋战争爆发以后，中国已经不再是孤立的了。但为了集中打击德国法西斯的力量，在全世界的规模内，战争的重心是在欧洲，而东方战场的主要任务还是由中国人民来负担着的。其后，在欧洲，由于同盟国家在欧洲的胜利已经日有把握，英美盟邦特别是美国盟邦，却慢慢的把更多的力量转移到远东，去年夏季的马里亚纳之役，标志出这一转变。

欧洲对德国法西斯的胜利打垮了半个日本，首先是在精神上，希特勒的垮台注定了日本的命运；其次，在力量的对比上，同盟国家全体对日本的力量优势是空前的增加了。

两大事件注定了日寇今天的投降。

第一是欧战结束后，英美盟军的纷纷东调，这日渐展开的潜在力量，威胁着日本。

第二是欧战快要结束前，苏联的对日宣告废除中立协定，这终将实现的苏联参战的可能性威胁着日寇。

这是欧战胜利对于日寇的两大严重的后果。只要这两大发展中有一件，日寇可以阻止的话，日寇还可以挣扎；而当这两大事件都同时展开的时候，它的命运就注定了。

这是日本法西斯侵略者所熟知的。所以欧战结束以后，日寇就集中一切力量于美英苏关系的离间，只要苏联还有一天不参战，日寇是不会放弃它的最后挣扎的企图的。

这就是这几天事件的发展，带有如此强烈的戏剧性的总根源。

一切的斗争围绕着三强会议。

现在不是对这错综复杂的斗争加以严密分析的时候。只举出几个强大的发展。

远在三强会议之前，美国的第三舰队就出现在日本海面，这就显示着事件将有戏剧性发展的开端。

三强会议开会期间，七月二十六日，美英中三国对日发表了无条件投降公告，促其立即作无条件投降。日本在表面上拒绝了，实在的情况可能是日本准备接受，但看到苏联还有不参战的可能，所以仍不放弃讨价还价。

这是千钧一发的时候。

八月六号第一颗原子炸弹落在广岛，这高尔夫球一样大小的炸弹的破坏性和杀伤性是史无前例的；但决定事件发展的不是原子炸弹，而是迅雷不及掩耳的苏联的对日宣战。

现在不是从容分析苏联远东政策的时候，仅仅指出：苏联的参战绝不是原子炸弹炸出来的；相反，苏联的参战却才真是决定日寇不得不考虑作真正无条件投降（注意，这不是名为无条件投降，而实为有条件妥协）

的原因；因为对于日本来说，苏联的参战杜绝了它再作任何挣扎以求得较好的妥协和平的阴谋。

从苏联对于日本一贯的政策说：苏德战争爆发前，苏联是援助中国抗日最出力的国家。《苏日中立协定》，其目的仅在使苏联能够集中力量于打击德国法西斯，而它确实是大大地帮助了同盟国家全体对于德国的胜利。现在，苏联继中立协定废除之后，欧战结束刚满三月的时候，毅然决然对日宣战，这正是它的远东政策——它的消灭日本法西斯坚定决心它的援助中国人民解放的热烈愿望——自然的归结。

从苏联对于英美列强的关系上说：虽然苏联在欧洲担负了对德作战三分之二以上的任务，它在对德共同作战中的牺牲远超于其他列强所受牺牲的总和之上，但苏联还是断然的参加了这一共同战争。过去英美苏是在欧洲战场上比肩作战的，如今他们又在远东战场上比肩作战了，这就证明了同盟强国之间的坚强团结，远东的同盟作战终于形成了。

八月八日苏联对日宣战，八月九日苏日入于交战状态，苏军三路突入东三省；自命为不可一世的关东军开始崩溃了。

八月十日上午外蒙古共和国对日宣战，读者见此文时，外蒙古的骑兵当已驰骋于大青山外，日寇在华北的所谓“作战基地”开始倾圮了。

于是事件急转直下。

八月十日，寇相东乡亲自往见苏驻日大使马立克，声明日本愿意接受七月二十六日苏联业已参加了的无条件投降公告，唯对于天皇特权一点附有保留。十日晚七时，重庆方面接到合众社广播，日本已接受无条件投降，现在是十一日上午三时，尚未见官方正式消息——这就是事情直到现在为止的发展。

正式的投降或许还要等几天，投降之后，大陆日寇还有作疯狂抵抗的可能；但综观大局，日本法西斯的大势已去，正式的无条件投降已只是时间的问题了。

回顾这八年来血泪铺成的道路，我们在欢欣鼓舞之间，敬向在八年抗战中倒下去的中国战士和人民和在这共同战争中倒下去的所有同盟国家的将领和战士，致深深的哀悼。

光荣啊，不朽的人民！假如伟大的慷慨的自然，不因原子弹的破坏还叫那扶桑三岛上的樱花，在今后和平的年月里一年年发出轻盈的花朵的话，那么，那樱花将永远的引起我们后死者对于你们的哀思。

怀着信心前进

然而，没有理由陶醉。

即使是日本完成了真正的无条件投降了，我们才算是赢得了这战争的一半。我们赢得了战争的胜利，还得去争取远东的和平。赢得战争易，赢得和平难；这道理对于亚洲比欧洲更加实用。

由于苏联的参战，远东同盟作战的阵线是形成了，而胜利的确也是因同盟战争所产生的，但从共同的胜利到团结的和平，还有一段很长的道路。

首先同盟国家究竟愿意有一个怎样的战后远东呢？亚洲经过了这一次的战争，由于广泛的人民的觉醒与组织的加强，亚洲的面目是彻底的改变了；要想把亚洲再拉回到战前状态去是再也不可能了，特别是由于中国人民的觉醒和苏联的参战，这可能性更是一去不复返了。

但在苏联尚未参战之前，有一位观察家写道：

……英美双方都非常希望在希特勒打垮之后，在对日战争的最后阶段，苏联能够积极的参与，因为他们知道，苏联的参战将缩短战争并将节省很多英美人民的牺牲。但无论是在英国方面，或是美国方面都没有一点迹象，表示他们愿意制定一个像欧洲战争中的《德黑兰协定》一样的太平洋协定一类的东西。相反，我们有强有力的证据证明：从政治的观点看，亚洲战争依然是为了恢复战前状态而进行的，那就是为了重新建立那种政治的和经济的制度，那制度曾经是这一次战争的温床，亦必将是第二次战争的发源地。（一九四四年十二月十五日纽约《美亚》杂志）

现在战争结束了，摆在前面的问题是再也不能不解决了，一系列的问题：

一、首先是如何处置战败了的日本？

二、其次是如何处置从日本帝国主义者铁蹄下解放出来的英法荷比的殖民地?

三、中国新生了，如何调整英美苏三大同盟强国的对华政策?

这一系列的问题迟早都必须解决，但现实性最大的厥为第一问题和第三问题；而目前最迫切要求解决的则是如何处置战后的日本。

日本是根据《波茨坦宣言》来投降的，而苏联也已参加了这宣言；这就形成了英美中苏四大同盟强国处置战后日本问题的共同基础。

作为一个初步的原则，《波茨坦宣言》无疑问是正确的，但当日本既已投降，处置战后日本变成了一个实际问题的时候，这初步原则就有加以进一步的明确规定的必要了。这里，同盟国家有着全套的关于德国无条件投降的活生生的经验，因此处理这一问题是更加方便了。原则性的共同基础和共同处置德国的具体经验是不能解决问题的；主要的关键是同盟国家在具体问题上政策的协调。假如我们真正决心要使战后日本不是一个发动再一次战争的温床的话，那就必须:

一、斩草除根，在严惩战争罪犯的问题上，不仅要处置直接负发动和进行侵略战争责任的军阀，而且要把这名单伸长到包括官僚，财阀在内的所有一切间接参与和支持侵略战争者。

二、除恶务尽，为了一劳永逸，在政制制度上，就必须对日本核心的侵略机构——军部的制度及其特权加以彻底的粉碎；在经济基础上，和对于德国的一样，毁灭所有日本大财阀独占资本的霸权，这是日本军阀主义和侵略主义的总根源。

三、肃清了日本法西斯侵略者的罪犯——制度——基础，就必须让日本的真正民主力量起来决定他们自己的命运。

在处理这一系列的问题上，任何一点对于所谓"稳健派"的迷惑，对于法西斯分子的纵容，对于真正民主力量和运动的镇压是会在太平洋的底层埋下第三次战争的"原子炸弹"的。

只有一个民主和平的日本，配合着民主团结的中国和逐步独立的南太平洋诸国（如印度），才能保证亚洲的持久和平与民主进步。

事件好像是同电一样的发展着，新的世界要求一个新的亚洲，历史的车轮不容倒转，一个太平洋的波茨坦会议再也不能延迟了。

新的世界要求新的亚洲，新的亚洲催唤着新的中国，这催唤的声音再没有比今天叫得这样急迫的了。

敌人无条件投降了，但我们直到现在好像还不知道如何去接受敌人的武器。有的人两只手在发抖：事件的发展如此迅速，事情的头绪是如此纷繁。但必须指出：

一、敌人可能负隅顽抗，我们应立即发动大反攻，并立即承认一切敌后解放区的抗战部队和地方政权，展开联合作战，消灭顽抗敌伪。

二、所有伪军（数达一百万）一律放下武器，不得改变番号，一转眼又是抗日英雄；更不得利用所谓“反正”伪军向当地抗日部队进攻，重蹈希腊悲剧。

三、无条件投降敌寇，应就地向当地抗日部队交出武器；只有当全中国境内所有敌伪都无条件投降完了，才能算是无条件投降的完成；只要有一个敌伪还未交出武装，我们的战争一日不停。

四、立即号召各抗日部队，各民众团体，各党各派，无党无派的爱国人士提出汉奸傀儡的名单和罪行，公开发表汇编成册，以便人民公审。八年的抗战把中国民族来了一个大清洗，“汉贼不两立”，彻底肃清一切民族败类，这是新中国诞生的起点。

五、国内各民主力量加强团结，要求政府立即采取一切必要民主措施，迅速实现国内民主团结。

一个和平团结的世界绝不容许一个内战分裂的中国；一个民主进步的世纪绝不容许一块专制落后的地方。时代变了，中国变了，不管你愿意不愿意，中国人民已经翻了身。

新的世界需要一个新的中国，而新的中国已然诞生了。

执笔至此，呖呖鸡声四起，抬头一看，窗外一片白光，天真是大亮了。

天亮了，让我们怀着信心一齐奔赴前程吧！

（八月十一日）

日本阴谋

有组织的失败

日本失败了，但日本失败的事实，无论是在作战前线或其国内，都还没有发生。

日本失败了，但日本在组织失败；而这组织工作，从八月十日到今天，已经进行了整整的两个礼拜了。

日本失败了，但它正在想尽千方百计，使这失败的事实，不要过早发生，好这样来争取时间，从四面八方去组织它的失败；使得它的无条件投降，在实际上变成一种有条件的妥协。

这是日本目前所进行的一个天大的阴谋。如对于这一滔天阴谋不加以最高的警惕和及时的防止，那么，他的有组织的失败，一转瞬之间，可以变成胜利，而我们在混乱中取得的胜利，到头来却可能是一种失败。

八月十日，日本政府向同盟国家正式提出愿意接受七月二十六日的波茨坦无条件投降宣言，其唯一保留条件为保存天皇。十一日，美政府即以四强代表资格答复了日本；对于日本的保留条件，在原则上表示接受，但天皇必须服从盟军最高统帅的指挥；至于日本政府的终极形式，则留待日本人民自己决定。

盟国这一完全合理的复文，无疑问地是早就达到日本政府手中了，但日政府诡称十三日才接到盟国的复文，在这当中，日本内部的斗争，显然是使日本政府不能及早回答盟国的一个原因；但不可忽视，有计划地争取时间，组织失败也是日本迟迟不予答复的原因之一。我们不知道在这几天中，日本内部斗争的内幕，但它利用这时间来组织失败，却是显而易见的。怎样组织呢？日本的统治阶级，生怕他们的现存天皇，因服从盟国最高统帅指挥之故而失去了皇威，所以他们安排下昭和下台的后步。十一日，昭和晋封其十三岁幼子明仁为东宫，其目的就在此。

日本迟不答复，英美盟军等得不耐烦了；美军十三日恢复了进攻，于是日本的答复终于被攻出来了：十四日日本决定接受四国复文，十五日上午英美中苏四国同时正式发表日本无条件投降。

从十日到十五日，整整五天，这是多么宝贵的时间啊！

日本既然接受了无条件投降，理应立即派出降使，签署降书；盟方指定麦克阿瑟为最高统帅，麦克阿瑟命令日本降使十七日赶至马尼拉，但日本置之不理。

十五日天皇昭和下了一道荒谬敕令。在这敕令中，昭和一不承认日本所发动的侵略战争是一个不正义的战争，二不承认日本业已战败的这一钢铁的事实，而诿日本失败之过于盟军的使用原子炸弹，而最严重的是他不仅不承认日本所发动的非正义战争的失败；而且，三、他还在号召“建国”的背后埋下再图报复的阴谋。这是日本组织失败的一个公开的宣言。

十五日昭和敕令，十六日昭和下令陆海空军停止作战，但附带说明停战最远地区十二日始能达到，这又是一个拖延时间的借口。

紧跟着组织失败的宣言，来了组织失败的事实。十五日铃木内阁辞职，十六日昭和下诏东久迩亲王组阁。东久迩以皇族和本土防卫总司令的两重资格而组阁，以一身而兼为日本式的巴多格里奥和邓尼兹，本已令人注目，但更加荒谬的是十七日组成的东久迩内阁的机构和人选。

在制度上，东久迩内阁不仅保存了那供应战争的军需省而且还保存了那统治占领区的大东亚省。武装已经被解除了，何来军需省？占领区被剥夺了，何来大东亚？事情的荒谬，没有比这更厉害的了。

机构荒谬，人选更加荒谬。一大批头等战争罪犯，都挤在这内阁里：米内、重光、中岛、近卫……对于日本人民这是头等战争罪犯，但对于孤立——绥靖分子，这些人却正是所谓“稳健派”，这就是东久迩内阁人选的秘密。不用说，这些稳健派对于日本人民是什么意思是无须分析的，山畸岩以警察头子而出任内相的这一事实，了如观火的指出了这一事实。

东久迩内阁组成以后，出现了一连串的严重消息：

首先是六大城市禁止旅行，这是干什么的呀？内幕不得而知，但谁能担保日本军阀不把大量武器和弹药借此埋到地下去？盟军是要占领日本本土的，但埋藏在泥土下面的东西，是不会被占领的。

其次，是日本头号法西斯组织大日本政治会的解散，据云解散之后，将有四个新政党的出现。这里包含两层意思，一部分法西斯分子化装成民主面孔出现，一部分法西斯分子转入地下，而恶名昭彰的法西斯组织，则摇身一变而化整为零。这样一来，日本军阀法西斯不仅保存了它的组织，取得了合法的地位，而且保存了它公开和秘密的干部。

最后，但最严重而却最易被人忽视的另一事实，即东久迩内阁组成以后，新藏相即不断和金融界会商，这又是干的什么呀？

日本法西斯侵略者不仅要保存他们的政治制度和干部，而且要保存他们的经济基础。在这些会商中，日本法西斯很显著的是想把：

一、军需工业化装为和平工业，以免同盟国的剥夺和控制。

二、国营工业化装为私人工业，使同盟国家不易处置。

三、制造军火的大独占企业，分散为个别的和平企业。

四、容易被没收的大银行存款，提出和藏匿起来。

一言以蔽之，千方百计保存日本法西斯侵略者的经济基础。

所有这一些都需要时间，盟军命令日本降使十七日到达马尼拉，日寇一再拖延，拖到十九日才到达，二十日才完成会商，从十五日到二十日又是五天，而且日本的无条件投降还没有签字！

现在，美军决定二十六日降落日本，二十八日登陆日本，三十一日举行签字仪式，直到签字仪式举行之日，日本还有十天的时间；十天的时间可以做不少工作，更何况签字之后，日本这一组织失败的工作，还可以暗底进行呢！

在混乱中胜利

溃败之下的敌人，争取时间，组织失败，但胜利声中的同盟国家，却在某些方面表现了某种程度的分歧和混乱。重要的不是这一方面是有组织的失败和另一方面是混乱中的胜利的事实，重要的是，组织了失败的敌人在充分扩大这些分歧，加强这些混乱。严格说来，在今天可怕的不是敌人组织失败，而是同盟国家的胜利不能彻底。

对于敌人，失败是经过长期酝酿和筹划的，但对于某一些同盟国家，胜利却是突如其来的。

在德国无条件投降之前，同盟国家间有着德黑兰和雅尔达——从军事和政治上组织胜利的会议作为基础；但在远东，同盟国家间是没有相应的会议，作为共同行动的基础的。假如有了德黑兰和雅尔达作为基础的欧洲胜利，在最初期间，还不免发生某种程度的分歧和混乱；那么，没有这基础的亚洲的胜利，其分歧和混乱在某种程度上几乎是不可避免的。

但这不是说，在对日作战的问题上，同盟国家间没有相互之间的谅解和协调。不，这种基本的谅解和协调是存在的；所不同者，组织欧洲胜利的雅尔达会议产生在德国无条件投降之前，而部分地含有组织亚洲胜利之意义的中苏同盟条约，却签订在日寇提出无条件投降之后。

这就是亚洲胜利和欧洲胜利基本不同的地方。从这里可以看出，尽管在远东整个问题上，同盟国家间存在着某种基本的谅解和协调，而这谅解和协调的某一部分，也的确是已经形成了成文的约章，但整个形势是流动的，而不是凝结的。

这种情形反映在同盟强国对待胜利不同的态度上。

首先是美国。关于这一点，《大公报》的胡霖先生说得好："上星期内，杜鲁门总统的迭次声明，反映了关于力量和信念的新的界说，例如杜鲁门总统在八月九日的广播演词里，就曾提到：'举凡我们军事专家认为保卫国家所不可少而现在又不在我们手中的根据地，我们都要取得。'这在以前是向来没有公开发表过的。……将来美国对于世界问题的发言，将更坦白而具体，甚而还会带有强暴的意味。这一点甚为重要。"（八月十九日《大公报》星期论文）这一点的确是很重要。这是日本投降以前的事情。十五日日本正式投降；十六日杜鲁门总统发表谈话，表示占领日本的主力将由美军担任（十六日美新闻处华盛顿电），不管将来占领日本究竟采取何种方式，这一表示很重要，因为它好像更加证实了胡霖先生的观察。

其次是苏联。从八月八日苏联对日宣战的第一天起，苏联官方和舆论都一致强调同盟团结争取胜利的必要。及至日本投降，苏联方面又再三警告日本法西斯的狡猾性。在这一团结作战的指导方针之下，苏联红军的作战，没有因为日寇的投降而表示过任何动摇；这是和同盟国家中另外一些军事领导者的作风迥然不同的。苏联对日本不存幻想，对团结非常重视，这表现它的一往无前的作战上，表现在八月十五日签订的《中苏友好同盟条约》上。

最后，主要同盟国家的第三方面——一日之内三道命令描画出它对于胜利的态度。

第一道命令给自己的嫡系部队——“加紧作战”，“勿稍松懈”。

第二道命令给沦陷区为虎作伥的伪军——“维持治安”，“趁机赎罪”。

第三道命令给作战中的解放区抗日部队——“驻防待命”，“勿再擅自行动”。

这是什么意思呢？读者诸君仔细思量一下，就可以找出答案。在中国的近代史上，这样的事情出现过一次，有一位伟大的历史家曾经生动地描写过那时候的情景，他说："到了一九二七年春夏之交，正当北伐战争向前发展的紧要关头，这个代表中国人民解放事业的国共两党的统一战线及其革命政策，就被国民党当局的叛卖性的反人民的'清党'政策与屠杀所破坏了。昨天的同盟者被看成了仇敌，昨天的敌人被看成同盟者。"十八年来，一切内外的情况都变了，但反动者的策略，在本质上不是一样的吗？这三道命令的实际用义，不就是把昨天的同盟者看成仇敌，把昨天的敌人看成同盟者吗？

然而危险的不是某种不一致的事实，而是失败的事实还未发生的敌人，在充分的利用这形势，尽量扩大分歧，造成混乱，挑拨美苏关系，引起国共纠纷。

关于挑拨美苏之间关系的，试举一例：十七日旧金山合众电："日军司令部致麦克阿瑟将军之第四号电文中称：苏军不顾日军停火之命令，仍积极进行攻势，苏军前已于十七日晨抵沈阳以西某地，该电文迫切请求盟方最高统帅采取适当步骤，使苏方攻势立即停止。"日本投降的事实一日不发生，盟军的攻势一日不停止——这是非常清楚的事情，但日寇居然胆敢要求麦克阿瑟将军阻止苏军攻势，其存心挑拨美苏关系，于此已昭然若揭。日本阴谋挑拨美苏关系，同盟国家中有没有日寇的内奸呢？有的，登陆占守岛和关于苏联反对麦克阿瑟为盟国最高统师的谣言——这两件事实表明了反苏分子的活跃，在行动上和言论上都不乏有徒。这些人是日寇的朋友。关于这些人的行动和言论，读者们几乎每天在报纸上都可以看到，稍加留意，即知现实中的问题绝不如书本上那样简单的了。

然而日寇阴谋的中心还不在此。它还有一套，那就是今天它在中国战场上所玩的一套，它坚持只能向实际上不能和无权接受它投降的一面投降，好这样来促成中国的内战，它公开的说它不能放下武器，因为它一放下武器，八路军和新四军就要破坏它八年来在中国建立起来的“秩序”了。日本阴谋促成中国内战，有没有人去响应他呢？有的，那就是公开声称要爱它和它的秩序的那一群。这些人是日寇的内应，它阴谋的桥梁，它希望的所寄。

日本的阴谋

日本组织着失败，它的希望究竟何在呢?

一、保存日本帝国主义的政治机构（团体）和经济基础（财阀）。

二、离间同盟国家——特别是美苏之间的团结。

三、助长中国反动派的内战阴谋。

从一方面说，日本军国法西斯主义者组织失败的中心，在保存日本帝国主义的机构（以天皇独裁为中心）和基础，因为有了这基础，它才有继续生存的可能。但从另一方面说，它组织失败的中心，却是放在助长中国反动派的内战阴谋上，因为这内战一旦爆发，势将把美苏两国卷入漩涡，而美苏冲突是日本帝国主义复活唯一可以想象的根据。

这就是日本阴谋的全面目，中国站在十字路口，亚洲站在十字路口。

面临日本法西斯侵略者这全套的阴谋，作为击溃日本的领导列强之一，我们伟大的盟邦美国，肩负着比其他列强更大的责任。奥文·拉铁摩尔先生说得好：

在所有这些新的和变化着的关系之中，亚洲占有头等的重要性。亚洲的将来，将决定着资本主义世界和社会主义世界能合作到什么程度。新兴的自由人民，他们所获得的自由底价值和意义究竟如何，将取决亚洲的发展。因此，我们美国不能再把亚洲看做我们一个流进剩余力量的尾间。亚洲将是我们美国所有理论和作风的一个试验场。亚洲的失败，将注定世界集体安全的失败，亚洲的成功，则将证明我们所努力以赴的战后世界的成功。(《亚洲之解决》二〇七页）

（八月二十四日）

中苏同盟

还是一个东西

九月二日，日本代表在东京湾内的美舰“米苏里”号上签订了降书。

九月二日，这是一个历史性的日子，它，一九四五年“九·二”，报复了一九三七年的“七·七”，一九四一年的“一二·七”，卢沟桥——珍珠港——新加坡的耻辱，终于洗刷了。

九月二日是一个历史性的日子，它和四月之前，德国法西斯侵略者在柏林的签署降书的五月八日东西辉映；由于日本军国主义者的投降，实现世界和平的必要条件具备了。

远在五月八日欧战结束的当时，最坚定的乐观者都没有预料到日本法西斯侵略者会在四月之内投降，但如今日本法西斯却真的投降了，于是有人说日本法西斯是迅速地被打垮了，但并非彻底地消灭。这句话是包含着真理的；但在这里错误的不是历史，而是人们自己过低地估计了欧洲的胜利对于日本帝国主义的影响和忽视了日本法西斯统治者以迅速的投降来保存它的力量的阴谋。

这里就有了同盟国家在亚洲的胜利和在欧洲胜利的基本不同的所在。对日本同盟国家不得不比对德国更多地担负起在政治上彻底消灭日本法西斯侵略者的任务。

军事上消灭法西斯难，政治上消灭法西斯更难。日本法西斯的阴谋在不能取之于作战前线者在求之于政治阴谋；同盟国家的任务是针对日本法西斯的阴谋，用政治的力量去完成军事上尚未全部完成的彻底消灭日本法西斯的使命。

先看日本法西斯的阴谋。

东久迩内阁是个什么东西，我们早就指摘过了，为了应付同盟国家日益尖锐的批评，它执行了若干修正——这当中包含了大东亚省的取消，并支出了若干诺言——这当中包含了言论自由，但很显然地，这是不能改变这一内阁的基本性质的。为了证明它是“民主负责”的一个内阁，东久迩在九月四日召开了一次临时议会，其目的据说是为了向议会说明日本之所以战败的原因。但实际上东久迩宫内阁之决定召开这次国会，其目的决不在刻板式地说明日本战败的原因，它的动机无宁是在向同盟国家暗示，它是一个负责的，倾向民主的政府。那就是说：不要取消我呀，我是既然对同盟国家贯彻无条件投降，又能向议会负责，接受批评的一个政府呀！

不能掩盖的事实是：东久迩内阁是一个战争罪犯的内阁，它的牵线人——近卫文磨更是第一号的战争罪犯，从任何一个观点看，这一个政府是非迅速解散和彻底治罪不可的。

东久迩内阁不是不晓得这些，不，它是晓得的，它在边干边看。它的伪装民主，不限于保持现政府的地位，它的打算最远得很。在这长远得很的打算里有这么一套：本年十一月举行人口调查，十二月再举行一次议会，改订选举法，明年正月举行普选，由普选产生新国会，由新国会拥护或产生的政府不就是民主的政府了吗？政府已经民主，日本已经民主化了，同盟国的占领军不是再没有管制日本的必要了吗？

事实上，在战争罪犯当权，法西斯机构原封不动，人民的声音无从听取，实现民主的起码条件还未具备的时候，所有关于新宪法——普选——新国会——民主的空谈不过是要求宽大待遇，骗走占领军的诡计而已。

共有三件法宝

日本军阀法西斯目前正玩弄着三件法宝，那就是它三套政策。

第一套：联美反苏。在欧洲战争的末期，希特勒在军事上所采取的政策是“东拼西让”，这是众所周知的事情。现在，日本法西斯所采取的政策依然是“东拼西让”，所不同者，它把希特勒在军事上所采取的东拼西让转变为政治上的联美反苏而已。在整个苏军作战的过程中，几乎是苏军的每一攻势进展都引起了日本法西斯向麦克阿瑟将军的呼吁，它硬说苏联是在破坏投降协定，要求麦克阿瑟将军予以制止。不用说，所有这些呼吁落了空，如今英勇的苏军已经坚定的解放了南库页岛，占领了千岛群岛。但必须注意，日本法西斯这一联美反苏，离间同盟的阴谋是不会停止的。明治维新八十年来，日本之所以能发展成为了一个列强，其主要条件之一就在利用英美和沙俄在远东的矛盾和苏联革命后英美法与苏联的对立。假如日本帝国主义是如此产生的话，那么它的复活亦必然要利用同样的矛盾。美苏合作，日本帝国主义必然死；美苏不和，日本帝国主义可以生——日本统治阶级是充分懂得这道理的。

第二套：离间国共。这一套是和前一套相互为用的。在中国战场的八年战斗中，日本帝国主义是深切的知道中国人民军队的威力的，因为它抗击了日本在华军力的百分之六十以上和伪军的百分之九十以上。但在投降的过程中，它却拒绝向这对它正面作战的部队放下武器。不仅如此，它还向麦克阿瑟总部请求，准许中国和朝鲜的日本居民，仍留原地，保有武器，以防“匪兵”。中国人民的军队尽了作战的崇高义务，就享有受降的神圣权利，这是天经地义的事情；然而，日本法西斯拒绝承认这一事实，它企图这样来一方面造出它在中国战场上迟不放下武器的借口，另一方面促成中国内部的纠纷甚至内战。五十年来一个钢铁的事实摆在我们面前，那就是一个和平民主与团结的中国是和一个帝国主义的日本势不两立的。日本帝国主义如果企图复活就必须先要把中国引到内战，分裂与倒退的路去，这就是日本帝国主义目前在中国所进行的阴谋。这阴谋直至今日还没有被阻止。

第三套：是“中日核心”。八月二十九日东京《读卖新闻》首先提出这一口号，它说日本将来外交的政策必须是中日结成核心，亚洲的其他民族附庸于其外。这口号看来好像是很新鲜，其实就是大东亚共荣圈的变相。值得注意的不是一个报纸提出一个口号，而是东久迩内阁的外相重光也居然大谈起中日合作来了。于此可见，所谓中日核心不仅是某一些不负责的政治家的胡说，而是一个包含着炸药的政治阴谋了。九月一日重光招待记者，说明：明治维新以来日本的错误就是“二元政治”，以致“对中国采取不友好态度”，言下不胜中日必须合作之意。是的，不仅是中日两国的人民，就是全世界所有自由民族的自由人民都是必须合作的，但问题在谁同谁合作呀？同日本军国主义者合作吗？中国人民是不会和日本法西斯结成核心的，那么究竟谁同日本法西斯结成核心？结成核心又对付谁呢？值得注意的不仅是重光公开提出了这一口号，问题在中国方面竟有人附和这一说，新在上海复刊的《正言报》就在它的复刊第一天（八月十八日）发表过如下的意见。

> 如中日两国携手参加东半球及全世界新时代之战后建设，过去两国之争执，即可消灭于无形。自日本投降以来，中日两国已成兄弟之邦。

这样的话，在这样的时候，出现在这样的报纸，是值得所有同盟国家严重注意的。日本阴谋的逻辑是这样的：勾结它在中国所能养出来公开和暗藏的吉斯林，秘密地组织“中日核心”，制造中国内部的混乱，扩大美苏之间的矛盾；它妄想：美苏的矛盾一旦展开，那就是日本帝国主义卷土重来的日子了。

已经打垮一半

《中苏友好同盟条约》沉重地打击了日本的阴谋：它加强了中苏人民的历史友谊，奠定了美苏两国在远东的合作基础，巩固了远东与世界的和平；它使得日本帝国主义组成“中日核心”，制造中国混乱，离间美苏关系的阴谋受到了沉重的打击；它使得日本帝国主义死灰复燃的计划，不仅在军事上非常困难，而且在政治上近于不可能。一言以蔽之，没有中苏同盟条约的签订和执行，要想彻底消灭日本军国主义者是不可能的。

如所周知，《中苏友好同盟条约》本文一共八条，但精义所在却是前六条：

一、共同作战，消灭日本帝国主义。

二、共同构和：“不与日本单独谈判”，“不与现在日本政府或在日本成立而未明白放弃其侵略企图的，任何其他政府或政权缔结停战协定或和约。”

三、共同保证：“使日本无再从事侵略或破坏和平之可能。”

四、友好同盟：“不得缔结反对对方之任何同盟”或“参加反对对方之任何集团”。

五、共同合作：“依照彼此尊重主权及领土完整与不干涉内政的原则，共同密切友好合作。”

六、经济互助。

有些人研究中苏条约，着重于中苏外长的两项照会和斯宋谈话的记录，而忽略了条文本身，这真可以说是只见树木，不见森林。事实上，这条约的划时代性却正在这条约本身。只要紧记着上述日本帝国主义的一套阴谋，一眼看去，就可以知道：条约的前四条就粉碎了日本帝国主义妄想组成远东反苏集团的阴谋，条约的后二条不仅是提高了中国民族的国际地位，而且形成了中国民主团结的有利条件，从根本上打击了日本帝国主义目前在中国所进行的阴谋。

正因为如此，日本帝国主义公开反对和阴谋破坏这条约，是不足怪的；值得惊异的是，同盟国内部竟也有人用语言和行动来反对这一条约；这是些什么人呢？这些人就是日本帝国主义者在同盟国家内部所埋伏下的第五纵队。

他们从两个角度来曲解和破坏这条约，第一他们不承认这条约是加强了英美苏三大领导列强在远东合作的基础，他们蓄意挑起英美苏的不和；第二，他们不承认《中苏友好同盟条约》有促成中国民主团结的伟大影响，相反，他们想利用《中苏友好同盟条约》促成中国的倒退与内战。

这就是美国孤立派及各地反动分子的企图。试举一例，哥伦比亚广播公司记者卡斯第罗，就在《中苏友好同盟条约》公布的第三天，八月二十八日发表了一篇广播，大意说：这一来，中国政府可能予美国与旅顺相等之海港。

二十七日霍华德系报纸的专栏作家辛姆斯则说：这一来中国政府得依其自己之方式解决中国的团结问题。

这是一种最不负责和最危险的论调；其结果只有引起美苏的冲突和中国的内战，而讨便宜的却只有日本帝国主义。

这是不负责的论调——关于第一点。我们知道，美国政府对于《中苏友好同盟条约》中的各项协定是认为非常合理的；最近贝尔纳斯表示（五日）美国并不反对苏联收回南库页岛和占领千岛群岛，更加表明了不仅是苏联重视对美国的合作，美国是同样重视对苏联的合作的。

这是危险的想法——关于第二点。我们知道，不干涉任何国家内政是苏联一贯的外交政策，《中苏友好同盟条约》对于这一点加以明确规定。“苏联同意予中国以道义上与军需品及其他物资之援助，此项援助当完全供给中国中央政府，即国民政府”，这并不等于苏联承认中国的政治现状是最好的现状，从而限制了中国政治的民主进步。这并不等于苏联因此就对于中国政治的发展漠不关心，从而放弃它的批评权和发言权；这并不等于苏联和中国人民的进步运动从此一刀两断，从而放弃它那援助中国人民自由独立的不变愿望——事实上，这是在目前的情况下援助中国人民的最好的方式。这更不等于苏联可以熟视中国内战，从而倒退者可以放手内战。也不等于苏联因此同意中国可以回到战前的半封建半殖民地的愚昧状态中去，从而反动者可以假“复员”之名行“复原”之实，相反，苏联这一光明磊落的政策正是表示了它希望中国不受外力干预而走上民主团结的大路。

一百年来的中华民族解放斗争史说明了一件事实，那就是中国之所以不能自由独立，中国之所以不能民主团结，不是因为中国没有外力的干涉，而是因为不断的有着外力干涉。我们所苦恼的不是外力干涉的缺如，而是外力干涉的重压。现在由于日本帝国主义的投降和《中苏友好同盟条约》的缔结，中国实现真正的民族自决的初步条件是具备了。我们相信，由于苏联的示范，我们伟大的英美盟邦是会更加注意和认真贯彻这一不干涉中国内政的基本原则和真实精神的，只要有实现真正民族自决的条件，在八年抗战中觉醒和壮大起来的中国民主力量的前锋是一定能够把全中国带上和平民主团结的大路的。道路有迂回，但主流却绝不会倒转的。

划时代的《中苏友好同盟条约》是签订了，但必须指出：一个条约的签订和批准是一件事，一个条约的忠实执行却又是另外一件事，这两者之间是有着不小的距离的。而且正如同日本帝国主义在中国的间谍在千方百计图谋破坏中国的民族团结，把中国拖向倒退的路上去一样，这一批人正在用着同样的努力破坏这一条约，用阴险的行动对这条约实行怠工呢。因此，为了忠实执行这保证远东进步和平的伟大约章，还有待于中国人民的实际斗争：须知任何伟大的约章是不能自动执行的。

中苏同盟粉碎了日本阴谋的一半，粉碎另一半的责任主要地是落在英美盟邦——特别是美国的身上。对日本帝国主义的武装斗争是结束了，但在政治上和经济上消灭日本法西斯的斗争却正在开始；在这当中，中国人民争和平，民主与团结的斗争是从政治上消灭日本法西斯的全过程中最核心的一环。

一切民主力量团结起来，为中国的和平民主与团结而斗争；全世界在瞩望我们，认为“中国是世界政治的调节器”，我们胜利的斗争是能把这开始和平发展的新世界推进一个新阶段的。

（九月七日）

抗着逆流前进

远东画面

同盟国家对于投降后的日本究竟采取一种什么政策呢——用血和汗，用骨和肉来换取这战争胜利的千百万人民大众，是有充分的权利来向同盟国家的最高当局提出这一严重问题来的。

在人民的压力，舆论的批评之下，盟国最高统帅总部采取了一连串若干进步的措施，这是值得我们欢迎的：

一、十日下令解散日本大本营。

二、十一日发表三十八名战罪名单，并开始执行逮捕。

三、十二日解散日本法西斯组织黑龙会。

四、十三日禁正同盟社发稿。

但必须指出：所有这些措施是不彻底和不坚决的。

诚然日本大本营早就该解散了，现在虽然迟了些，解散它依然不失为进步的一着；但东久迩内阁为什么不解散呢？我们要求解散东久迩内阁并立即对东久迩内阁阁员为头号战争罪犯加以逮捕。

不少人关心着盟军是否在日本设立军政府；事实上，问题的关键绝不在军政府之有无，而在盟国的对日政策。东久迩内阁说：它就恢复人民言论、集会、结社的自由了；但直至今日，成千成万的反战政治犯被关在监狱里，日本反对军部法西斯最坚决的第一个大党日本共产党还是不合法的政党；在这些地方，盟国最高统帅是可能而且应该加以干涉的。在最能表示盟国对于日本民主的态度的决定问题上，默不作声而斤斤计较于日本的普选，请问在目前这种不民主的法西斯的条件下，一普选就可以产生出民主来了吗？

其次，开始逮捕战争罪犯是好的，但一看三十八名战罪的名单却又不禁令人心寒。三十八名战罪的主要部分是负责珍珠港罪行的东条内阁的阁员，这些人罪不容诛，加以逮捕是对的，但是负责“七·七”、“九·一八”罪行的日本军政罪犯呢？

在我们看来，这不仅是一个简单的发表先后的次序问题。自从日本投降以来，中国人民所感觉到的最大一次侮辱，就是日本天皇在他的投降敕书里，根本不承认日本的对华侵略是战争，所以他在诏书中所提到的败战只从一九四一年十二月的太平洋战争算起。现在把“九·一八”、“七·七”的战罪根本置之不问，是不是同盟国家中也有人同意日本天皇这种看法呢？假如不幸而如此，那不幸的程度就是非常可怕了，这是关于战罪第一个必须注意的问题。其次，对于在经济和政治上对战争负责的罪犯至今还是悠然自得，是不是这批人不算战罪呢？假如说要尊重个人和私有财产的自由，像三井和三菱，安田和鲇川这些个人和他们的“私产”是不是也要尊重呢？这些就是盟国最高当局必须迅速用行动来答复的。

第三，解散黑龙会是好的，但必须注意黑龙会是一个组织得非常严密的团体；它的成员不完全是公开的。假如逮捕一两名黑龙会的头儿以博得解散黑龙会的声誉为满足，那是一点也无补于事的。

而且，日本的法西斯组织多得很。黑龙会不过是因为美国一些日本问题研究家的介绍，比较著名而已；其他公开和秘密的相同或相类的组织简直是不胜枚举。要扑灭这些数不清的法西斯细菌只有一个办法：信赖日本真正的反军部侵略的民主力量，舍此而外是没有其他道路可循的。

最后，大家都晓得同盟社只被禁止发稿两天，两天之后它又在不发国外消息和受检的限制之下，照常发稿了。

这种对日政策的不彻底和不坚决更充分地表现在美政府的对韩政策上。

九月九日，京城以南一线的日军，向美军签订降书。奇怪的是降书既签，盟军最高统帅依然保持日本在朝鲜的总督府，这是什么意思呢？这一次的战争难道仅仅是为了掉换一个奴隶主吗？

人民反对！

于是又在人民的压力和舆论的批评之下，盟军当局才下令解除日本朝鲜总督阿部信行的职位，这是一个好的开端。但它拖着一条很长的不好的尾巴——直至最近，美政府还竭力辩护在朝鲜使用日本官吏的必要。

《开罗宣言》保证了朝鲜独立，并规定在“相当时间”内即正式宣布朝鲜独立，问题的关键不仅在“相当时间”无明确规定，而是美国今天的现行政策令人怀疑。这是非常危险的，京城一线以北就是苏军的占领区，美苏两国的政策若不在民主朝鲜的基础上统一起来，不仅影响到朝鲜的前途，而且会影响到美苏的合作。亚洲绝不要再来一个奥地利了。

日本如此，朝鲜如此，中国的情况并不见得好些，不，更坏。

九月九日，中国战区日军在南京签订降书，但直至今日，中国战场上日军放下武器的数目不及其全数十分之一。不仅如此，它不仅没有放下武器，而且在广大的地区继续进攻八路军和新四军。这严重的情况要求所有同盟国家加以严密注意。

这就是远东的画面；一方面是日本帝国主义的阴谋，一方面是同盟国家没有一个共同的明确的战后政策。

伦敦会议

胜利冲昏了头脑——这已经不是一种心理状态的描写，而是一种历史发展的事实了。

这是最近四个月内第二次的出现。第一次出现在五月初德国投降以后，表现在旧金山会议当中；那时，全世界的反动分子曾经是踌躇满志，不可一世，他们忘记了胜利是从团结而来，和平只有凭团结才能获得；他们放手反苏反民主，立意做希特勒的第五纵队，可惜造成英美苏三大同盟强国的不和甚至对立——这是著名的夏季逆流。

现在出现的是第二次，出现在日本投降之后，这一股反动逆流，在规模上比上一次的还要大，它的持续性可能也要长，因为由于日本的投降，全世界的反法西斯战争已经结束了，对于这些冒险的亲法西斯的反动分子，没有共同的战争就不需要团结，而现在，已经没有共同作战的需要了。这就是为什么我们必须以更严肃的态度，从更本质的观点来分析当前动态的原因。

反动分子得意忘形到什么程度，试举一二典型的明证。

八月十八日，美国著名的法西斯帝国主义者，前共和党总统胡佛发表演说。他说："成打的旧日的法西斯国家现在变成共产主义了，过去曾经是爱好自由的国家们，现在转向到社会主义去了，这是一种集体主义的潮流，全世界走向社会主义和共产主义，只有美国是一座中流砥柱的自由的最后堡垒。"（大意）他要求：

> 美国必须重新宣布我们的信念。我们必须宣布阻止这潮流的决心。我们必须停止为它辩护。我们战后工作的第一目标就是恢复"自由"。

这就是美国反动分子卷土重来的第一声号角。这不是孤寂的声音。

八月十六日，英国大独占资本阶层的代言人邱吉尔在第一次复会的英国新议会里发表演说。他说些什么呢？第一，他担心"共产主义的力量"，已经得到或者正在得到"独裁性的权力"，他举出波兰，捷克和南斯拉夫为例，这些都是使得邱吉尔先生睡不着觉的事情；那么邱吉尔的希望在哪里呢？发明了原子弹的美国。他说：

由于原子弹的发明，美国已经爬上“世界的顶点”。他希望原子弹的秘密不能传达给任何其他国家。邱吉尔运用原子弹的计划怎样呢？这是非常有趣的一个计划，他说：

> 任何其他国家要能像美国这样发明并制造出原子弹，势非需要三年至四年的时间不可。在这三年中，“我们必须把所有国家中所有的人重新安排到一种状态，使他们不愿或者不敢互相倾轧。”他对于美国的威权衷心喜悦，他希望美国的行动“能符合他的权力和责任”。

不用转弯抹角，这意思是很简单的：他希望一个坐在世界顶点的美国，手里提着原子弹命令它脚下的世界不准乱动，你们得跟我走！怎样走呢？邱吉尔说：希腊是一个例子！

这就是大西洋两边一唱一和的声音，记住这声音，我们就可以了解由于日德帝国主义的失败而受了伤的全世界的反动独占资本家，目前在企图干些什么了。

这是一个强大的力量，这力量在对日战争结束的一月内到处有他们的踪迹发现。

波茨坦会议是八月二日结束的，但波茨坦决议上的墨迹未干，这一批反动力量已经在开始破坏波茨坦会议的文字和精神了。关于远东一角，我们已经数加论列，现在不谈；现在且说欧洲的一面。一连串的不大被人注意的事件表明了破坏的力量在地底已经工作得很久了。

保加利亚：八月十七日，保政府中农业，财政，社会，铁道四部长辞职，原因据说是为了反对八月二十六日举行普选。根据《纽约午报》的报告，这四部长辞职的原因不是因为他们反对普选，而是由于美国方面的策动。八月十八日，美国务卿正式宣布美政府不承认八月二十六日所选出之任何政府，其理由是保竞选政党完全被包括在爱国阵线一个组织里，这不合于美国对于民主的观念。这就逼使保政府不得不延期举行普选。

罗马尼亚：三月二日，罗马尼亚成立了以葛罗查为首的举国一致的民主联合政府，从任何一个观点看，这政府的反法西斯的和举国一致的民主性质是不容置疑的。但八月二十三日英美政府突然提议召开三国外长会议，组织一个足以为英美苏所共同承认的政府。那就是说，否认葛罗查政府。

南斯拉夫：一路来南斯拉夫无论从外而团结盟国，内而团结各党的观点看，都是一个最典型的国家，个别的问题是有的，但是可以解决的。最近，象征着举国团结的南国副总理米兰·格罗尔忽然辞职了，谁唆使他辞职的？这其中大有文章。

真正反法西斯的民主团结的国家不予承认，予以多方阻挠；但对法西斯的国家却一致予以宽待。波茨坦会议后，人们期待着英美对西班牙要采取更坚决的步骤了；不然，英美继续承认西班牙并与之维持外交与通商关系而不变；人们期待着英美不承认希腊的佛加利斯政府，但英美不仅继续承认它，而且决定派代表去监视那由法西斯保皇党一手包办的普选；这有什么好监视的？所谓监视不过是使希腊反动政权合法化而已。正如同在五月中苏联坚决的反对阿根廷参加联合国一样，它同样

坚决的拒绝监视希腊的普选。（八月二十一日）

在波茨坦会议后，唯一可以称道的发展在这方面只有英美承认的芬兰政府，并与之建立外交关系。但据说，英美之所以承认芬兰，并不是因为英美认为芬兰已经民主了，而是因为英美认为芬兰是苏联的边境国家，英美的政策据说是对苏联的边境国家对苏让步，而对于苏联的非边境国家则坚持其“正规化的政策”，不管它民主不民主。假如这种观察是近于真实的话，那就是太危险了。

所有这一些都反映在八月二十日英工党政府新外相具文的演说里。这一篇演说，和五月十三日前英首相邱吉尔的胜利演说一样，是值得大家加以严密注意的。

然而必须指出在反动的独占资本家的阵营里不是没有矛盾的，不，矛盾不仅是有，而且发展得相当尖锐。这表现在英法内部的一部分反动分子所倡导的“西欧集团”的计划上。这本来是一九四三年底南非总理斯末资将军所唱出来的旧调，现在由于战争全面的结束，由于五国外长会议的举行，重弹这旧调的人又一天天多起来了。法国社会党指导委员会委员费利写道：

“在圣神不可侵犯的英法同盟的基础上可以产生一个西欧集团，这个集团连同法国、比利时、荷兰等殖民王国将有充分强大的力量，同我们这时代的两大强国——苏联与美国维持平等的关系。”从这里可以看出所谓西欧集团的计划。不仅是在针对着苏联，而且是在针对着美国。

这就是一延再延终而至于九月十一日召开的伦敦五国外长会议的一般背景。五国外长会议的任务主要地是在和意匈罗芬保缔结和约，并调整有关的领土问题；从上边一路来的分析看，要完成这一任务是非克服一连串的巨大困维不可的。是不是说国际团结的前途因此就暗淡起来了呢！不是的。假如团结的基础仅仅系于同盟强国的某一方面主观上的愿不愿，那团结的基础是非常薄弱的。当我们说团结统治一切的时候，我们心目中的意思不是根据于少数反动分子的主观愿望，而是根据于广大的人民的愿望和现实的力量对比。国际团结的中心问题不是愿不愿意团结，而是能不能不团结。考察了人民的愿望和力量的对比，我们说尽管道路迂回曲折，团结的力量终于是统治的力量，虽然团结之中总是包含着巨大的斗争。原子弹的破坏力虽大，它不能抹杀这世界既存的力量对比。

胜利冲昏了某一些人的头脑，使得问题的解决非常困难；但陶醉终有醒来的时候，要解决的问题是到底非解决不可的。

英美谈判

伦敦进行着五国外长会议，华盛顿进行着英美经济谈判；很凑巧的，两大会议都在同一天开始，九月十一日。

八月二十一日美总统突然宣布停止“租借法案”，八月二十四日英首相阿特里和反对派首领邱吉尔一致表示不满——这是英美谈判的发端。

远在“租借法案”停止前的三个礼拜，据《纽约时报》记者克洛克的报告，华盛顿方面的保守人士就向杜鲁门建议：美国不能用它自己的钱来帮助英国实行国家社会主义了。

若合符节地，八月二十日贝文发表了那篇演说。那好像是向华尔街说：看哪，我所执行的哪里是社会主义政策呀？我的观点不是同你们的一样吗？你们还有什么理由不借钱给我呀？我们不知道贝文是不是有这样的念头，假如贝文以为向华尔街屈膝就可以得到美国的援助，那将是大错而特错。谈判尚在初步阶段，但时至今日已判明，主张英美经济合作，援助英国的人正是反对贝文那种外交政策的人，而他所要讨好的那批华尔街的反动大亨们却决没有因为他那一篇表示心迹的演说而改变他们经济孤立，拒绝合作的反动主张。

没有篇幅来详尽分析英美之间的各种重大经济问题。需要指出的是：由于战争给于生产的刺激，资本主义国家的生产力是空前地提高了，但世界市场都还是和从前一样，因此不管英美怎样进行他们的市场再调整，这一基本矛盾在资本主义体系下是无法解除的。这是一。其次，在这一基本矛盾下，英美如果能够合作，这矛盾就能够发展缓和些，假如固步自封，各自为政，那矛盾的爆发就要更加猛烈而尖锐。第三，必须指出一批人，这一批人在政治上反苏反民主，在经济上想争夺资本主义世界的霸权，这一批人一旦得势，不仅会加速资本主义社会的经济恐慌，而且必然地要把这世界带进另一次的战争漩涡中去。

这一批反动的大独占资本家正在面对着全世界所有重大的问题上表现他们的身手；全世界爱好和平的民主力量必须对这批人的活动予以最高警惕，并展开全面的斗争，他们得势，这世界是不能和平的。

（九月二十一日）

伦敦五国外长会议

一　背景

放眼看去，到处都是会议。

单就对日战争结束以后已开、正开、要开的各种具有世界意义的会议说，屈指数来就有如下几种：

一、英美经济会议

二、英美石油会议

三、英美商务会议

四、法英经济会议

五、中美借款会议

六、比美经济会议

七、英法会议

八、法比会议

九、巴黎世界职工大会

十、伦敦五国外长会议

世界战争一结束，斗争的场面就从战场转移到议事厅中来了：以前是转战于千里之外，现在是折冲于樽俎之间。

以上各项会议，除去巴黎会议是以加强国际工人的团结来巩固世界和平的而外，其他各种会议都是国与国之间的会议，它们是立于同一水平的。

在这类会议中，除去伦敦会议以国家为中心的，则又可以分出如下的种类：

一、以美国为中心的有六大会议

二、英国参加的有四大会议

三、法国参加的有三大会议

四、中国参加的有一次会议

这虽然是一个只是为了方便而并无一定严密准备的分类，但它在或多或少的程度上，反映了资本主义世界内部形势的转移。怎样转移呢，经过了这次战争，美国变成资本主义国家中第一等的领导国家了，它在这次战争中的牺牲比较小，它的力量相当大，它很有钱。美国在全世界的地位提高了，但它对于世界和平的责任也跟着加重了。因此它的政策也必须更加慎审了。

但破坏和平团结的反动分子却大不以为然，他们以为美国左手提着刚刚发明的原子弹，右手抓着刚刚停止的租借法，可以随心所欲地牵住这一个世界的鼻子，跟着他们（记住，这不是美国人民，而是几个少数的反动分子）走。

这一批人，不管他们的话，说得怎样好听，他们争取世界霸权的帝国主义企图却是掩饰不了的。

举一个例，有名的反动的孤立主义者鲁斯的杂志，《时代周刊》，在它九月十七日出的一期里，就为美政府规定下如下的外交政策：

> 两大要点：
>
> 一、美国在世界合作中的领导权。
>
> 二、维护美国利益，不惜采取干脆甚至断然的措置，一如美国宣布停止租借法案然。
>
> 几个小要点：
>
> 一、除掉为了国防所必需（这有什么限制

呢——引用者）而外，美国对他国无任何领土要求。但美国确实要求贸易的自由并愿意所有国家能享有民主政府的权利（这里所提到的自由和民主都是需要打括弧的——引用者）。

二、美国对苏联没有也不要有争执，但美国必须要求苏联彻底执行一切国际条约的义务……

三、和苏联一样，美国必需在所有国际决定中有发言权。

四、五、……所有这些政策都是和第一次世界战后美国的倾向完全相反。和大多数美国人一样，杜鲁门总统和贝尔纳斯国务卿晓得：在这个原子弹的世界里，要么就是一个世界，要么就完全没有世界。（九月十七日，同刊）

“在美国领导下”的“一个世界”——这就是孤立帝国主义者争取世界霸权的总方针。这就是目前汹涌在国际间的第一道逆流。

英国的绥靖帝国主义者加上了美国的孤立帝国主义

者，两种帝国主义者一碰头，就形成了所谓英美核心。这两种反动力量在旧金山会议中合过流，产生过巨大的不幸，他们当中的矛盾——你吃我，我吃你的矛盾虽然多，但他们碰头的地方也不少。英美核心，这就是目前汹涌在国际间的第二道逆流。

正是因为英美反动分子间存在深刻的矛盾，英法反动分子间就有了利害共同的地方。他们妄想组成西欧集团，一方面抗衡美国，另一方面反对苏联。西欧集团，这就是汹涌在国际间的第三道逆流。

拖在这三群反动力量的屁股后头的有拉丁美洲的法西斯，大英帝国内部的保守分子，有欧洲的一批法西斯的保皇党和保皇党的法西斯。

这三道逆流组成了一个世界反动力量的大攻势。

这一批阴谋破坏盟国团结，蓄意挑起世界战争的反动分子，在以上所列举的会议中，无一处不直接地或间接地有着他们的触须。他们之间争着我吃你，你吃我，闹得不可开交；他们带着深刻的矛盾，但他们的箭头却有一个共同的方向：破坏伦敦的五国外长会议；因为，谁都知道，对于世界和平的前途而言，在所有的会议中，再没有比伦敦五国外长会议的意义更大的了。

二　伦敦塔

伦敦塔高耸在雾中，伦敦塔下举行着战争结束后第一次的和平准备会议——英美中苏法五国外长会议。全世界渴望和平进步的千百万人民大众望眼欲穿，他们要知道外长会议究竟进行得怎么样了，得到了结果没有？争执一定是有的，究竟是怎样性质的争执？已经达到协议的部分是哪一些问题，没有达到协议的又是哪一些问题。没有达到协议的问题曾经经过怎样的讨论的——这些都是横躺在千百万人民大众的心坎上的问题，但不幸得很，伦敦会议竟在“未作任何决定”和未发任何公报的情况之下闭幕了。

伦敦的雾太重了。

没有可能完全拨开伦敦的烟雾，但从烟雾稀薄的地方凝神看去，依然可以依稀地看出伦敦会议的全貌。

先从一些众所周知的事实开始。

首先必须指出：外长会议唯一的事实上，法律上和道义上的根据是八月一日结束的柏林会议的决定；外长会议的首要任务和议事程序都明明白白地不可误解地写在那决定上，而那决定是由英美苏三国领袖所亲自共同签字的。

根据会议逐日所发表的公报，按照讨论的主要内容，会议的进展大致可以分为三个时期：

一、从十一日到二十日主要地讨论意大利问题。

二、从二十日到二十五日主要地讨论巴尔干问题。

三、从二十五日到二十八日，讨论其他问题。

二十九日三十日努力于草案和公报的作成发生障碍；十月一二两日企图打破难关，但终因阻力太大，而宣告失败。

问题的主要症结在哪里呢？是程序问题还是实质问题？根据莫洛托夫在十月四日发表的谈话，我们知道英美代表企图推翻柏林会议所决定的程序，确是会议发生症结的主要原因之一，但最主要原因不是程序而是英美和苏联对于问题的实质上存在着分歧。这分歧首先是发生在第一阶段讨论中对于意大利的和约草案问题上。问题最微妙而复杂的是对于意南疆界纠纷中的里雅斯特究竟属谁的问题。英美不赞成苏联坚持民族自决的立场，这是我们早在今年五月英美盟军和铁托部队发生冲突的时候就已知道了，这里不再赘说；一言以蔽之，英美不愿意中欧国家南斯拉夫根据民族自决原则自己掌握这从中欧通到地中海的港口，其次发生分歧的是英美苏三方对于处置意大利殖民地问题各执一见。从表面上看，英美苏三国对于这一问题的态度大致是这样的：

苏联主张采取考虑到各方面实际情况和利害的个别托管制。

美国主张采取实际上还由意大利保持殖民地的所谓集体托管制。

英国主张采取一部分留给意大利（昔兰尼加），一部分归英国控制的个别托管制。

所谓集体托管制，表面上这好像是很能协调各方面的，但根据第一次国际联盟的经验，所谓集体托管不过是虚有其表，而其实质不过是让意大利继续在名义上保持它的殖民地而已；而作为一个战败的法西斯国家，意大利绝不应该再保有殖民地的。

这就是争执开始时的情况。但奇妙的发展来了，英国忽然放弃它个别托管的主张，转而支持美国的集体托管。这一个大翻身是怎样形成的呢？

有一条线索是值得注意的：

> ……英美两国正在商谈有关将来的战舰基地和太平洋殖民地所有权的问题。在这个密谋中，若美国同意支持英国在北非的野心，则英国将支持美国充分控制太平洋中有战略意义的岛屿，可能还包括其他方面的岛屿。（二十二日《纽约先锋论坛报》伦敦通讯）

从表面上看，英国放弃己见转而支持美国立场不能看做是美国支持英国“在北非的野心”；但实质上，所谓“明修栈道，暗渡陈仓”，只有“明虚暗实”，这样的交易，才能做得成的。

在最近的过去，这样的交易在国际舞台上出现已经不是第一次了。假如我们想起，在旧金山会议中，英国代表团以支持美国获得太平洋基地为代价，而换得美国代表团支持英国对于委托制度立场一案的往事，那么，这样的交易再出现一次，就丝毫没有可怪之处了。

所谓意大利殖民地问题不过是地中海问题的一端，对于地中海问题，英国的反动分子于不知不觉中，竟把它比成是英国的一部分——英国的海，（二十二日《每日邮报》）可见他们在幕后是怎样拼命地反对苏联，阻挠问题合理而现实的解决了。

这样到了会议的第二阶段——巴尔干问题的时候，英美和苏联之间的分歧就部分地更加清楚了。关于这一系列的问题，八月中，由于华尔街的压力，英外相贝文早在他八月二十日臭名昭彰的演词里，表白得清清楚楚了；一言以蔽之，英国不承认巴尔干诸国——罗马尼亚和保加利亚以及中欧诸国——匈牙利和奥地利政府是民主国家。换句话说，要同他们签订和约，非先使这些国家的政府改组成为贝文式的“民主”政府不可。这些话不仅是说说而已，英美在这一方向下已采取了若干实际步骤，这是我们在上一次就已论列过的。

不是说，在这一系列的问题上，没有若干令人满意的进展，例如英美准备承认匈牙利的密克洛斯政府和奥地利的伦纳临时政府；但在罗马尼亚和保加利亚的问题上，这有计划地由人工制造出来的分歧还是存在着的。

山穷水尽疑无路，柳暗花明又一村：十月二十五日苏外长莫洛托夫正式提出美中英苏四大同盟国共同管制日本。

早在外长会议开幕之初，全世界的进步舆论特别是中国的舆论界就提出外长会议应该讨论日本问题了。从管制日本所已达到的现状看，如何处置日本的问题已到了不能再安于空口说白话，而非由同盟国家全体采取共同而实际的步骤不可的阶段了。在这当中，我们中国——政府和人民尤其是非对这一问题说话不可。因为打垮日本的主要国家虽然是美国，但过去受日本压迫和将来可能受日本威胁的主要国家还是中国。不少人期待着我们中国代表能在这次会议上提出共同管制日本的问题，这是非常自然而合理的。苏外长莫洛托夫提出这一问题，我们中国老百姓首先拍手欢迎，因为这是目前彻底消灭日本法西斯帝国主义唯一有效而实际的办法，空言是无补于事的。

共同管制日本的问题一提出，同盟强国之间又发生了分歧，美国代表先是认为日本问题不在柏林会议的预定议程之内，拒绝讨论，英中支持美国，因此发生僵局，这是第一阶段。第二阶段，美国提出盟国远东顾问委员会的方案。从表面上说，顾问委员会的方案是曾得到五大同盟强国同意的。但顾问委员会和管制委员会在实质上和职权上的差别是谁都不会看落的。问题的核心在，顾问委员会不是没有好处的，假如做得好；但事态的发展，已经到了非实际共同管制日寇不能解决问题了。是不是说，假如我们根据《中苏友好同盟条约》的基本精神，防止日本再起支持苏联提案就是妨碍对美友谊了呢？不会的。看英国的舆论，《曼彻斯特晚报》说："自日本当前的混乱情形说来，盟国自应共同直接参加策划日本的将来，若以管制全权托付于工作过于繁重的将军一人担当，则既非聪明，亦非公允，尤其是对亚洲极表注意的英国，更应出面主张……"（九月二十七日）英美同种，中日世仇，但为了制日，英国对美尚且如此主张，更何况我们中国？

会议到了结束阶段，问题发展到会议程序，关于这一点，十月四日苏外长已有一篇不能驳覆的谈话，说明了真相，我们在这里不再赘述。但不能不指出，有一些立意反苏的报纸故意歪曲问题真相，硬说会议的决裂主要地是由于苏联拒绝中国和法国参加讨论对罗、保、匈、芬和约草案而产生的。假如说这些话的动机是为了国家的利益，是可以了解的；但中国的国家利益究竟是在参加管制中国的世仇日本帝国主义呢，还是在参加讨论一个东欧小国罗马尼亚的和约草案呢？这一批自命为“爱国”的伪善者实际上正是和上述那一批反苏阴谋家桴鼓相应；他们忘记了苏联是一个和我们刚刚建立起友好同盟关系的盟邦，那盟约上的墨迹还未完全干掉。

三 展望

指出这些分歧的真相，分析这些分歧的来源，不是说外长会议就完全没有完成协议。没有成立完全的协议是真的，但局部的协议是有的，换句话说，伦敦会议是有成就的。虽然由于没有发表公报，除掉对芬和约而外，我们不能确知这些局部协议在每一个问题上达到什么程度，但这些局部协议之必将成为将来会议的宝贵基础，是可以断言的。全盘的协议不能获致，就成立局部的协议；这一次谈判不好，留到下一次再谈；团结之中有斗争，妥协之内存立场——这就是战后世界团结的新规则。

是不是说，这样一来，世界和平的保障就“动摇”了，同盟强国的团结就“解体”了呢？破坏和平，分解团结的反动分子们想达到这样的目的，但他们终跳不过两大难关：全世界进步人民的力量和经过了这次战争已经形成了的新的力量对比。

由于对日战争的结束，世界范围内的反动逆流空前高涨，他们妄想改变那已成的力量对比；但那逆流在全世界和平进步力量的抗击之下是到底不能成功的。

时间或许会长些，但不要性急，雾终久是要消散的，新世界的面目终于要从烟雾中清晰地陈现出来的。

（十月五日）

远东顾问委员会

初期占领

十月十五日，日本武装部队完全复员，日本大本营正式解散，麦克阿瑟元帅发表广播，略谓美国对日初期占领政策已“顺利”完成。

现在是回顾一下美国对日初期占领政策的时候。

从九月三日日本签降之日起到十月十五日，在这近一月又半的初期占领中，美国究竟做了些什么？

从表面上说，应该做的事情差不多都做了：谈惩处战罪，若干战争罪犯是被拘捕了；谈经济，若干银行是被封闭了；谈政治，若干政治犯是被释放了。

但不幸的是，样样都做了一些，样样都做得不彻底。四十五日以来，明眼人都知道：一、美国采取这些措施是在美国舆论的不断推动之下进行的；二、这些措施就其内容来说是表面的，不彻底的；三、就其执行来说，是动摇的，不坚决的。

这已经是全世界进步舆论的公断，在这里就不再去一一分说了。

现在我们要提出的是，从中国的立场出发，我们对这些初期占领的措施应该予以怎样的估价。

首先必须指出，任何保存日本法西斯的政治和经济政策，一开始就是违反着中国的利益。这是尽人皆知的常识，然而这却是往往为人有意或无意所忽视。

其次，在每一件政策的执行上，我们并不完全反对从美国出发，因为美国的利益是和中国在大体上一致的；但是我们却不能不对只顾美国利益，而忽视中国利益的做法，表示怀疑。

中国人民不会忘记，在战罪问题上，美国所逮捕的大部分是太平洋战争的主要罪犯，而对于“九·一八”、“七·七”事件中军事、政治和经济上的负责者，却多少地以漠然的态度处之。在这当中，最显著的例子是屠杀中国人民的第一号政治罪犯近卫文磨和第一号军事罪犯岗村宁次，不仅没有受到拘捕，而且一个在组织所谓民主政党，操纵日本政治，一个在维持所谓中国秩序，继续屠杀中国人民。单凭这一点，中国人民就有一千种理由，不能认为初期占领日本的政策是“顺利”地完成了。

再看一看初期占领的经济政策。

九月六日，美政府发表了“对日一般初步政策”，当中有一部是完全关于“经济措施”的，这是些比较抽象的原则，根据这些原则，麦克阿瑟元帅也采取了若干具体步骤。但对于日本工业的长远政策，我们却接到如下的报告：

据东京九月七日广播，日外相重光葵已与麦克阿瑟元帅获得如下的关于日本经济事项的谅解：

一、日本在食粮增产上必要的工业，可举全力进行。

二、和平工业，尤以纺织业可考虑其向南洋输出，并考虑供给其原料。

三、为运输民用物资，准许百吨以上的船只航行，“在船台建造的轮船可继续建造。”

这一谅解使关心战后中国工业化前途的工业家不安，是完全可以了解的。我们说这谅解使人不安，并不意味着我们反对一个真正的民主日本拥有和平的轻重工业；更不是意味着我们认为中国的工业化只有在强力接受日本过去的国外市场才能完成。我们的意思是：在日本法西斯的社会和经济基础原封不动的条件之下，允许甚至鼓励日本纺织业的输出，势不可免的要重演过去的“倾销”，而在这倾销的洪流之下，处于萌芽状态下的中国纺织业是注定了抬不起头来的。

为什么我们设想这种谅解是可能有的呢？理由很简单，自从这一个世纪以来，美国对远东的输出已不复以纺织品为主，让日本输出大量的纺织品和美国的贸易并无冲突之处，美国对日经济政策的重心是把日本帝国主义经济从属在美国系统之下，这种政策对于美国可能有益，但对于中国却是断然有害的。

单凭这一点，中国有民族自觉的工商业家，就有决定性的理由，不能认为美国占领日本的政策是可以满意的了。

综括上面两个随手拈来的例证，我们可以得出这样的结论：尽管我们承认美国占领日本的政策在主观上是努力照顾同盟国家全体的利益的，但实际上它是以美国利益为第一，不能照顾有关同盟国家全体的利益的。

从事实的发展上，我们不能拒绝这样的结论，在文件上我们同样可以找出这结论的根据：

美国官方发表的对日《一般初步政策》第一部所规定的“最后目标”项下，就载着如下的两项：

> 一、保证日本此后不再威胁美国或世界之和平与安全。
>
> 二、使日本成立一和平与负责之政府，尊重各国权利，并依照联合国家宪章之理想与原则，支持美国之目标。

在这种人们可以强辩说：美国的利益就是全世界的利益，美国的目标就是所有同盟国的目标，但这是讲不过去的。我们不是已经看见了：东条已为了应负袭击珍珠港之责，作为第一个战罪而被逮捕，而“七·七”事变的罪魁近卫文磨还在逍遥法外吗？能说美国的中心利益就是中国的中心利益，美国的主要目标就是中国的主要目标吗？

币原内阁

可以想见，这样的占领政策不仅会在美国内部引起尖锐的批评，有关的同盟强国只要是决心消灭日本法西斯的，一定会提出批评。

九月二十五日，苏外长莫洛托夫在伦敦外长会议上提出四强共同管制日本的提案，把全世界进步的意见，一举而提上国际议事日程。九月二十七日，苏驻日大使玛立克的回国，十月七日，苏联驻麦克阿瑟总部代表德莱夫扬科被召回——这指示着苏联在这个问题上，要么就是不发言，一发言，它是不会含糊的。

这是一道强大的压力。但，美军占领日本一月了，要撞开日本监狱的大门，还有待于日本哲学家三木清和日共领袖市川正一的瘐死狱中作为导火线。

说是日本人民解放了，但日本人民的领袖瘐死在狱中，这对照太不像话了。于是，在人民的要求和盟国的不满之下，麦克阿瑟元帅在十月四日下令释放日本政治犯。

这一道命令，爆发了久已存在的战罪东久迩内阁的危机。

十月五日，东久迩内阁辞职。

东久迩早就公开宣称，日本政府不能完全取消秘密警察和释放危险的不稳分子了，从东久迩九月十七日登台以来的种种策动上看，日本法西斯统治者是想用尽一切方法，来把这一个内阁保存下来的。但反动者的阴谋终于敌不过人民的要求，于是他就在释放政治犯的这一具体问题上倒下来了。倒下来了，怎么办呢？干脆说，它已完成率领日本投降的任务，没有其他原因；这样一来，过去并不反对东久迩内阁的人也可以借此说，过去的容忍它是暂时的、有目的的，现在，目的既已达成，东久迩当然要下台。

往者不咎，且看今天：

十月六日，天皇下诏币原喜重郎组阁。

十月七日，币原内阁名单发表。

十月九日，币原招待记者发表谈话。

十月十日，天皇下诏修改宪法。

十月十五日，天皇大赦，三十二万人出狱。

十月以来组党热潮风起云涌。

新内阁，新政党，新宪法——这就是当前日本政治生活中三大主要现象与问题。

这里没有足够的篇幅，对这三大问题一一加以分析——例如哪一些政党是法西斯政党化身的，哪一些政党是日本法西斯统治者制造的，哪一些政党是外力唆使的；例如日本的宪法是怎样产生的，它包含了哪一些反民主的成分，目前准备修改的是哪一些，怎样修改是合理的，应该由哪些人来修改——但对于币原内阁，我们却不能不稍稍加以注意，因为它不仅关系于日本的民主前途，而且关系于美国的占领政策。在这以前，人们可以说，东久迩内阁是为了领导投降而暂时存在的，所以美国容忍它；现在人们不能再以此为借口了，因此，币原内阁可以说是美政府愿意最后在日本成立的一种“和平与负责”政府的雏形。

不少人迷惑于币原为自由主义外交家之名，他曾经反对过军阀侵略东北，他过去的历史不坏，但，实质上，币原并不反对军阀们所追求的目的，他所反对的只是手段而已。他反对用武力侵略我东北，但他力主保持日本在我东北的经济特权。他是一位经济帝国主义者，他反对武力帝国主义，但他却绝不反对帝国主义本身。所有他以往的言行证明了这一点，他在组阁后第一次记者的招待会中的谈话又一次的证实了这一点。他提出了八项施政纲领，他已经意识到日本大独占资本将遭受攻击，所以他在八项政纲中特别有一项关于化大工业为小工业的，好这样用化整为零的办法，来维护日本的大独占资本。

其次，他的内阁名单中包括了两名罪恶昭彰的军部分子——海相米内和陆相下村。为什么容许这两人入阁呢？他们不算战争罪犯吗？假如说东久迩内阁中包含大批法西斯军部分子是不得已的；现在，再没有任何理由容许他们入阁了。说是为了复员残留海外的日本海陆军，难道不是战争罪犯就不能充当这一任务吗？盟军最高统帅部的不言语，引起了举世的怀疑。

最后，所谓币原内阁的班底究竟是一批什么人呢？开出如下的名单：

币原喜重郎（首相）

次田大三郎（国务相）

岩田宙造（法相）

米内光政（海相）

再加以比较仔细的分析，就可以看出：这是一个以三菱财阀为基础，以民主党为支柱的财阀政党的内阁，这一个内阁的组成分子，正如实的反映了所谓日本“稳健派”的经济帝国主义者的真面目。

若更进一步的追究一下币原内阁中的运输递信相田中武雄和商工相小笠原三九郎的来历，可以得出这样一个结论来，直至现在为止，即：日本统治者，还在念念不忘东北、朝鲜和南洋。

在所有这些特征之上，必须指出：币原内阁伪装民主的主要目标，在保存日本的天皇制。本来，日本的财阀就是和日本的天皇制度本质上分不开的；但他们这样一表演，就可以引起某些方面一种幻想，以为在天皇制下面，日本是可以实行民主的，英国不是也有皇帝，它不也是民主国家吗？日本法西斯统治者的这种阴谋，生动地表现在十月十五日的天皇大赦令上，这一举好像是在说：逮捕你们的是军阀，但释放你们却是天皇啊，天皇是能够民主的。

天皇——财阀——政党——这就是日本法西斯统治阶级心目中的“民主”日本，币原内阁的任务也就在化装这样一个“民主日本”。

指出币原内阁的这些特征，其目的不仅在暴露这一内阁的法西斯的本质，而且是为了使读者们回想起另外一幅图画。大家想一想，像币原这样的一个内阁，和这一内阁所追求的“民主”日本，不正是前任美国国务卿格鲁先生多年以来所憧憬的理想吗？格鲁走了，格鲁的政策一步一步地在实现了。

假如有人问：为什么要这样拼死命的保存日本既成的天皇制及其附属的全部政治经济结构，难道是因为这制度本身吗？不是的。一位美国的观察家道：

今天在我们政治领袖们这样关心日本天皇

的背后，横陈着一种巨大的着了魔的恐惧，他们怕。

像欧洲正在向左转的一样，亚洲会同样的向左转。他们同日本的统治者一样深刻地害怕日本的革命。他们害怕天皇一旦被推翻了，日本会产生激烈的变革。他们害怕日本保守的统治者一旦动摇，全部亚洲的安全瓣就被揭开了。（八月十六日，《纽约下午报》，大意）

最近，自九月下旬以来，在南太平洋所爆发的一系列的人民起义，证实了这位观察家的观察是正确的。

这里指的是越南人民和印度尼西亚人民的武装起义。没有可能在这里具体分析两大英雄的起义，现在仅仅指出以下必须指出的几点。

一、不论是在越南或是荷印，英法荷殖民地国家都结成了一条统一战线，诬蔑起义人民同日本法西斯勾结。

二、不论在荷印或越南，英法荷殖民地国家的军队一致与日本法西斯采取统一战线，屠杀起义人民，甚而至于不惜下令已经投降的日军，继续向起义人民恢复进攻。

三、美国的政策据说是不偏袒任何一方的；这在事实上不可能，在实际行动上也不曾有；美国是和英法荷三国站在一条战线上的。

四、这样，我们就在战争结束后的今天，看到了战线的大更动：殖民地国家——法西斯国家——非殖民地国家结成战线，大举向要求独立自治的殖民地人民进攻。所有这些特征，不就是上述观察的最好佐证吗？

中国利益

这就是问题的大概轮廓。

问题提出来了，它要求解决。十月二十三日，远东顾问委员会就在华盛顿开会，苏联是否最后出席，不得而知；但中国出席这一会议，是决定了的。那么，我们应该采取什么立场呢？

中国虽然名列五强，但由于实质上的贫弱，在国际间往往不得不以和事者的姿态出现于数强之间，在某些问题上，这种态度是可以谅解的。

但调和不是外交，追随不是政策，一个国家的重大利益，有时是不容许它采取追随政策与调和立场的；现在，我们要慎重的想一想：

中国的利益究竟在哪里？

（十月二十日）

美国的世界政策

一 追求

无论是在军事上，经济上或是财政上，美国都是今天世界上最大的国家。因为其他的资本主义国家不是被粉碎了就是被严重的削弱了。被粉碎的有德、日、意，被削弱的如英法。在力量上只有苏联——社会主义的苏联能够和它相比。美国反动力量清楚地意识到美国这种有利的地位，他们下决心要把这有利的地位利用到最大限度。他们的目的是尽可能地把全世界的人民控制在美国独占资本家的经济的和政治的支配之下。他们企图建立起美帝国主义者的世界霸权，把英国降为一个次要的伙伴。

这种政策的根源在美国的大独占资本家，在战争当中发了空前未有的大财。

杜鲁门政府尽管是保证了继续执行罗斯福总统国际合作的政策，但无论从其本质看，或从其所处的不同环境看，要它不受这一强大力量的支配和影响是不可能的。事实上，自从世界战争全面地结束以来，一系列的发展证明了这一强大的压力是起着支配作用的。

在这当中值得一提的如：

一、贝尔纳斯国务卿的对苏“强硬行事”政策。

二、赫尔利大使的对华“不干涉内政”政策。

三、不承认巴尔干各国民主政府的政策。

四、坚持美国单独管制日本的政策。

所有上举各项政策，除掉第二项而外，在伦敦五国外长会议都碰到了阻力。如所周知，伦敦五国外长会议是在：一、与巴尔干诸国缔结和约；二、苏联要求共同管制日本等问题上产生僵局的。

二　恐吓

追求碰到阻力，如何办理？

早在伦敦外长会议遭遇困难，但尚未宣告最后失败的时候，美反动帝国主义者早就订好了第二步的步骤了。美反动集团的代言人鲁斯主办的“时代”周刊，在它十月一号出版的一期上，就有过如下的话：

……苏联知道，它是敌不过英美两国的联合力量的，但他也同时知道，有两件事是对于英美方面不利的：

一、华盛顿和伦敦，在沉重的群众压力之下不得不把他们的军队复员。

二、不管美国政府最后怎样决定对于原子弹的处置，原子弹的秘密是不能无限期的保守得住的。（十月一日，纽约，同刊）

这是什么话？

这是恐吓。这就是说：我的政策行不通。不惜以武力求其贯彻，保持强大的军备，用原子弹——好一副剑拔弩张的面孔！然而这一暗示不是完全没有根据的。

十月二日伦敦外长会议结束，从十月一日到十一月二日的整整一月当中，从太平洋的对岸传来了五次强调军事力量的声音。二月之内，美军政要人作了五次关于战后美国军事政策的演讲：

第一次，十月九日，美陆军参谋总长马歇尔元帅两年一度向国会的报告。

第二次，十月十九日，美陆军航空队总司令安诺德元帅在参院军事委员会主张扩充陆军航空队的演说。

第三次，十月二十三日，美总统杜鲁门在国会联席会上要求实施普遍军训制的演说。

第四次，十月二十七日，美海军纪念日，美总统杜鲁门在纽约港强调强大武力为美国外交政策之基础的演说。

第五次，十月三十日，美陆军参谋总长马歇尔解释何以美国必须保持强大军备的演说。

这五次演说各有重心，但其方向却是一致的。

马歇尔元帅第一次说：“我们的外交政策必须明智而强硬，如果我们的外交政策不以明确的安全政策为范围，其结果必然失败……现代国家的有效防卫，是维持其进攻力量”。（十月九日）

马歇尔元帅第二次说:“在此时期，美国人民已发生情绪上的危机，即复员不仅实际上成为军事力量的解体，且已显然使美国对于世界所负的责任感归于消失……由于将来有再度发生原子性战争的可能，我们更应刻不容缓保有强大的军力，以促进世界秩序的合作。”(十月三十日)

杜鲁门总统第一次说:“普遍军训制是我们准备把我们的巨大力量投入战争的唯一方法。”(十月二十三日)

杜鲁门总统第二次说:“我们认为原子弹这一新的破坏力量保存在我们手中是一种神圣的付托。”(十月二十七日)

所有这些话已经叫这一个饱尝战争苦难的世界心惊胆战了，然而更加露骨的话还有:

安诺德元帅说:“美国必须有更强大的陆军航空队，以便在未来的战争中控制天空。未来战争开始时，可能遭到三千里以外的基地的袭击。美国现在能够从国内大半基地派机袭击欧亚非三洲的大部分。”(十月十九日)

我们不准备在这里讨论美国战后的安全政策；那是

美国人民的事情——附带的说一下，我们知道美国绝大多数的人民是不赞成这种攻势备战的军事政策的。现在我们必须加以注意的，这样的一种军事政策表现什么呢？它表现：一、对于今后比较持久的和平没有信心；二、对于强国团结维持和平的前途没有把握；三、对于美国的外交能力发生怀疑。

人们以为：（一）用维持强大军备；（二）用实施普遍军训；（三）用保持原子弹秘密；（四）用不惜扬言“美国现在能够从国内大半基地派机袭击欧亚非三洲的大部分”的恐吓，倒反可以维持“秩序”与“和平”了。诚如英国的一家报纸之所指出，假如用原子弹的恐怖可以维持得了和平，那和平也不过是一种恐怖的和平而已。请问恐怖的“和平”与和平的“恐怖”有什么差别？和平而变成了恐怖，那和平有什么意义？

不，恐吓是解决不了问题的。说一句干脆的话，现在尽管有一批反动力量不惜以发动第三次世界战争和威胁，来尝试推行它的世界政策，但在今天的实际情况下，就是希特勒再生（假定他已死），他也不能，不敢发动甚至准备第三次世界战争。

实际的力量对比使他不能，人民的和平意志使他不敢。尽管《时代周刊》强烈地暗示美政府不应迅速复员，美政府依然不得不逐步复员；这不就是表明了千百万人民的意志就贯彻在这些所谓“大势所趋”和“人心所向”的通常事物当中吗？

三　矛盾

美总统杜鲁门说，美军庞大的攻击力量将成为美国外交政策的骨干，那么，什么是美国外交政策的基本内容呢？杜鲁门总统列举了十二原则（俱见氏二十七日演词）；有人把他比做第一次世界大战后威尔逊总统的十四条，言其重要。

从原则上说，这十二条在大体上是好的；但问题不在抽象的原则，而在具体的实践。例如十二原则中第四条说：“准备自主的一切人民的一切民族，应能选择其本身的政府形式。”这是赞成民族自决的原则，这是好的，但是美政府一方面不反对印度尼西亚人独立，另一方面又不反对荷兰对于荷印的宗主权，这叫什么“赞成民族自决”？假如说是美国采取中立政策，不援助武装冲突中的任何一方。但实际上美国所做的却只是要求英印二国把他们用以进攻荷印人民的租借装备上的美国标志涂去，这叫做什么“中立”？十二原则中的第五条说：“战败国将获协助，以建立和平与民主的政府。”日本的币原政府算不算是民主的政府？十二原则中的第七条说：“一切国家对于海洋上及流经一国以上的内陆水道应有平等权利。”这显然是指欧洲的内陆水道说的，很好，“世界大同”；但是为什么忽然又来一个第九条，“西半球国家应能自身解决其问题，不受外间国家的干涉”？难道南美洲就没有一条流往一国以上的水道吗？再举眼前一例，美政府要求五强共同参加对巴尔干诸国的和约，说起来很好听，又是“大同主义”；但，为什么美政府却又坚持只有美国有权单独管制日本，坚决反对英美中苏共同管制？假如美国“大同主义”的原则恰如有一些人所说的那样崇高，何以欧洲就要“同”而远东却万万“同”不得呢？诸如此类的问题都不能用一个“一以贯之”的原则来解释的。

这样说来，是不是说美国没有一个一贯的外交政策，或者说它的世界政策没有一定的方向呢？不，美国世界政策的性质和方向是确定了的（一如我们在第一段中之所分析），当前的问题不是这一政策的性质和方向是什么，而是这一个政策如何实现，能贯彻到什么程度；问题的中心不在性质而在方法与程度。

在这里我们就必须考虑到四个因素：一、美国是一个新兴的世界列强，不像英国，它没有作为一个领导的世界列强所具有的经济，初生之犊不畏虎，勇则勇矣，有时不免流于莽撞；二、目前的世界是一个完全新型的世界，有许多的深刻变化不是一眼就可以被人看出，更不容易为一些少年气盛之徒所承认；三、美国是一个有长远民主传统的国家，这一次战争更大大地教育了美国人民，这就形成了上述政策执行时内在的阻力，这不仅包含了民间的民主力量，而且还包含政府内部的反对派；四、除去内在阻力还必须指出强大的外在的阻力，这里不仅包含着苏联，而且还有英法——美国的反动分子难有气吞山河之势，但在事实上，我们知道，山同河都不是很容易一口吞下去的。

四　迂回

由于这种种原因，就产生了某种“举棋不定”和“欲去频回”的迂回曲折的形势。

举一个显著的例子：正在美苏关系发展到微妙阶段的时候，十月二十二日美国厂家协会的发言人突然声明说，美国已停止对苏贷款的谈判了；这一个声明是非常严重的。因为，我们知道用信用贷款是美国外交资本中最大的一张王牌，假如这声明是真的话，那就是等于说美国已打下它的最大一张王牌了。但厂家协会的发言未过两天，二十四日，贝尔纳斯又否认美政府停止对苏贷款谈判之说。这一方面固然是表明了美方为资本家集团对于美政府的一种压力，一种斗争；另一方面也表明了美政府不能临事而胸有成竹，而往往自陷于举棋不定之中。

但最足以表现这种复杂情势的莫如关于远东顾问委员会一事的发展。

美苏对于远东顾问委员会的不同态度，我们在这里不再叙述了。我们这里需要指出的仅仅是，远东顾问委员会是五国外长会议后国际间唯一的一根未断的红线，因此这一问题的发展具有重大意义。

十月二日外长会议不欢而散。十月八日，美参院外交委员会就召开紧急会议，这一会议显然是决定今后对策的会议。自此而后，就一方面有了上述五次强调军事力量的演说，另一方面就有十月十日美国务卿贝尔纳斯决定在十月二十三日召开远东顾问委员会的声明。假如苏联不参加呢？十月十八日贝尔纳斯说，苏联即不参加，会议亦如期举行，态度强硬极了。

不知道幕后究竟发生了什么事情，我们知道的仅仅是：十月二十日美国务院远东司长范宣德发表了一篇演说，不管这一篇演说对于现实的问题（如管制日本，如对华政策，如殖民地问题）如何为既成事实辩护，对于原则的问题如何空洞而抽象，他的强调中美苏必须合作的一点是值得赞赏的。这显然是为了缓和一下美苏之间的紧张空气。同一日，美国务院宣布远东顾问委员会延期一礼拜再举行。我们不知道幕后发生了什么事情，可能是代表大独占资本家集团要求继续强硬，民间和政府内部的民主力量要求缓和，两者相争而有此结果。不过无论如何，会议延期的这一举表明了美政府还是愿意“要有余地”的。

这之后，十月二十五日杜鲁门总统发表谈话，说他有亲笔信，已交哈里曼大使转陈斯大林。信的内容不得而知，但这一举使我们想起了旧金山会议时美总统的派遣贺浦金斯和戴维斯的分访苏英。贺浦金斯的访苏曾经铺垫了柏林会议的道路，哈里曼的访问是不是可能产生同样的结果呢？问题的性质不同，具体的条件不同，我们不愿意读者产生轻易的乐观，我们之所以指出这一点不过是为了说明山似穷而实未穷，水似尽而实未尽而已。

远东顾问委员会之所以延期一周，其主要原因当然是美政府假定一周之内，苏联的态度可以确定了。但一周过了，十月三十日到了，问题还未解决，怎样办呢？会议如期举行！但使人惊奇的是，会议举行了一个开幕礼，立即宣布休会一星期，十一月六日复会。

举此一例，我们就可以看出美帝国主义者的世界政策虽然是确定了，但在执行中，由于内外的阻力，它可以产生非常复杂和曲折的情况。

还要附带说明的是，事情的复杂性和曲折性不限于美苏之间；英美之间亦复如此，而这两者又是互相联系的。

这样，总结五国外长会议结束以后一月内国际间重大的发展，我们可以看出最近国际形势的一个特点，那就是一种“动荡不定”的形势；而且，根据以上的分析，这种动荡的形势还可能持续一个相当长的时间。

既然是动荡，那就是说不定，没有一定方向的了；从某一些个别侧面说，可作如是观；但，从全盘看，那方向却是确定了的，那就是向着合理的和平，而决不是向着再一次战争；尽管有人为了追求对己有利，但实在无理的和平不惜作出备战的姿势，这些人究竟是少数，他们是不可能推翻那大势所趋和人心所向的世界总趋向的。

有一批无知的但是野心勃勃的反动赌徒，看到了国际形势的某一些侧面，就以为第三次世界战争即将爆发了；他们闭起眼睛胡说：现在是备战的时代，不是和平的时代；当前的工作是动员不是复员。由于他们的无知，他们得出这样的结论；他们得出这样的结论更是由于他们害怕和平——国内的和平和国际的和平，因为真正和平了，他们就没有任何理由为他们的腐败无能辩护，拒绝那日渐汹涌的民主改革的浪潮了。对于这些人，必须当头棒喝：赶快打住，你们的赌注押错了。

（十一月二日）

英美加原子弹会议

分歧

三大演词明确地道出了英美苏三大领导列强对于当前世界局势的立场与政策。

这三大演词是：十月二十七日美总统杜鲁门的海军纪念日演词，十一月六日苏外长莫洛托夫在十月革命二十八周年纪念会上的报告，十一月七日英外相贝文在阿特里首相离英赴美的前夜在下院的演词。

美总统的演词，除列举十二抽象原则为美国基本的外交方针而外，竭力强调维持强大军备为推行美国外交政策之所必需，并指出原子弹的秘密不能成为国际会议讨论的对象，原子弹的秘密保存在美国的手里是一种“神圣的付托”。

英外相的演词，强调英国有结成西欧集团的必要与权利，“一如苏联在东欧之所为者然”；他对杜鲁门总统的十二点表示赞成，但对苏联的政策则深致不满，说“大国如欲侵及不列颠的咽喉要地，我们就不能不表示怀疑了”。同日邱吉尔的演词更加发展了贝文的论点，他主张“努力巩固英美间的特殊友好关系”，关于原子弹，他认为英国“应协助美国保守这一秘密武器，使其成为维护和平的神圣付托”。

有人说所有三篇演词都“令人灰心”，实际上正是因为除去上述二篇，还有另外一篇演词，国际局势才不叫人“灰心”。想一想，假如这一个世界只能听到邱吉尔一流人的声音，说到做到，用原子炸弹去维护荷兰帝国主义在荷属东印度的“和平”，这一个世界还成一个什么世界？兔死狐悲，在这批反动分子的眼里，中国老百姓的身份并不比印度尼西亚人高啊！

放眼世界，有五种危验的倾向正在危险地发展着，它威胁着世界和平。

第一种危险的倾向是：恢复德日意帝国主义的残余力量，作为争取世界霸权的阶梯。

第二种危险的倾向是：否定从反法西斯战争的炼火中诞生出来的民主力量和民主国家；说是为“民主”，实则反民主。

第三种危险的倾向是：结成排他的集团；说是“特殊”，实则秘密。

第四种危险的倾向是：把联合国的组织转化为某一或数强国的工具；说是服从“大多数”，实则独占。

第五种危险的倾向是：进行军备竞赛；说是“维持和平”，实则准备战争。

西起鲁尔，东至东京，在巴尔干，在近东和中东，在越南和荷属东印度，在中国一片动荡不安和刀光血影当中，我们可以看出这五大危险的倾向，是在危险地发展着。

然而面对着这些危险的倾向，全世界爱好和平的人民所应有的态度，不是灰心和失望，而是警觉和斗争。

莫洛托夫说话了。

他首先指出在这次战争之前，不仅是希特勒，还有不少其他的人以为德国既然进攻苏联，苏联一定垮了。现在呢？苏联不仅没有垮，而且作为全世界的三大领导列强之一，从战争中脱颖而出了。

希特勒和不少其他的人所以错，因为他们一向就不承认十月革命的合法性和社会主义政权的人民性。希特勒虽然是可耻地死了，但必须加重指出，企图重复希特勒的错误的人还大有人在。

苏联的胜利说明了什么呢？它说明了苏联是有能力保卫它自己，并且是能够克服它有史以来最严重的危机的。苏联是不可侮的，过去曾是如此，现在正在如此，将来必然如此。

苏联是不可侮的。

不少人以为自从八月六日第一颗原子炸弹投在广岛以后，苏联大概会乖乖地听话了。不然，原子弹吓不住人民。这真是社会主义的大勇；中国古语说："贫贱不能移，威武不能屈"，在有产者社会中顶多只有少数杰出的个人，能做到这两句话而已；至于说到国家，那只有社会主义的国家才能实现这两句话；可以说这是社会主义社会的本质。

莫洛托夫坦白地指出上述五个危险的倾向，他总结式地说：

……任何一个国家，要求在一般的世界大事方面起领导作用，正像要求世界霸权一样，都是一种轻率的要求。唯有曾经负担过战争的重荷，并确保各民主国家对法西斯主义博得胜利的那些强国的共同努力，……才能对持久的和平有所裨益，……苏联一向是而且必将继续是保障各国和平与安全的堡垒，并且准备用行动不是用空话来证明这一点。

这是苏联的立场，根据这不卑不亢的立场，它的政策也就了如指掌。莫洛托夫说：

为了普遍和平与国际关系的发展，苏联一向以最前进的地位，对于和其他国家和平共处与合作，表示关心。当我们生活在“各国的体系”中，而且当法西斯主义——帝国主义侵略的根并不曾被彻底拔掉的时候，我们对于可能出现的新的和平扰乱者们的警觉性，决不该松弛，另一方面，对于加强爱好和平的各强国合作的关心，将和以前一样是我们最重要的任务。

原子弹

有钱有势是本钱，“贫贱移人”和“威武屈人”是政策。

具体地说，这两大武器是租借物资——信用贷款和原子弹——原子能。

不用说，这两大武器的主要对象是不同的。如所周知，社会主义的经济制度是不会受到信用贷款决定影响的，相反，一个濒于破产的资本主义国家，却有时不能不受到借款的严重影响。因此，美国大独占资本家集团的厂家协会，虽竭力鼓吹政府停止对苏贷款的谈判，这种鼓动依然不能产生他们所预期的外交上的效果。但对于其他性质不同的国家，这把武器就厉害了。

为了使得这把武器和美国的外交政策更加密切的联系起来，美政府决定把处理剩余战时财产的全权，移交给贝尔纳斯领导下的国务院。这样一来，美国务院就：

一、接受了陆海军清理委员会的全部职权，这一个委员会在欧洲要清理的剩余财产就有六十万万美元。

二、控制了美国在善后救济总署中的全部活动，善后总署正计划用一万万五千万美元的物资救济欧洲各国。

三、全权处置剩余租借物资。

正因如此，所以复员委员会的主席施奈德先生可以说："从此以后，我们的外交政策可以把它的有效工具放在自己的控制之下了。"

但尽管如此，租借物资——剩余财产——信用贷款这一把武器的政治作用是有限度的，因为这一个星球上已经出现了一个"贫贱不能移"的国家。

怎么办呢？原子弹。

现在该我们来谈一谈原子弹。

据说原子弹是秘密的，原子弹是不是秘密到神秘的程度呢？不，原子科学的发明，是人用科学的方法去发明的。古往今来，没有一种科学的发明是可以保守秘密的，只要这一个星球上的人未死光，只要科学没有从这一个世界绝迹。不，原子弹是不能保守秘密的。参与原子弹的研究和制造的芝加哥科学家们，在十月初发表了一个声明，那声明的第一句说：“有关于原子弹的最大的秘密，是这样一件事实，即，它事实上可能为人所发现。”或者说，原子弹最大的秘密就是它不可能成为一种秘密。

原子弹——原子能的发现和利用，是不可能永久保守秘密的。旁的国家和旁的一批人去完成同样的发现和利用，不过是时间问题而已。那么旁的国家发现它需要多长的时间呢？当今洞悉原子弹制造过程秘密的人，邱吉尔要算是少数之中的一个了吧，据邱吉尔说，需要五年，这是保守的、但是权威的估计。芝加哥原子科学家们说，需要两年至五年。这也是值得重视的估计。可以五年缩至两年，可见五年估计并不是最后的，估计是要看旁的国家在研究这一问题上所达到的水准的。假如说是两年，这已不是太长的时间了。十月中，法国名科学家莱威说：法苏两国可在六月之内获得原子弹的秘密。假如六月是从第一颗原子弹落在广岛算起，明年二月，法苏可以有原子弹；假如六月是从发表谈话的时间算起，明年四月法苏也可以有原子弹了。总之，不论是需要五年，两年，还是六个月，旁的国家完成这一发现在时间上是很快的。既然大家都能有，而且能很快的有，原子弹实在没有什么“奇货可居”的地方。

然而硬是有人觉得这东西“奇货可居”，那么我们就来看一看究竟。

原子弹的发明有两个侧面的影响——一方面是用于战争的破坏性的原子弹，一方面是用于工业的建设性的原子能。有人说，由于原子弹的发现，整个国际力量对比变了，因为每一个国家的军事形势变了。这话对不对呢?

假定如以上之所分析，原子弹大家都能有，而且很快的有，这改变就不能认为是特别对于某一个国家永远单独有利的。例如作为制造原子弹头等重要的原料铀，美国每天只能出产六磅六，而苏联的出产却是全世界第一。其次，从它的破坏对象说，英国比美国更容易遭受危险，因为地方小而又人口集中；而美国比之于苏联，其抵抗力则又不如苏联，因为美国的工业和人口都比苏联集中。苏联的人口和工业，一方面固不如美国集中，另一方面，由于地域的广漠，它有回旋的空间。所以研究和制造原子弹的主要科学家奥本海姆说：

> 由于原子弹的出现，美国一般的军事形势不是加强，而是削弱了，因为美国是一个高度集中和工业化的国家。

这些设想在今天可以说是多余的，因为没有一个人敢冒天下之大不韪，公然发动原子弹的战争。但对于一批顽梗不化的好战分子，经常提出这一些是有益的。希特勒的争取世界霸权的原因之一，就在于他迷信新武器的万能，他在苏德战场上初期的优势，的确是得力于他的新武器——坦克；但那优势是暂时的。历史断定他死在他所迷信的新武器及新武器所造成的迷信下面。

然而原子弹所引起的问题，不限于破坏性的战争；它所引起的最大问题，是原子能在工业上的应用。可以想象，一旦这种应用实现了，工业的生产力将有不能想象的大提高；什么东西都不可想象的便宜了，这不很好吗？不，且慢，且慢。经过了这次战争，美国的生产能力增加了三倍（自一九四〇——四五），即从前三个人做的工作，现在一个人就可以完成了。但即如此，到明年年底已经有近两千万人的失业问题不能解决，假如应用了原子能，那漫天灾难该是何等的可怕？不，不会的，资本主义社会容纳不下原子能的生产力；要把原子能的伟大发明应用到工业建设上，要把原子的伟大生产力为全人类的幸福而工作，社会主义，只有社会主义才能完成这一任务。

诚然，原子弹的发明是人类文明史上一个伟大的成就，它划分了时代，旧的时代死去了，一个完全不能想象的新时代正在开始；但得冷静的考虑一下，命定死去的东西，究竟是些什么东西，广岛的爆炸究是为谁敲出了丧钟？

这就是关于原子弹必须指出的一些常识。

把原子弹当成政治资本有好多困难，首先是不能打出这张牌，一打出就不成其为资本了。但是又不能不打出，或作打出状，你不打出，或不作打出状，如何能当着资本？这是一层，其次，这东西的身价是逐日变化着的，过一天，身价就小一天，这又是一层。这真是一种苦恼。

十月十五日的《时代周刊》有一段议论，就生动地描绘出这苦恼，它说：

> 尽管科学家反对，美国的“舆论”（括弧是我加的——引用者）依然反对美国公开原子弹生产的秘密。可是另一方面，除非美国把原子牌放在世界的桌面上，没有一个人相信美国可以得到一个可行的协定。（十月十五日，《时代》）

这固苦恼，更苦恼的是：

> 不管最后决定如何，美国在这一个问题上的优势，不能延长两年或三年以上。在没有一个有约束性的协定的情况之下，日子多过一天，美国讨价的力量就减低一天。（同上）

因此，必须迅速地（趁讨价的力量还高的时候）把这张原子牌放在世界的桌面上，或者是装着放在世界桌面上。从技术方面看，这就是这一次所谓原子弹会议的根源。

英首相阿特里九日离英，十日到达华府，十一日正式开始英美加的原子弹会谈。名为原子弹会谈，实际上他们所讨论的不可能完全是关于原子弹的问题。英美之间必须解决的，最低限度还有巴力斯坦问题和美国对英的贷款问题。但对于我们感觉兴趣的，还是贷款问题和原子弹问题，特别是原子弹问题，因为英美贷款的协议必定是在英美对于原子弹问题的共同谅解上成立的，所谓阿特里主张公开，杜鲁门坚持秘密云云者，不过是为了使事件更加有声有色而已。

听说阿特里提出公开原子弹的条件是：第一，技术上，其他国家亦必需公开它的军事秘密；第二，政治上，苏联必须说出它在世界上的领土和政治要求究竟是什么，英美能不能接受。

《自由主义的纽约先锋论坛报》说，阿特里这建议是“不可想象的粗鲁”;《工人日报》说这简直是企图把原子弹当做对苏联的“政治通牒”，其他各报亦莫不纷纷加以抨击（十三日纽约中央社电）。从这一“普遍”

的反响中，我们可以看出美国伟大的民主传统，是何等光辉，这一个世界究竟还不是挟着原子弹就可以横行无忌的世界啊！

回响

苏联的态度怎样呢？

苏联政府从未向英美要求过公开原子弹的秘密。十一月六日，莫洛托夫只是说，原子弹这种伟大的技术性发明，不可能是一种保持秘密的东西，这是一个科学真理的客观叙述。他并未提什么抗议，更无所谓强硬的抗议，他只是劝大家不要存着在权力政治中可以利用原子弹的幻想，而对于爱好和平的各国的将来漠然不顾而已。除去叙述科学的真理和历史的事实而外，他未向英美提出任何要求。在那报告里，他是提出过要求，但那不是对英美政府提的，那是向苏联的科学家和工程师们提的，他向他们说："我们也要有原子能。"（注意，不是"原子弹"，这当中是有天地之差的！）要求既然提出，一定就能实现，这是不容置疑的。

这样就形成了某些人虽然觉得原子弹奇货可居，但实际上并无买主的滑稽场面。于是原子弹还是保持秘密（十五日）。这一个星球已经产生了一个“威武不能屈”的国家。

原子弹是吓不倒人，解决不了问题的。它不仅解决不了任何一个重大问题，由于人们对于原子弹所存的幻想，问题的解决倒反更加困难起来了。

然而我们坚信，陶醉总有醒来的时候，世界和平的大前途是究竟不能被原子弹所动摇的，千百万人的意志，要比广岛市的泥土坚固得多啊！

（十一月十六日）

为保卫世界和平而斗争

宣言

十一月十五，英美加原子弹会议闭幕，发表了一篇宣言。全世界报纸差不多都刊载了这宣言的全文。

现在我们要问一问，这宣言的内容究竟是什么意思？这是近代外交史上最离奇的一个文件，不耐心的人会说它是不知所云；耐心的寻释一下，把那佶屈聱牙的文句译成一般人能懂的白话，不外是这个意思：

原子弹是一个了不起的武器，世界上没有什么东西可以防御它。它不可能为任何国家所独占，因此，我们（英美加）决心独占它；因为，旁的国家有了它，只会引起战争，不会消弭战争。但为表示我们的善意起见，我们在一定条件下，愿意把这类秘密公开给旁的国家；

但准备公开的不是这时已知的军事用的原子弹的秘密，而是那时将知的工业用的原子能的秘密。要是说得更简单些，就是这么几句话：

“原子弹了不得！你们（没有原子弹的）不得了！”结论是：“你们发抖吧！”

难道这样重大的一个会议得到这三句不着边际的结论吗？自然不是的。

第一个明确的结论是英美的关系更加密切了。我们知道，英美之间的矛盾除去一路来带有历史性的各种纠纷而外，欧战结束以来，最使美国华尔街的大资本家不满的是英国的工党政府及其大工业国有的政策。美国的大资本家们说；这就是社会主义政策，我们不高兴借钱。这一次英首相阿特里来告诉他们，英工党的国有政策不是什么过激的社会主义政策，美国的大资本家们可以放心，这就是他十三日在美国会演词的要点。有了这种谅解以后，英美就在各种有关的世界问题上，取得了进一步的合作。所谓问题，表现在从埃及到荷印这一条英国到远东的航路上各种程度上的殖民地中弱小民族的独立运动，这运动正以血和泪展开在全人类的面前。所谓合作是英国削弱了，不能维持旧有的统治了，美国应该帮忙；如所周知这帮忙早已在印度尼西亚开始了：美国出枪，英国出人，英美合作，人枪俱全，于是印度尼西亚就变成了一片血海。有了这“谅解”和“合作”，英美就进一步在原子弹的问题上“友好”起来了；注意，那实际上是三句话的原子弹宣言是由三个国家共同签字的。

英美的关系更加密切是一个明确的结果，但必须指出英美间的矛盾并未因此而解消。自然，这矛盾不是什么因为英国是社会主义国家而美国是资本主义国家的矛盾；也不是因为英国是一个殖民地帝国主义国家，而美国是一个反对殖民地帝国主义的矛盾；这矛盾正是因为他们同是资本主义国家，同是对于殖民地从不同的角度上发生兴趣的国家的缘故。

这表现在两方面：一方面是，英美会谈并未解决了英国向美借款的问题；另一方面，英美对于移殖大批犹太人到巴力斯坦去的问题未能达到协议。

关键在哪里呢？

关于借款问题，据贝尔纳斯说（十一月二十一日），是因为英国坚持帝国贸易优先制度；英国方面可以考虑修改这制度，但作为先决条件，美国必须相应地修改它的关税制度。

关于巴力斯坦，据报阿特里痛陈利弊，结果杜鲁门总统不再坚持美国的原来计划；暂时决定组织一个英美联合调查委员会，调查巴力斯坦和欧洲几百万犹太人的情况，然后再作决定。附带的说一下，英美联合委员会的组织本身虽无多大意义，但美国作出这一决定的意义是重大的，这表明美国的利益触须已经远伸到中东去了；这是历史上所未有的，最低限度以如此明确的程度出现，在历史上所未曾有过的。

矛盾虽然存在，但这并不妨碍英美关系的更加密切，这密切表现在那实际上只有三句话的所谓原子弹宣言上。

那三句话那样简单，它究竟是什么意思呢？原子弹宣言太简单，还是请原子弹自己出来说话吧。

攻势

紧跟着原子弹宣言的屁股后边是一个广泛的大攻势。

在具体地分析这每一攻势的内容之前，先听一听原子弹先生的哲学，它的代言人是美国出席旧金山会议代表团的首席顾问，暨美国务卿贝尔纳斯出席伦敦五国外长会议的主要顾问美共和党J · F. 杜勒斯，他月前从伦敦会议回来，在纽约发表了一篇演说，大意说：

> 让我们沉静一点，成熟一点。我们在伦敦开的这个头不是一个坏的，而是一个好的开头。这样开头并没有制造出新的困难，它只是暴露了一些旧的困难，而这些困难一直就是被战争所掩盖着的。我们现在了解了这些事实，那是很好的。而且，在一开始的时候，就表明了他们坚守原则；这是绝顶重要的。
>
> 我们正从六年的战争抬起头来。在战争当中，我们日甚一日地因为军事的急需而牺牲了道义和原则。现在战争结束了，我们必须重新建立起原则和道义。在这工作中，美国应该起领导作用。美国是唯一未有在物质上和精神上受战争削弱的强国。只有我们，才能领导起这

恢复行为服从于原则的工作。（见十月十五日纽约《时代周刊》）

这是什么意思呢？究竟美国在六年战争中，做了些什么牺牲道义和原则的事情呢？不是别的，那就是：一、协助打垮了德日意法西斯帝国主义；二、参与了英美苏三大民主列强的战时团结；三、签订了《大西洋宪章》，《莫斯科宣言》，《德黑兰协定》，克里米亚宣言，《联合国大宪章》，《波茨坦宣言》等重大国际协定；四、因此在客观上也就助长了世界各地民主力量的生长，和各国民主运动的展开。

假如说这些是牺牲了道义和原则的话，那么，那道义和原则绝不是千百万人民大众心目中的道义和原则，而是美国少数反动独占资本家的所谓道义和原则；而且值得注意的是，当全世界千百万人民，共同认为英美苏三大列强在战争中的所作所为，在基本上是正确的，从而一致要求把英美苏三强在战争中所凝成的团结延长到战后的时候，杜勒斯独具慧眼地说，美国在战争中所作所为的在基本上是错了，认为美国今天应该决心纠正这些错误。怎样纠正呢？不外：一、保存德日意法西斯的残余；二、放松英美苏的战时团结；三、修改所有有约束性的重大国际约章；四、摧残各地的民主运动与民主力量，所有这一切都可以假欧美民主之名而行，但那连欧美的旧民主都不像了，那是“原子弹的民主”，那不是民主合作的声音，那是原子弹的声音。那是原子弹的哲学。

必须承认：要把这种荒谬的理论，应用到这一个邱吉尔认为已经改变到不能认识的现实世界中是不大容易的一件事情，因此必须立即加强军备，因此必须拼命获取基地。

关于加强军备事，我们在这里已经不止一次地指摘过了。但为实现这一目标，不仅有国内人民反对的难关需要克服，而且还有许多组织上和机构上的困难横陈在面前。如所周知，关于后者，就是美国海军部和陆军部合并，成立一个统一性的国防机构的问题。最近一次（十一月二十日）美高级海陆军将领的更动（艾森豪威尔代马歇尔为陆军参谋长，尼米兹代金氏为海军作战部长），其目的之一，就是要使这合并的阻力减少。

关于基地，在过去的报导中，我们已经有些不大了解：为什么一个有限国家的国防基地，要几乎无限制的伸展到世界各地。现在的事情更离奇了：听说美国有受从北极来的袭击的危险，所以必须租借冰岛上的米克斯基地。（十一月十九日讯）

然而不管是统一机构也好，或是远程基地也好，对于目前而言，它是没有立即的现实意义的；当前具有立即的现实意义的是原子弹，是原子弹的宣言，是跟在原子弹屁股后边的世界攻势。原子弹宣言说“原子弹了不得，你们不得了”，因此，美国对于全世界的态度据说是“坚定，但准备诚心合作”，对于远东问题的态度则是“关切，坚定，但准备诚心合作”。合作谁个不要，但看条件如何？

这些条件：

在远东方面：

一、十五日，美政府用“坦白”态度要求苏联参加远东顾问委员会。

二、十六日，美国务院发表声明要求苏联考虑统一朝鲜行政的问题，说盟军总司令在当初允许苏军占领朝鲜北部是“暂时”的性质。

在欧洲方面：

三、十七日，美国务院声明最近保加利亚的情况虽有改进，但美政府仍不准备承认保加利亚政府为合法。

四、十七日，贝尔纳斯说（在查尔斯顿），“一个国家愿意同甲国做生意而拒绝同乙国，或排斥同乙国做生意的，大概总不是一个好国家”，很清楚的这是指的十月间缔结的苏匈商约。

五、二十九日，杜鲁门总统说：“美国现正进行咨商，修改《波茨坦宣言》，以便顺利管制德国。”

从这里读者们可以隐约看出“坚定”的真面目和所谓“诚心”是“诚”到什么程度。

但使得局势呈现出空前紧张的原因还不是在这些纸面上和口头上的坚定，而是因为硬是有一批人唯恐第三次世界大战不早的爆发，有计划的制造出一些挑衅事件，例如伊朗的反动统治者故意夸张伊北亚塞尔拜然少数民族因要求民主自治而发生的一些地方冲突事件的严重性，好把一个单独的国内问题转发为一个严重的国际问题；例如国民党的反动分子故意把他们自己不能合理的和平的接受东北的责任假祸于苏联，说苏联破坏《中苏友好同盟条约》，好这样希望另外一个强国来为他们火中取粟，造出严重的国际纠纷。

在这种不负责的挑衅行为已经发生而且还要不断发生的时候，不负责的挑衅言论就不足为奇了，例如《纽约电讯报》在十一月十九日就发表过如下的一段：

> 在朝鲜的美苏军队之间，形势非常紧张，在东京美国军官的谈论中，都以日本和中国作为我们军事上防御苏联的左右翼；一个将领说，他已为苏联准备停当了，如果苏联有一个错误动作的话，我们就将在汉城郊外的机场，集中很多美国战斗机，一如在战时任何一个岛屿上所集中的一样。

“坚定”的表示，挑衅的行动和不负责的言论，这就是原子弹宣言发表后在全世界展开的一系列的现象。所有这些现象都是在“原子弹了不得，你们不得了”的两翼之下展开的；十一月二十日，美总统杜鲁门的谈话，可以作为一个总结，他说：

"联合国现正处于人类最伟大世纪之前，世界必须获致持久和平，并必须把握其所提供之机会，否则即为整个之毁灭"；并表示美国将继续制造原子弹，作为试验之用。

危机

忧时之士，目击心惊；他们以为目前是一个"信心的危机"。要恢复信心，只有立即举行一个英美苏的三强会议，因此他们奔走呼号要求杜鲁门总统立即举行三强会议。

目前诚然是一个严重的危机，但这危机的性质不是因为什么互相之间什么信心的平均缺乏，而是因为有些人硬要推行"原子弹的民主"；这种迷梦不醒，信心的危机是无从克服的，因为原子弹把某一些人的信心太膨胀了，他们以为旁人已经完全失去了信心。事实上，原子弹所给与某一些人的信心可能是很强，全世界千千万万人民大众的衷心支持所给与人的信心还要强；那才真是动天地泣鬼神的集体主义的伟大信心。

三强会议无从召开，联合国会议就能解决问题了吗？二十九日杜鲁门总统说：

“余不赞成召开任何特殊会议，但愿见联合国机构三月内之工作。”据云，杜鲁门总统对联合国组织开始为国际和平与安全而工作，极具“信心”。

现在我们要指出的是危机已经动摇了联合国组织。

十一月二十三日从美加归来的英首相阿特里在下院做了一次关于华府会议的报告；同日英外相贝文对于当前的英国外交政策也有所说明。

阿特里的报告一方面强调禁止使用原子弹为战争武器之重要，但另一方面又说“如欲致力禁止使用原子弹，任何努力均将如中世纪禁止使用火药一样失败”；总而言之，干脆一句话：要我不用，你得屈膝。但值得注意的还不是这已成滥调的隐藏着的恐吓，而是贝文的外交报告。贝文说：一、三强团结诚然重要，但英国外交不一定要以三强为基础；二、大家要坦白相处；三、深信：“联合国之组织乃奠定国际安全之工具，英国准备增强联合国之力量，并愿见此新组织继续发展为真正之世界议会（政府），有国际法律为其支柱，有世界警察强制执行世界法律。”

怎样加强呢？在这里，艾登补充了贝文。

艾登在同一天的议会提出两点：

一、建议取消常任理事国——强国的否决权。

二、建议由于原子弹的出现，联合国大会应设小组委员会，对《联合国宪章》加以必要的修改。他这两点提议从一个基本概念出发：由于原子弹的出现，旧日关于国家主权的概念必须纠正（英国正在用飞机和大炮"纠正"着印度尼西亚人民那种过了时的对于他们的国家主权的观念）。

取消强国否决权，修改联合国宪章，否定国家主权，成立世界议会——这是什么意思呢？没有任何别的意思，那就是要把联合国组织转变成为一个反苏反共反人民的世界机构；它的名义是加强联合国，但实际是取消联合国；名义是世界民主，实际是一国（或两国）独裁；名义是天下一家，实际是一家天下。

这就是联合国目前所遭遇到的潜在的，但是严重的危机。五十二国组成的联合国筹委会正在伦敦开会（十一月二十四日电），这危机终久是——在目前纵不，在明年正月初的大会中要爆发的。

以上所述就是原子弹会议投射在这一个世界每一个角落上的巨大而沉重的阴影；这一个世界正在经历着一个胜利与和平之间的全面危机。

我们深信原子弹的恐吓是绝不能改变这世界确定了的民主面目与和平前途的；苏联的态度是明确而坚定的：信守国际约章，绝不挑衅，但亦绝不在任何暴力之前低头。全世界民主力量的态度同样是明确而坚定的：争取合理的和平与民主，绝不挑衅，但亦绝不在任何暴力之前低头。但必须指出，这危机是严重的。不要空谈第三次世界战争不可能；要使第三次世界战争真正不可能只有靠全世界所有爱好和平民主的国家和人民的斗争，和平是不会自动到来的。

我们号召为保卫世界和平而斗争。这不是一个空洞的号召，在全世界的所有各地，每一件为民主取得的胜利，就是为和平而取得的胜利。争民主的斗争就是为和平的斗争。

（十一月三十日）

一年来美国的对华政策

愤怒

恼羞成怒，赫尔利决心控诉旁人；控诉旁人的结果落了空，控诉者控诉了自己，这就是赫尔利事件最近一月内演变的轮廓。

必须对赫尔利提起严重的控诉，这并不是一件打落水狗的快意事，因为赫尔利虽然落了水，赫尔利的政策还在中国平原上肆无忌惮地吃人，被吃的中国人民有充分的权利向赫尔利提出控诉，并要求美政府迅速而彻底的纠正赫尔利这种错误的政策。

和希腊喜剧中的人物一样，赫尔利的恼羞成怒是在他爬上了得意忘形的最高峰，碰到了强大的阻力之后。九月底赫尔利从重庆回国，据我们从美国报纸上获悉，当时他是内定辞职的，而且据一位专栏作家说国务院连继任的人选都决定了。但到了华盛顿他拿出了国民党反动派认为他是中国“真实伟大的友人”，一定要留他的要求，他才继续留任的。这就造成了他得意忘形的资本，“手执钢鞭将你打”，我是“中国真实伟大的友人”，你们不赞成我参加中国内战的政策，你们可奈我何？

因此到了上月中，尽管美国人民反对在华美军参加中国内战的浪潮激荡在大西洋岸和太平洋岸之间，赫尔利还是安然自得地准备动身回任。十一月十四日，他在圣他裴牧场发表了一篇谈话，这算是他的起身炮，胡说些什么呢？中国共产党要夺取国民党的政权。这里不同赫尔利枉费唇舌，仅需问，他为什么讲出这种话呢？暗示：美国非参加中国国民党的内战不可。但这止于暗示，他的冠冕堂皇的话还是“协助受降”，他说“协助受降”是中美共同对日作战的一部分。赫尔利还是有保留的。

起身炮一响，赫尔利的得意忘形便一发不可收拾。

十一月十六日，美著名的帝国主义者鲁斯的反动刊物生活杂志，发表了一篇最露骨最反动的文章，题目叫做《中国，什么是和平的代价》。它信口开河地说：目前美国对华政策的中心内容，是协助“中国”完成“独立”与“统一”；所谓“中国”其实就是中国四万万人口中极少数的国民党反动派所代表的大地主和大买办；所谓“独立”其实就是反苏；所谓“统一”其实就是反共反人民；干脆的说，美国的对华政策应该是帮助国民党反动派进行反共反人民的内战，以便和国民党反动派结成一条反苏战线，发动第三次世界战争。根据这种理论，自然所谓“协助受降”的口实也就没有必要了,《生活》杂志毫不掩饰地要求平津青岛的美军不要急于回家，他们在华任务的完成还长远得很呢。

丧尽民族天良的国民党反动派，为这一篇如此露骨的反动文章捧场，原是不足怪的。但得意忘形的赫尔利，居然在十一月二十日的《纽约太阳报》以广告地位写了一篇短文，热烈地推荐这篇文章，全面地肯定了鲁斯的意见。正如同《生活》杂志一样，在这里，赫尔利已不觉得再有强调“协助受降”这一事实的必要了。一言以蔽之，无条件无限期的参加国民党反人民反民主的内战，就是美国的对华政策。

这是赫尔利得意忘形的最高峰。

自然不能说赫尔利完全不知道美国人民反对他的意见。正因为他知道，所以他又来了一套以退为进的把戏。二十六日，他面向贝尔纳斯呈请辞职，一面又向朋友表示他即将返华；他以为他这一辞，贝尔纳斯那一留，国民党反动派再来个把电报把他一拉，他不仅可以更有把握的返华继续他的错误政策，而且对于反对他的广大的民主人士，又可手举钢鞭，口中高唱"手执钢鞭将你打"了！

生活中最得意忘形的时候，往往是最容易跌倒的时候，这一定律对于赫尔利亦非例外。十一月二十七日，美新进民主党议员台拉西等，在国会中对赫尔利的对华政策加以刺骨的抨击；他们要问一个究竟：究竟魏德迈根据什么职权，竟借口美军列车被袭击，要对中国一个无名的乡村施行轰炸？这是美国人民的声音。恼羞成怒，于是赫尔利在发表一个语无伦次的声明之后，忿而辞职。从一九四四年十一月初到一九四五年十一月底，赫尔利任美国驻华大使期间差不多是整整的一年。

常言道。酒后吐真情，这里是怒后吐真情。赫尔利的二十七日声明究竟讲出些什么新东西没有呢？没有，十六日《生活》杂志弯弯曲曲地写着的，赫尔利都坦坦白白地讲出来了。所不同者，《生活》杂志还没有说出反英，反法，而赫尔利连英法荷比……都一股脑儿反起来了。根据一定原则去理解赫尔利的声明，会感觉他不知所云；但事实上，那声明是毫无原则的，有的尽是私心——反动帝国主义者的私心加上赫尔利妄自尊大的私心。

这样一块不可雕的朽木，聪明的反动分子是绝不会再利用他，而将他弃之如敝屣的。但美国竟有一批糊涂的反动分子坚持他到参院外委会去报告，好，来报告吧！报告的经过（十二月五、六、七、十、十一日）和结果，读者们已从近日的新闻中看到，这里不再赘说。但请读者们把他的六日报告翻出来再看一下。他在那里一方面提到伊朗问题，说伊朗的宪兵不够（因为缺少了一位赫尔利）；一方面又提到中苏关系，吞吞吐吐地说苏联有破坏中国领土行政完整之嫌。把这两个问题，连在一起，是什么意思呢？一、二月来，我们就不断看到反动分子想扩大伊朗事件和东北问题，作为两大反苏前哨战的迹象，这阴谋居然由赫尔利自己暴露出来了。怪不得赫尔利“第三次世界大战在形成”中，原来他自己正在和国民党反动派在这反苏的东翼上加工制造战争啊！

一年间

赫尔利说，他所执行的是罗斯福总统的政策，不是他自己的政策；美国的民主人士说，赫尔利所执行的是他自己的政策，他违背了罗斯福的政策。

我们赞成后一说。赫尔利违背了罗斯福总统的政策，他所执行的是他自己和他的朋友的政策，他对中国的内战负有历史的责任。他不仅促成国民党的内战，而且把美国的军队拖下中国的内战血海。他在得意忘形的最高峰，竟宣称参加中国的内战，就是罗斯福的政策。这污蔑了罗斯福的英名，歪曲了历史的真相，不可不辩。

一年前，当赫尔利继前大使高思之后受任为驻华大使的时候，那真是危难之际，赫尔利的受命可谓受命于危难之秋。在他就任大使之前，赫尔利是作为罗斯福总统的私人代表，早在去年九、十月间来华的。从所有一切已发表的材料中，我们知道罗斯福给他的使命是很清楚的，一般的说是：一、加强中国抗战力量；二、促成国共两党的团结，特别是在军事努力上的团结。为了达成这目标，罗斯福总统在最初主张任命史迪威为中国战场盟军总司令。有确定的材料证明：史迪威将军在去年十月底的辞职，不仅是被国民党反动派所压迫，而且也是为赫尔利将军所促成，他很得意二星将军居然能赶走一位四星将军。

不过，这时还可以说那是因为赫尔利上了国民党反动派的当，但证之于以后的发展，这种解释就是不够的了。

去年十一月初，由于当时国内战场形势的危急，赫尔利携带了罗斯福总统关于国共两党团结作战的方案访问延安；这一个方案略加修正后，赫尔利就作为罗斯福的代表在上面签了字。从这一个方案中，我们才第一次获知罗斯福总统对华政策的全貌。由于这一个方案遭受到国民党反动派的不断的阻挠和反对，十一月初开始的国共谈判到了今年二月中就宣告了停顿，我们在这里不追究国民党反动派之所以坚不放弃一党独裁的原因，因为这有一点像是内幕新闻的性质，无从征信。但这以后的发展说明了这原因是不必他求的。

这新发展的表面化，在今年四月二日赫尔利在华盛顿所发表的谈话里。在那里，他公开抨击中国共产党领导下的人民武装，他忘记了同盟国家的神圣任务是加强所有武装力量击败共同敌人，他反而说中国共产党是一个武装的政党，共产党的武装不解除，中国无从统一。这完全是为国民党反动派张目的混乱论调。想一想，国民党反动派有了这么一位“真实伟大的友人”，他们会同意那最初由罗斯福总统提出的团结方案吗？

这样，从十一月到二月的三个月中，罗斯福总统的政策实际就由赫尔利——魏德迈所推翻了。罗斯福总统在二月中的雅尔达会议里，还主张武装中国敌后的游击部队；但在同一个二月中，魏德迈在重庆已扬言不能装备任何非国民党的部队了；四月初，赫尔利就说武装中国共产党就等于承认中共是一个交战团体了。罗斯福的政策是促进国共的团结，但赫尔利所执行的却是促使国民党固执一党独裁，致使一度有望的国共谈判又告破裂。

近在去年十一月十六日魏德迈还在重庆对记者说，中国对于最后反攻的贡献，要看中国政府能否和中共妥协；为什么到了今年二月中他竟有如上的表示呢？很简单，去年十一月，无论在欧洲或是中国战场，同盟国的形势都是很不顺利的；到了二月中，欧洲有苏军反攻之胜，太平洋美军有菲岛之胜，而在中国，敌人的攻势停顿下来了。以前急需中国人民帮忙的，现在需要不急了。需要时，你是抗敌的中坚；不需要时，你是武装的政党：但请问：武装为了抗敌，武装究竟有什么不好？

赫尔利说中国共产党会经要求过租借物资，这是彻头彻尾的撒谎。我们虽然是主张租借物资应该公平装备所有的抗敌力量，但我们不曾向美国政府的任何机关正式提出过这一类的要求，我们无从反对美国片面地装备国民党的部队，但我们反对有目的地把它装备起来，不打外战，打内战。

但在四月至八月日本投降以前的这一段时间中，赫尔利和魏德迈所做的都正是武装国民党打内战。赫尔利和魏德迈的政治和军事政策，不可避免地要促成国民党的内战，而内战自五月以来就在全国各地陆续发生，到了六、七月大规模地展开了。魏德迈起初否认租借物资曾被国民党用之于内战，并公开说他将竭力阻止其被利用；但当美国武器被我们虏获，铁的事实不能用外交的言词抵赖的时候，他又说，他不能阻止已交于国民党的武器用于内战了。

罗斯福总统的政策是加强中国的所有抗敌力量，赫尔利所执行的政策，却是促成中国一部分的抗敌力量去打击另一部分抗敌力量，如此而互相抵消，削弱了中国的全部抗敌力量；他所加强的不是打日本的中国抗敌力量，而是屠杀抗敌力量的国民党反动派的力量。从哪一个观点可以说这种政策就是罗斯福的政策？

自然，罗斯福总统在四月十二日不幸逝世了，有很多事无从对证了；但罗斯福总统的政策不是这样容易修改的。只需一读他临终四十天前，三月二日，他和名记者史诺关于国共关系的一篇谈话，就可以晓得赫尔利说他所执行的政策就是罗斯福的政策是何等大的欺骗！

若问赫尔利对于罗斯福的政策为何胆敢如此倒行逆施？回想起几个重大的日子就可明了了：四月十二日罗斯福死，五月初欧战结束，五、六月间太平洋有琉球之胜，中国战场的敌人已确定的转入守势，美国国内主张用海空军独力解决日本之声渐呈优势……假如在二、三月间，已有人觉得击败日本已无需中国人民武装的合作，这时这需要从他们看来自然是更加减少了。

中国人民的力量是从艰苦的自力更生中壮大的。我们希望友邦的援助，但没有援助，我们还是自信能对共同事业尽我们的一份力量。我们抗议赫尔利和魏德迈把租借物资供给国民党打内战，但对于为了击败共同敌人而来华作战的美军，我们还是由衷地欢迎，并尽可能地与之合作。

但赫尔利从逐步破坏罗斯福总统政策并发展成为它的对立物的时候，不在罗斯福已死但日本未降之前，而是在罗斯福既死，日本又降之后。

这是有目共睹的铁的事实。

八、九月间在华美军用“空运”去帮助国民党发动内战。

九、十月间，美国海军陆战队用“登陆”去援助国民党进行内战。

十月份起，美国海军陆战队直接间接地参加了国民党的内战。

空运时，我们一声不响，登陆时，我们止于劝告，但任何一个民族的忍耐是有限度的，我们的抗议不是根据什么莫须有的猜测，而是根据美国士兵手中的枪打在我们自己身上流出来的血啊！

赫尔利说：在华美军是来“协助受降”的。请问赫尔利：今天，就是现在，限期解除所有日军武装究竟有什么困难？假如说，运送回国，船只不够，请问运送日俘回国的船只难道不是因为要供应五万三千海军陆战队而减少，倒反是增加了吗？难道运送回国的非军事性工作一定要军队才能做吗？

希望

这就是一年来赫尔利的政策怎样一步步地脱离罗斯福政策的方向，而最后转变为它的对立物的道路。这不过是短短十二个月的时间，然而这是一条血迹斑斑的道路。将来的历史家一定会把赫尔利的名字，和中国极少数的大买办和大地主向保卫民主权利的千百万中国人民所发动的内战——二十世纪最黑暗的一段历史联系在一起。没有一个雄辩家能洗清他这一身污秽；虽未“盖棺”，他的历史地位已经“论定”了。

现在，赫尔利已经辞职，新任驻华大使马歇尔元帅虽尚未到，但美总统杜鲁门与国务卿贝尔纳斯关于美国的对华政策，已有了比较明确的说明；特别是贝尔纳斯本月七日在参院外委会中的书面声明。在那里，他指出美国对华政策的远大目标是协助中国建立一个“强大团结与民主”的国家；他肯定美国的政策是同情和协助蒋介石政府，但认为蒋介石政府有扩大其基础之必要，而为达成此目的，美国运用其影响的方向在使中国政府、共产党和其他方面都能让步。在原则上，我们同意这些方针，但必须着重指出，当美军继续在“协助受降”的名义下参加国民党的内战的实际情况下，这只是一些空话。为使得这些本身正确的原则见诸实行，绝不可少的前提条件是，在华美军立即停止参加内战，并在中国国内团结真正实现前，停止对国民党政府一切军事性的援助。你不能一方面给他可以打内战的援助，另一方面叫他不打那有了援助一定打的内战；这不是非常清楚的逻辑吗？赫尔利走了，但只有这样，才能真正堵住赫尔利“重来”的后门；更何况赫尔利的人虽走，他政策的后果还在？

（十二月十五日）

附　录

联合国宪章

序文

我联合国人民同兹决心，欲免后世再遭今代人类两度身历惨不堪言之战祸，重申基本人权，人格尊严与价值，以及男女与大小各国平等权利之信念，创造适当环境，俾克维持正义，尊重由条约与国际法及其他渊源而起之义务，久而弗懈，促成大自由中之社会进步及较善之民生。

并为达此目的，力行容恕，彼此以善邻之道，和睦相处，集中力量，以维持国际和平及安全。

接受原则，确立方法，以保证非为公共利益，不得使用武力，运用国际机构，以促成全球人民经济及社会之进展。

用是发愤立志，务当同心协力，以竟厥功，爰由我各本国政府，经齐集金山市之代表，各将所奉全权证书，互相校阅，均属妥善，议定本联合国宪章，并设立国际组织，定名联合国。

第一章　宗旨及原则

第一条　联合国之宗旨为：

一、维持国际和平及安全；并为此目的，采取有效集体办法，以防止且消除对于和平之威胁，制止侵略行为或其他和平之破坏，并以和平方法且依正义及国际之原则，调整或解决足以破坏和平之国际争端或情势。

二、发展国际间以尊重人民平等权利及自决原则为根据之友好关系，并采取其他适当办法，以增强普遍和平。

三、促成国际合作，以解决国际间属于经济，社会，文化及人类福利性质之国际问题，且于全体人类之人权及基本自由之尊重。

四、构成一协调各国行动之中心，以达成上述共同目的。

第二条　为求实现第一条所述各宗旨起见，本组织及其会员国应遵行下列原则：

一、本组织系基于各会员国主权平等之原则。

二、各会员国应一秉善意，履行其依本宪章所担负之义务，以保证全体会员国由加入本组织而发生之权益。

三、各会员国应以和平方法解决其国际争端，俾免危及国际和平，安全及正义。

四、各会员国在其国际关系上不得使用威胁或武力，或以与联合国宗旨不符之任何其他方法，侵害任何会员国或国家之领土完整或政治独立。

五、各会员国对于联合国，依本宪章规定而采取之行动，应尽力予以协助，联合国对于任何国家正在采取防止或执行行动时，各会员国对该国不得给予协助。

六、本组织在维持国际和平及安全必要范围内，应保证非联合国会员国遵行上述原则。

七、本宪章不得认为授权联合国干涉在本质上属于任何国家国内管辖之事件，且并不要求会员国将该项事件依本宪章提请解决，但此项原则不妨碍第七章内执行办法之适用。

第二章　会员

第三条　凡曾经参加旧金山联合国国际组织会议或前曾签字于一九四二年一月一日联合国宣言之国家，签订本宪章，且依宪章第一百一十条规定而予以批准者，均为联合国之创始会员国。

第四条

一、凡其他爱好和平之国家，接受本宪章所载之义务，经本组织认为确能并愿意履行该项义务者，得为联合国会员国。

二、准许上述国家为联合国会员国，将由大会经安全理事会之推荐以决议行之。

第五条　联合国会员国，业经安全理事会对其采取防止或执行行动者，大会经安全理事会之建议，得停止其会员权利及特权之行使，此项权利及特权之行使，得由安全理事会恢复之。

第六条　联合国之会员国中，有屡次违犯本宪章所载之原则者，大会经安全理事会之建议，得将其由本组织除名。

第三章　机关

第七条

一、兹设联合国之主要机构如下：

大会，安全理事会，经济暨社会理事会，托管理事会，国际法院及秘书处。

二、联合国得依本宪章设立认为必需之辅助机关。

第八条　联合国对于男女均得在其主要及辅助机关在平等条件之下，充任任何职务，不得加以限制。

第四章　大会

组织

第九条

一、大会由联合国所有会员国组织之。

二、每一会员国在大会之代表，不得超过五人。

职权

第十条　大会得讨论本宪章范围内之任何问题或事项，或关于本宪章所规定任何机关之职权，并除第十二条所规定外，得向联合国会员国或安全理事会或兼向两者提出对各该问题或事项之建议。

第十一条

一、大会得考虑关于维持国际和平及安全之合作之普通原则，包括军缩及军备管制之原则，并得向会员国安全理事会或兼向两者提出对于该项原则之建议。

二、大会得讨论联合国任何会员国或安全理事会或非联合国会员国依第三十五条第二项之规定向大会所提关于维持国际和平及安全之任何问题，除第十二条所规定外，并得向会员国或安全理事会或兼向两者提出对于各项问题之建议，凡对于需要行动之各该项问题，应由大会于讨论前或讨论后提交安全理事会。

三、大会对于足以危及国际和平与安全之情势，得提请安全理事会注意。

四、本条所载之大会权力并不限制第十条之概括范围。

第十二条

一、当安全理事会对于任何争端或情势，正在执行本宪章所授予该会之职务时，大会非经安全理事会请求，对于该项争端或情势，不得提出任何建议。

二、秘书长经安全理事会之同意，应于每次大会会议时，将安全理事会正在处理中关于国际和平及安全之任何事件，通知大会，于安全理事会停止处理该项事件时，亦应立即通知大会，或在大会闭会期内通知联合国会员国。

第十三条

一、大会应发动研究，并作成建议：

（子）以促进政治上之国际合作，并提倡国际法之逐渐发展与编纂。

（丑）以促进经济社会文化教育及卫生各部门之国际合作，且不分种族性别语言宗教，助成全体人类之人权及基本自由之实现。

二、大会关于本条第一项（丑）款所列事项之其他责任及职权，于第九章及第十章中规定之。

第十四条　大会对于所有认为足以妨害国际间公共福利或友好关系之任何情势，不计其起原如何，包括由违反本宪章所载联合国之宗旨及原则而起之情势，得建议和平调整办法，但以不违背第十条之规定为限。

第十五条

一、大会应接收并审查安全理事会所送之常年及特别报告，该项报告应载有安全理事会对于维持国际和平与安全所已决定或采行办法之陈述。

二、大会应收受并审查联合国其他机关所送之报告。

第十六条　大会应执行第十二章及第十三章所授予关于国际托管制度之职务，包括关于非战略防区托管协定之核准。

第十七条

一、大会应审本组织之预算。

二、本组织之经费应由各会员国依大会分派负担。

三、大会应审查核经与第五十七条所指各种专门机关订定之任何财政及预算办法，并应审查该项专门机关之行政预算，以便向关系机构提出建议。

投票

第十八条

一、大会之每一会员国，应有一个投票权。

二、大会之对于重要问题之决议厅以到会及投票之会员国三分之二之多数决定之。此项问题应包括：关于维持国际和平及安全之建议，安全理事会非常任理事国之选举，经济暨社会理事会理事国之选举，依第八十六条第一项（寅）款所规定托管理事会理事国之选举，对于新会员国加入联合国之准许，会员国权利及特权之停止，会员国之除名，关于施行托管制度之问题，以及预算问题。

三、关于其他问题之决议包括另有何种事项应以三分之二之多数决定之问题，应以到会及投票之会员国过半数决定之。

第十九条　凡拖欠本组织财政款项之会员国，其拖欠数目如等于或超过前两年所应缴纳之数目时，即丧失其在大会投票权，大会如认拖欠原因确由于该会员无法控制之情形者，得准许该会员国投票。

程序

第二十条　大会每年应举行常会，并于必要时，举行特别会议，特别会议由秘书长经安全理事会或联合国会员国过半数之请求召集之。

第二十一条　大会应自行制定其议事规则，大会应选举每次会议之主席。

第二十二条　大会得设立其认为于行使职务所必需之辅助机关。

第五章　安全理事会

组织

第二十三条

一、安全理事会以联合国十一会员国组织之，中华民国、法兰西、苏维埃社会主义共和国联邦、大不列颠及北爱尔兰联合王国、美利坚合众国，应为安全理事会常任理事国，大会应选举联合国其他六会员国为安全理事会非常任理事国，选举时首宜充分斟酌联合国各会员国于维持国际和平与安全及本组织其余各宗旨上之贡献，并宜充分斟酌地域上之公匀分配。

二、安全理事会非常任理事国任期定为二年，但第一次选举非常任理事国时，其中三者之任期应为一年，任满之理事国，不得即行连选。

三、安全理事会每一理事国应有代表一人。

职权

第二十四条

一、为保证联合国行动迅速有效起见，各会员国将维持国际和平及安全之主要责任，授予安全理事会，并同意安全理事会于履行此项责任下之职务时，即系代表各会员国。

二、安全理事会于履行此项职务时，应遵照联合国之宗旨及原则，为履行此项职务而授予安全理事会之特定权力，于本宪章第六章，第七章，第八章，及第十二章内规定之。

三、安全理事会应将常年报告，并于必要时将特别报告，提送大会审查。

第二十五条　联合国会员国同意依宪章之规定接受并履行安全理事会之决议。

第二十六条　为促进国际和平及安全之建立及维持，以尽量减少世界人力经济资源之消耗于军备起见，安全理事会借第四十七条所指之军事参谋团之协助，应负责拟具方案，提交联合国会员国，以建立军备管制制度。

投票

第二十七条

一、安全理事会每一理事国应有一个投票权。

二、安全理事会关于程序事项之决议，应以七理事国之可决票表决之。

三、安全理事会对于其他一切事项之决议，应以七理事国之可决票，包括全体常任理事会之同意票表决之。但对于第六章第三十二条第三项内各事项之决议，争论当事国不得投票。

第二十八条

一、安全理事会之组织应以使其能继续不断行使职务为要件，为此目的安全理事会之各理事国应有常驻本组织会所之代表。

二、安全理事会应举行定期会议，每一理事国认为合宜时得派政府大员或其他特别拟定之代表出席。

三、在本组织会所以外，安全理事会得在认为最能便利其工作之其他地点举行会谈。

第二十九条　安全理事会得设立其认为于行使职务所必需之辅助机关。

第三十条　安全理事会应自行制定其议事规则，包括其推选主席之方法。

第三十一条　在安全理事会提出之任何问题，经其认为对于非安全理事会理事国之联合国任何会员国之利益有特别关系时，该会员国得参加讨论，但无投票权。

第三十二条　联合国会员国而非为安全理事会之理事国，或非联合国会员国之国家，如于安全理事会考虑中之争端为当事国者，应被邀参加关于该项争端之讨论，但无投票权，安全理事会应规定其所认为公平之条件，以便非联合国会员国之国家参加。

第六章　争端之和平解决

第三十三条

一、任何争端之当事国，于争端之继续存在足以危及国际和平与安全之维持时，应尽先以谈判，调查，调停，和解，公断，司法解决，区域机关或区域办法之利用，或各该国自行选择之其他和平方法，求得解决。

二、安全理事会认为必要时，应促请各当事国以此项方法解决其争端。

第三十四条　安全理事会得调查任何争端，或可能引起国际摩擦或惹起争端之任何情势，以断定该项争端或情势之继续存在是否足以危及国际和平与安全之维持。

第三十五条

一、联合国任何会员国得将属于第三十四条所指定之性质之任何争端或情势，提请安全理事会或大会注意。

二、非联合国会员国之国家如为任何争端之当事国时，经预先声明，就该争端而言，接受本宪章所规定和平解决之义务后，得将该项争端提请大会或安全理事会注意。

三、大会关于按照本条所提请注意事项之进行步骤，应遵守第十一条及第十二条之规定。

第三十六条

一、属于第三十三条所指之性质之争端或相似之情势，安全理事会在任何阶段，得建议适当程序或调整方法。

二、安全理事会对于当事国为解决争端业经采取之任何程序，应予以考虑。

三、安全理事会按照本条作成建议时，同时理应注意凡具有法律性质之争端，在原则上，理应由当事国依国际法院规约之规定提交国际法院。

第三十七条

一、属于第三十三条所指之性质之争端，当事国如未能依该条所示方法解决时，应将该项争端提交安全理事会。

二、安全理事会如认为该项争端之继续存在，在事实上足以危及国际和平与安全之维持时，应决定是否当依第三十六条采取行动或建议其所认为适当之解决条件。

第三十八条　安全理事会如经所有争端当事国之请求，得向各当事国作成建议，以求争端之和平解决，但以不妨碍第三十三条至第三十七条之规定为限。

第七章　对于和平之威胁和平之破坏及侵略行为之应付方法

第三十九条　安全理事会应断定任何和平之威胁，和平之破坏，或侵略行为之是否存在，并应作成建议，或抉择依第四十一条及第四十二条规定之办法，以维持或恢复国际和平及安全。

第四十条　为防止情势之恶化，安全理事会在依第三十九条规定作成建议或决定办法以前，得促请关系当事国遵行安全理事会所认为必要或合宜之临时办法，此项临时办法并不妨碍关系当事国之权利，要求或立场。安全理事会对于不遵行此项临时办法之情形，应予适当注意。

第四十一条　安全理事会得决定所应采武力以外之办法，以实施其决议，并得促请联合国会员国执行此项办法。此项办法得包括经济关系，铁道、海运、航空、邮、电、无线电及其他交通工具之局部或全部停止，以及外交关系之断绝。

第四十二条　安全理事会如认为第四十一条所规定之办法为不足或已经证明为不足时，得采取必要之空海陆军行动，以维持或恢复国际和平及安全，此项行动得包括联合国会员国之空海陆军示威，封锁及其他军事举动。

第四十三条

一、联合国各会员国为求对于维持国际和平及安全有所贡献起见，担任于安全理事会发令时，并依特别协定，供给为维持国际和平及安全所必需之军队协助及便利，包括过境权。

二、此项特别协定应规定军队之数目及种类，其准备程度及一般驻扎地点，以及所供便利及协助之性质。

三、此项特别协定应以安全理事会之主动，尽速议订。此项协定应由安全理事会与会员国或由安全理事会与若干会员国之集团缔结之，并由签字国各依其宪法程序批准之。

第四十四条　安全理事会决定使用武力时，于要求安全理事会会员国依第四十三条供给军队以履行其义务之前，如经该会员国请求应请其遣派代表，参加安全理事会关于使用其军事部队之决议。

第四十五条　为使联合国能采取紧急军事办法起见，会员国应将其本国空军部队为国际共同执行行动随时供给调遣。此项部队之实力与准备之程度，及其共同行动之计划，应由安全理事会以军事参谋团之协助，在第四十三条所指之特别协定范围内决定之。

第四十六条　武力使用之计划，由安全理事会以军事参谋团之协助决定之。

第四十七条

一、兹设立军事参谋团，以便对于安全理事会维持国际和平及安全之军事需要问题，对于受该会所支配军队之使用及统率问题，对于军备之管制及可能之军缩问题，向该会贡献意见并予以协助。

二、军事参谋团应由安全理事会各常任理事国之参谋总长或其代表组织之联合国任何会员国在该团未有常任代表者，如于该团责任之履行在效率上必需该团参加其工作时，应由该团邀请参加。

三、军事参谋团在安全理事会权力之下，对于受该会所支配之任何军队，负战略上之指挥责任，关于该项军队之统率问题，应待以后处理。

四、军事参谋团，经安全理事会之授权，并与区域内有关机关商议后，得设立区域分团。

第四十八条

一、执行安全理事会为维持国际和平及安全之决议所必要之行动，应由联合国全体会员国或由若干会员担任之，一依安全理事会之决定。

二、此项决议应由联合国会员国以其直接行动及经其加入为会员之有关国际机关之行动履行之。

第四十九条　联合国会员应通力合作，彼此协助，以执行安全理事会所决定之办法。

第五十条　安全理事会对于任何国家采取防止或执行办法时，其他国家，不论其是否为联合国会员国，遇有因此项办法之执行而引起之特殊经济问题者，应有权与安全理事会会商解决此项问题。

第五十一条　联合国任何会员受武力攻击时，在安全理事会采取必要办法，以维持国际和平及安全以前，本宪章不得认为禁止行使单独或集体自卫之自然权利，会员国因行使此项自卫权而采取之办法，应立向安全理事会报告，此项办法于任何方面不得影响该会按照本宪章随时采取其认为必要行动之权责，以维持或恢复国际和平或安全。

第八章　区域办法

第五十二条

一、本宪章不得认为排除区域办法或区域机关，用以应付关于维持国际和平或安全而宜于区域行动之事件者；但以此项办法或机关及其工作与联合国之宗旨及原则符合者为限。

二、缔结此项办法或设立此项机关之联合国会员国，将地方争端提交安全理事会以前，应依该项区域办法，或由该项区域机关，力求和平解决。

三、安全理事会对于依区域办法或由区域机关而求地方争端之和平解决，不论其系由关系国主动，或由安全理事会提交者，应鼓励其发展。

四、本条绝不妨碍第三十四条及第三十五条之适用。

第五十三条

一、安全理事会对于职权内之执行行动，在适当情形下，应利用此项区域办法或区域机关，如无安全理事会之授权，不得依区域办法或由区域机关采取任何执行行动；但关于依第一百零七条之规定对付本条第二项所指定之任何敌国之步骤，或在区域办法内所取防备此等国家再施其侵略政策之步骤，截至本组织经各关系政府之请求，对于此等国家之再次侵略，能担负防止责任时为止，不在此限。

二、本条第一项所称敌国系指第二次世界大战中为本宪章任何签字国之敌国而言。

第五十四条　关于维持国际和平及安全起见，依区域办法或由区域机关所已采取或正在考虑之行动，不论何时应向安全理事会充分报告之。

第九章　国际经济及社会合作

第五十五条　为造成国际间以尊重人民平等权利及自决原则为根据之和平友好关系所必要之安定及福利条件起见，联合国应促进：（一）较高之生活程度，全民就业，及经济与社会进展。（二）国际间经济、社会、卫生及有关问题之解决；国际间文化及教育合作。（三）全体人类之人权及基本自由之普遍遵守与尊重，不分种族、性别、语言或宗教。

第五十六条　各会员国担允采取共同及个别行动与本组织合作，以达成第五十五条所载之宗旨。

第五十七条

一、由各国政府间协定所成立之各种专门机关，依其组织之约章之规定，于经济、社会、文化、教育、卫生，及其他有关部门负有广大国际责任者，应依第六十三条之规定使与联合国发生关系。

二、上述与联合国发生关系之各专门机关，以下简称专门机关。

第五十八条　本组织应作成建议，以调整各专门机关之政策及工作。

第五十九条　本组织应于适当情形，发动各关系国间之谈判，以创设为达成第五十五条规定宗旨所必要之新专门机关。

第六十条　履行本章所载本组织职务之责任，属于大会及大会权力下之经济暨社会理事会。为此目的，该理事会应有第十章所载之权力。

第十章　经济暨社会理事会

组织

第六十一条

一、经济暨社会理事会由大会选举联合国十八会员国组织之。

二、除第三项所规定外，经济暨社会理事会每年选举理事六国，任期三年，任满之理事国得即行连选。

三、第一次选举时，经济暨社会理事会应选理事十八国，其中六国任期一年，另六国任期二年，一依大会所定办法。

四、经济暨社会理事会之每一理事国应有代表一人。

职权

第六十二条

一、经济暨社会理事会得作成发动关于国际经济社会、文化、教育、卫生及其他有关事项之研究及报告，并得向大会，联合国会员国，及关系专门机关，提出关于此种事项之建议案。

二、本理事会为增进全体人类之人权及基本自由之尊重及维护起见，得作成建议案。

三、本理事会得拟具关于其职权范围内事项之协约草案，提交大会。

四、本理事会得依联合国之规则召集本理事会职务范围以内事项之国际会议。

第六十三条

一、经济暨社会理事会得与第五十七条所指定之任何专门机关订立协定，订明关系专门机关与联合国发生关系之条件，该项协定须经大会之核准。

二、本理事会，为调整各种专门机关之工作，得与此种机关会商并得向其提出提议，并得向大会及联合国会员国建议。

第六十四条

一、经济暨社会理事会得取适当步骤，以取得专门机关之经常报告。本理事会得与联合国会员国及专门机关，商定办法，俾就实施本理事会之建议及大会对于本理事会职权范围内事项之建议所采之步骤，取得报告。

二、本理事会得将对于此项报告之意见提送大会。

第六十五条　经济暨社会理事会向安全理事会供给情报，并因安全理事会之邀请，予以协助。

第六十六条

一、经济暨社会理事会应履行其职权范围内关于执行大会建议之职务。

二、经大会之许可，本理事会得应联合国会员国或专门机关之请求，供其服务。

三、本理事会应履行本宪章他章所特定之其他职务，以及大会所授予之职务。

第六十七条

一、经济暨社会理事会每一理事国应有一个投票权。

二、本理事会之决议，应以到会及投票之理事国过半数表决之。

程序

第六十八条　经济暨社会理事会应设立经济与社会部门及以提倡人权为目的之各种委员会，并得设立于行使职务所必需之其他委员会。

第六十九条　经济暨社会理事会应请联合国会员国参加讨论本理事会对于该国有特别关系上之任何事件，但无投票权。

第七十条　经济暨社会理事会得商定办法使专门机关之代表无投票而参加本理事会及本理事会所设各委员会之讨论，或使本理事会之代表参加此项专门机关之讨论。

第七十一条　经济暨社会理事会得采取适当办法，俾与各种非政府组织会商有关于本理事会职权范围内之事件。此项办法得与国际组织商定之，并于适当情形下，经与关系联合国会员国会商后，得与该国国内组织商定之。

第七十二条

一、经济暨社会理事会应自行制定其议事规则，包括其推选主席之方法。

二、经济暨社会理事会应依其规则举行必要之会议。此项规则应包括因理事国过半数之请求而召集会议之条款。

第十一章　关于非自治领土之宣言

第七十三条　联合国各会员国，于其所负有或担承管理责任之领土，其人民尚未臻自治之充分程度者，承认以领土居民之福利为至上之原则，并接受在本宪章所建立之和平及安全制度下，以充量增进领土居民福利之义务为神圣之信托，且为此目的。

（子）于充分尊重关系人民之文化下，保证其政治、经济、社会及教育之进展，予以公平待遇，且保障其不受虐待。

（丑）按各领土及其人民特殊之环境，及其进化之阶级，发展自治，对各该人民之政治愿望，予以适当之注意，并助其自由政治制度之逐渐发展。

（寅）促进国际和平及安全。

（卯）提倡建设计划，以求进步，奖励研究，各国彼此合作，并于适当之时间及场合与专门国际团体合作，以求本条所载社会、经济及科学目的之实现。

（辰）在不违背安全及宪法之限制下，按时将关于各会员国分别负责管理领土之经济、社会及教育情形之统计及具有专门性质之情报，递送秘书长，以供参考本宪章第十二章及第十三章所规定之领土，不在此限。

第七十四条　联合国各会员国共同承诺对于本章规定之领土，一如对于本国区域，其政策必须以善邻之道为圭臬，并于社会、经济及商业上，对世界各国之利益及幸福，予以充分之注意。

第十二章　国际托管制度

第七十五条　联合国在其权力下，应设立国际托管制度，以管理并监督凭此后个别协定而置于该制度之领土。此项领土以下简称托管领土。

第七十六条　按据本宪章第一条所载联合国之宗旨，托管制度之基本目的应为：

（子）促进国际和平及安全。

（丑）增进托管领土居民之政治、经济、社会及教育之进展；并以适合各领土及其人民之特殊情形及关系人民自由表示之愿望为原则，且按照各托管协定之条款，增进其趋向自治或独立之逐渐发展。

（寅）不分种族、性别、语言或宗教，提倡全体人类之人权及基本自由之尊重，并激发世界人民互相维系之意识。

（卯）于社会、经济及商业事件上，保证联合国全体会员国及其国民之平等待遇，及各该国民于司法裁判上之平等待遇，但以不妨碍上述目的之达成，且不违背第八十条之规定为限。

第七十七条

一、托管制度适用于依托管协定所置于该制度下之下列各种类之领土：

（子）现在委任统治下之领土。

（丑）因第二次世界大战结果或将自敌国割离之领土。

（寅）负管理责任之国家自愿置于该制度下之领土。

二、关于上列种类中之何种领土将置于托管制度之下及其条件，为此后协定所当规定之事项。

第七十八条　凡领土已成为联合国之会员国者，不适用托管制度，联合国会员国间之关系，应基于尊重主权平等之原则。

第七十九条　置于托管制度下之每一领土之托管条款，及其更改或修正，应由直接关系各国，包括联合国之会员国而为委任统治地之受托国者，予以议定，其核准应依第八十三条及第八十五条之规定。

第八十条

一、除依第七十七条、第七十九条及第八十一条所订置各领土于托管制度下之个别托管协定另有议定外，并在该项协定未经缔结以前，本章任何规定绝对不得解释为以任何方式变更任何国家或人民之权利，或联合国会员国个别签订之现有国际约章之条款。

二、本条第一项不得解释为对于依第七十七条之规定而订置委任统治地或其他领土于托管制度下之协定，授以延展商订之理由。

第八十一条　凡托管协定均应载有管理领土之条款，并指定管理托管领土之当局，该项当局以下简称管理当局，得为一个或数个国家，或为联合国本身。

第八十二条　于任何托管协定内，得指定一个或数个战略防区，包括该项协定下之托管领土之一部或全部，但该项协定并不妨碍依第四十三条而订立之任何特别协定。

第八十三条

一、联合国关于战略防区之各项职务，包括此项托管协定条款之核准，及其更改或修正，应由安全理事会行使之。

二、第七十六条所规定之基本目的，适用于每一战略防区之人民。

三、安全理事会以不违背托管协定之规定且不妨碍安全之考虑为限，应利用托管理事会之协助，以履行联合国托管制度下关于战略防区内之政治、经济、社会及教育事件之职务。

第八十四条　管理当局有保证托管领土对于维持国际和平及安全尽其本分之义务。该当局为此目的得利用托管领土之志愿军，便利及协助，以履行该当局对于安全理事会所负关于此点之义务，并以实行地方自卫，且在托管领土内维持法律与秩序。

第八十五条

一、联合国关于一切非战略防区托管协定之职务，包括此项托管协定条款之核准及其更改或修正，应由大会行使之。

二、托管理事会于大会权力下应协助大会履行上述之职务。

第十三章　托管理事会

组织

第八十六条

一、托管理事会应由下列联合国会员国组织之：

（子）管理托管领土之会员国家。

（丑）第二十三条所列名之国家而现非管理托管领土者。

（寅）大会选举必要数额之非会员国，任期三年，俾使托管理事会理事之总数，于联合国会员国中之管理领土者及不管理者之间，得以平均分配。

二、托管理事会之每一理事国家派一特别合格之人员，以代表之。

职权

第八十七条　大会及在其权力下之托管理事会履行职务时得：

（子）审查管理当局所送之报告。

（丑）会同管理当局接受并审查请愿书。

（寅）与管理当局商定时间，按期视察各托管领土。

（卯）依托管协定之条款，采取上述其他行动。

第八十八条　托管理事会应拟定关于各托管领土居民之政治，经济，社会及教育进展之问题单，就大会职权范围内，各托管领土之管理当局应根据该项问题单向大会提出常年报告。

投票

第八十九条

一、托管理事会之每一理事国应有一个投票权。

二、托管理事会之决议应以到会及投票之理事国过半数表决之。

程序

第九十条

一、托管理事会应自行制定其议事规则，包括其推选主席之方法。

二、托管理事会应依其所定规则举行必要之会议。此项规则应包括关于经该会理事国过半数之请求而召集会议之规定。

第九十一条　托管理事会于适当时，应利用经济暨社会理事会之协助，并对于各关系事项，利用专门机关之协助。

第十四章　国际法院

第九十二条　国际法院为联合国之主要司法机关，应依所附规约执行其职务。该项规约系以国际常设法院之规约为根据，并为本宪章之构成部分。

第九十三条

一、联合国各会员国为国际法院规约之当然当事国。

二、非联合国会员国之国家得为国际法院规约当事国之条件，应由大会经安全理事会之建议就各别情形决定之。

第九十四条

一、联合国每一会员国为任何案件之当事国者，承诺遵行国际法院之判决。

二、遇有一造不履行依法院判决应负之义务时，他造得向安全理事会申述。安全理事会如认为必要时，得作建议或决定应采办法，以执行判决。

第九十五条　本宪章不得认为禁止联合国会员国依据现有或以后缔结之协定，将其争端托付其他法院解决。

第九十六条

一、大会或安全理事会对于任何法律问题得请国际法院发表咨询意见。

第十五章　秘书处

第九十七条　秘书处置秘书长一人及本组织所需之办事人员若干人。秘书长应由大会经安全理事会之推荐委派之。秘书长为本组织之行政首长。

第九十八条　秘书长在大会，安全理事会，经济暨社会理事会及托管理事会之一切会议，应以秘书长资格行使职务，并应执行各该机关所托付之其他职务。秘书长应向大会提送关于本组织工作之常年报告。

第九十九条　秘书长得将其所认为可能威胁国际和平及安全之任何事件，提请安全理事会注意。

第一百条

一、秘书长及办事人员于执行职务时，不得请求或接受本组织以外任何政府或其他当局之训示，并应避免足以妨碍其国际官员地位之行动。秘书长及办事人员专对本组织负责。

二、联合国各会员国承诺尊重秘书长及办事人员责任之专属国际性，决不设法影响其责任之履行。

第一百零一条

一、办事人员由秘书长依大会所定章程委派之。

二、适当之办事人员长期分配于经济暨社会理事会，托管理事会，并于必要时，分配于联合国其他之机关。此项办事人员构成秘书处之一部。

三、办事人员之雇用及其服务条件之决定，应以求达效率、才干及忠诚之最高标准为首要考虑。征聘办事人员事，于可能范围内，应充分注意地域上之普及。

第十六章　杂项条款

第一百零二条

一、本宪章发生效力后，联合国任何会员国所缔结之一切条约及国际协定应尽速在秘书处登记。

二、当事国对于未经依本条第一项规定登记之条约或国际协定，不得向联合国任何机关援引之。

第一百零三条　联合国会员国在本宪章下之义务与其依任何其他国际协定所负之义务有冲突时，其在本宪章下之义务应居优先。

第一百零四条　本组织于每一会员国之领土内，应享受于执行其职务及达成其宗旨所必需之法律行为能力。

第一百零五条

一、本组织于每一会员国之领土内，应享受于达成其宗旨所必需之特权及豁免。

二、联合国会员国之代表及本组织之职员，亦应同样享受于其独力行使关于本组织之职务所必需之特权及豁免。

三、为明定本条第一项及第二项之施行细则起见，大会得作成建议，或为此目的向联合国会员国提议协约。

第十七章　过渡安全办法

第一百零六条　在第四十三条所称之特别协定尚未

生效，因而安全理事会认为尚不得开始履行第四十二条所规定之责任前，一九四三年十月三十日在莫斯科签订四国宣言之当事国及法兰西应依该宣言第五项之规定，互相洽商，并于必要时，与联合国其他会员国洽商，以代表本组织采取为维持国际和平及安全宗旨所必要之联合行动。

第一百零七条　本宪章并不取消或禁止负行动责任之政府对于在第二次世界大战中本宪章任何签字国之敌国，因该次战争而采取或受权执行之行动。

第十八章　修正

第一百零八条　本宪章之修正案经大会会员国三分之二表决并由联合国会员国之三分之二包括安全理事会全体常任理事国，各依其宪法程序批准后，对于联合国所有会员国发生效力。

第一百零九条

一、联合国会员国，为检讨本宪章得以大会会员二分之一表决，经安全理事会任何七理事国之表决，确定日期及地点，举行全体会议。联合国每一会员国在全体会议中应有一个投票权。

二、全体会议以三分之二表决所建议对于宪章之任何更改，应经联合国会员国三分之二，包括安全理事会全体常任理事国，各依其宪法程序批准后，发生效力。

三、如于本宪章生效后大会第十届年会前，此项全体会议尚未举行时，应将召集全体会议之提议列入大会该届年会之议事日程，如得大会会员国过半数及安全理事会任何七理事国之表决，此项会议应即举行。

第十九章　批准及签字

第一百一十条

一、本宪章应由签字国各依其宪法程序批准之。

二、批准书应交存美利坚合众国政府，该政府应于每一批准书交存时通知各签字国，如本组织秘书长业经委派时，并应通知秘书长。

三、一俟美利坚合众国政府通知已有中华民国、法兰西、苏维埃社会主义共和国联邦，大不列颠及北爱尔兰联合王国，与美利坚合众国，以及其他签字国之过半数将批准书交存时，本宪章即发生效力，美利坚合众国政府应拟就此项交存批准之议定书并将副本分送所有签字国。

四、本宪章签字国于宪章发生效力后批准者，应自其各将批准书交存之日起为联合国之创始会员国。

第一百一十一条　本宪章应留存美利坚合众国政府之档库，其中、法、俄、英及西文各本同一作准。该国政府将正式副本分送其他签字国政府。

为此联合国各会员国政府之代表谨签字于本宪章，以昭信守。

公历一千九百四十五年六月二十六日签订于旧金山市

波茨坦宣言

中英美三国政府领袖公告

（一）余等：美国总统、中国国民政府主席及英国首相，代表余等亿万国民，业经会商并同意对日本提出劝告，予以一机会以向三国无条件投降，免日本全体人民遭受战争之惨祸。

（二）三国陆海空部队已增强多倍，其由西方调来之军队及空军即将予日本以最后之打击，彼等之武力受所有联合国之决心之支持对日本全面作战，不致其停止抵抗不止。

（三）德国无效果及无意识抵抗全世界自由人民之力量所得之结果彰彰在前，可为日本人民之殷鉴，此种力量，当其对付抵抗之纳粹时，不得不将德国人民全体之土地工业及其生活方式摧残殆尽，但现在集中对付日本之力量则较之更为庞大不可衡量，吾等之军力加以吾人之坚决意志为后盾，若予以全部使用，必将使日本军队完全毁灭无可逃避，而日本之本土亦终必全部残毁。

（四）时机业已到来，日本必须决定一途，其将继续受其一意孤行计算错误，使日本帝国陷于完全毁灭之境之军人统制？抑或走向理智之路？

（五）以下为吾人之条件，吾人决不可更改，亦无其他另一方式，犹豫迁延，更为吾人所不容许。

（六）欺骗及错误领导日本人民使其妄欲征服世界者之权威及势力必须永久铲除，盖吾人坚持非将负责之穷兵黩武主义驱出世界，则和平安全及正义之新秩序势不可能建立。

（七）直至如此之新秩序成立时，及直到日本制造战争之力量业已毁灭而有确实可信之证据时，日本领土须经盟国之军队予以占领，俾吾人在此陈述之基本目的得以完成。

（八）《开罗宣言》之条件必将实施，而日本之主权必将限于本州北海道九州四国及吾人所决定其可以领有之小岛在内。

（九）日本军队在完全解除武装以后，将被允许其返乡得以和平从事生产生活之机会。

（十）吾人无意奴役日本民族或消灭其国家，但对于战罪人犯（包括虐待吾人俘虏者在内）将处以法律之裁判，日本政府必须将阻止日本人民民主趋势之复兴及增强之所有障碍予以消除，言论宗教及思想自由以及对于基本人权之重视必须成立。

（十一）日本将被许维持其经济所必需及可以偿付赔款所需要之工业，但可以使其重新武装作战之工业不在其内，为此目的，可准其获得原料（别于统制原料），日本最后参加国际贸易关系当可准许。

（十二）上述目的达到时，日本得依人民自由表示之意志成立一保障和平及负责之政府，届时三国占领之军队即撤退。

（十三）吾人劝告日本政府立即宣布所有日本武装部队无条件投降，并对此种行动，诚意实行，予以适当之各项保证，除此一途，日本即将迅速完全毁灭。

三国柏林会议公告

一

一九四五年七月十七日，美利坚合众国总统哈莱·特鲁曼，苏维埃社会主义共和国联邦人民委员长、苏维埃主席斯大林大元帅与大不列颠首相温斯顿·邱吉尔偕同克里门特·阿特里举行三国柏林会议。与他们同行的有三国政府外长莫洛托夫，彭斯先生与艾登先生以及参谋人员与其他顾问等。

从七月十七日至七月二十五日的时期之内共举行九次会议，七月二十五日之后会议暂停两天——因英国大选结果发表。

七月二十八日阿特里先生以首相资格回返会议，同行者为新外相贝文先生。从此又举行了四次会议。在会谈时三国政府之领袖举行正式会谈，有各外长列席，各外长间之正式商谈亦曾举行。

由外长会议任命的问题初步准备委员会亦每日集会，会议是在波茨坦附近谢西利安霍夫举行的。

会议在一九四五年八月二日结束。

会议中有重要之决定与协定。关于许多其他问题并由各人交换意见。这些问题将继续在本会议所设立之外长议事会议中加以讨论。

特鲁曼总统，斯大林大元帅与阿特里首相现离开会议，这次会议增强了三国政府间的联系，扩大了三国间合作与互相了解的范围。三国怀着新的确信明白三国政府及其人民与其他联合国将保证建立公正稳固之和平。

二　设立外长议事会

甲、会议对于设立代表五主要强国之外长议事会业已获致协定，目的在世界调整问题上继续必要初步工作，并讨论其他问题，此等问题根据参加议事会各政府获致之协定，可随时向议事会提出。

关于设立外长议事会之协定原文如下：

（一）议事会之建立必须包括联合王国，苏维埃社会主义共和国联邦，重庆，法国与美利坚合众国各国外长。

（二）〔一〕在通常情形下，议事会将在伦敦举行，后者将成为由议事会设立之联合秘书处之永久所在地。每一外长应有一高级助理，授以适当权力俾在外长缺席时进行工作，并应有少数技术人员。

〔二〕议事会第一次会议将在伦敦举行，不迟于一九四五年九月一日。根据共同协定，会议亦可按照随时获得之决定在其他首都召集。

（三）〔一〕议事会之紧要工作乃在于组成对于意大利，罗马尼亚，保加利亚，匈牙利与芬兰之和平协定以呈交“联合国家”，并起草由于欧洲战争结束而发生之未解决之领土问题之调整方案，议事会将被用以准备对德国之和平调整条文，借使此项文件于德国政府成立时可以加以接受。

〔二〕为使议事会得以解决此等问题起见，议事会必须包括代表签字于强制敌国接受之投降条件上各国之人员。在讨论对意大利之和平条件时，法国将被认为签订意大利投降条件之国家。当讨论不独有关此项投降条件之问题时，其他会员亦将被邀参加议事会。

〔三〕其他问题可根据享有议事会会员权各政府间

获得之协定，随时呈交议事会讨论。

（四）〔一〕当议事会将讨论直接有关某一并不包括于上述机构中之国家之问题时，该国必须被邀派遣代表参加讨论并研究此项问题。

〔二〕议事会可使其工作步骤，适应提出讨论问题之性质。在某种情形下，议事会可在其他有关国家参加之前，初步讨论该项问题。在其他情形下议事会可召开对于该问题之解决最有关系之各国之正式会议。

〔三〕根据会议决定，三国政府已向重庆及法国政府发出同样之请柬，邀请两国接受此项文件并参加设立议事会。

〔四〕为处理本文件中提出之特别工作而建立外长议事会，并不影响在克里米亚会议中获致之关于美利坚合众国，苏维埃社会主义共和国联邦与联合王国外长周期会商之协定。

〔五〕会议鉴于外长议事会之建立，亦曾讨论欧洲咨询委员会之地位。对于该委员会顺利解决其主要工作任务，提出关于德国无条件投降，划分德奥境内占领区以及在此等国家中组织协约国管理机构之意见，表示满意。对于管理德国及奥国之未来详细工作与调整协约国政策，决定以后将归在柏林之管理委员会与在维也纳之协约国委员会处理。

根据上述规定，会议主张解散欧洲咨询委员会。

三　关于德国

协约军队现继续占领整个德国，德国人民已开始偿付这个可怖的罪行，这些罪行是在他们领袖们得势的时候造下，而他们曾公开地赞成并盲目地随从的。

会议中同意关于在驻德协约军管理时期内，在制伏了的德国国内，协约国共同采取的政治与经济政策的原则。

这次协定目的是在实行克里米亚会议时关于德国的宣言。德国黩武主义与纳粹主义必需根本铲除，而协约国在互相同意之下，将在目前与将来采取必要的措置，使德国永不能再度恫吓他的邻国或威胁世界的和平。

协约国决无毁灭或奴役德国人民的意念，协约国愿意给予德国人民以一个准备的机会，使他们在将来能够建基于民主与和平的基础之上重新改造他们的生活。如果德国人民能不断地为完成这种任务而努力，则在此过程中他们将能在世界上自由与和平的国家之间赢得他们的地位。

这一协定的全文为：

在管理开端时期，关于德国的政治与经济的指导原则如下：

A　政治原则

一、依据关于驻德管理机构的协定，在德国的最高权力由苏、美、英、法军队的最高司令官依照各该国政府的训示，在其各自的占领区内施行，并为驻德协约军管理局委员，执行关于整个德国的决议。

二、在实际上可能做到的范围之内，整个德国的人民须受同样待遇。

三、驻德协约军管理局对于占领德国之必须信守之目的如下：

（一）完全解除德国武装，使其非军事化并清算可能用以作为军火生产或控制此项生产之全部德国工业。

〔一〕因此，德国之全部陆、海、空武装力量，SS，SA，SD与秘密警察及其全部组织，团体与机关，包括总参谋部，军官团，后备兵团，军事学校，退伍军人组织与其他一切军事与半军事组织及其俱乐部与会社在内，凡支持德国军事传统之利益者，将被完全彻底消灭，因此可以永久阻止德国黩武主义与纳粹主义的复活或重新组织。

〔二〕一切武器、军火，战具以及生产此等物件的一切特别手段必须供给协约国使用，或则必须加以破坏。一切飞机与武器，军火与战具的生产及防御必须加以阻止。

（二）必须使德国人民了解他们已遭遇全部军事失败，不能逃避他们所造成的责任，因为他们自己采取的残酷战术与纳粹分子的疯狂抵抗，破坏了德国的经济而使混乱与痛苦无可避免。

（三）摧毁国社党及其附属机关，解散一切纳粹机关并保证他们将永不能在任何方式下重行建立与阻止任何纳粹或军事活动或宣传。

（四）采取种种准备，俾最后根据民主基础重建德国政治生命与德国最后参加国际生活的和平合作。

凡形成希特勒政权的基础以及对于宗教、种族与政治信仰实行歧视的一切纳粹法律必须消灭。任何司法、行政或其他方面的歧视亦不能容忍。

（五）凡战争罪犯与参加设计或实行纳粹办法引起或造成暴行与军事犯罪者必须逮捕并加以审判。纳粹领袖、纳粹之有势力属员，与纳粹机关及组织之领导人物与对协约国占领及其目的抱敌对态度之其他人物必须逮捕监禁。

（六）凡不止仅在名义上参加活动的全部纳粹党员以及对于协约国目的仇视的人物，必须取消其社会或半社会性质的地位及其在重要私人企业中的位置。这些人物必须由被认为在政治与道德性格上得能帮助德国真正民主制度发展的人物替代。

（七）德国的教育必须加以管理，借以完全消灭纳粹与黩武主义的信条并使民主思想得以顺利发展。

（八）司法制度必须根据民主、正义及依照一切公民不论其民族、国籍与宗教一律平等的原则加以改组。

（九）德国的行政管理必须根据中央政治分权以及

发展对所负事务之责任感的方针实施。因此：

〔一〕各地自治政府必须在德国全部根据民主基础实行重建，尤须着重经过选举大会并考虑军事安全与军事占领而尽速使其实现。

〔二〕在德国全部一切民主政党必须允许存在并予支持，其中包括集会与公开讨论的自由。

〔三〕在原则上，代表选举中心必须分成州、省行政区与地方行政区，并须视各地自治政府能否迅速实施此等原则成功为依归。

〔四〕暂时不设德国中央政府。然许多在实际上重要的德国中央行政部门将行设立，由国务秘书领导，特别在财政、运输、交通、国外贸易与工业方面。此等部门将在管理局指导之下办理一切事务。

（十）在顾及保证军事安全必要之下，可以允许言论、出版及宗教自由，宗教机关将加以尊重。自由职工会亦能允许组织——唯此务须顾及军事安全。

（十一）为消灭德国军事潜力、武装、军事配备和战争武器之生产，以及各种飞机与军舰之生产均应禁止并加以预防。金属、化学产品、汽车制造等之生产及其他直接为战时经济所必需之生产，应严厉加以统制并限制，使适应足以实现十五条中所叙述之目的之战后德国和平需要之水准。即将解决之工业所不需要之生产力应加以去除，使适应协约国赔偿委员会所提出之赔偿计划与各有关政府之批准，如不加以去除，则加以消灭。

（十二）在实际上最短时期中，德国经济应加以分化，直到现存之经济力量之非常集中情形完全消灭，此种经济力量特别表现在卡特尔、辛迪加、托拉斯及其他垄断事业上。

（十三）在组织德国经济时，主要注意仍应面对农业与为国内需要用之和平时期工业之发展。

（十四）在占领时期，德国应被认作为一个整体。为达到此目的起见，应确立对下列各条有共同与一致之政策：

B　经济原则

〔一〕镕矿工业及精制工业产品之生产与分配；

〔二〕农业、森林业及捕渔业；

〔三〕工资、价格与户口食粮之分配；

〔四〕为整个德国之进出口条例；

〔五〕集中之关税与税金之货币制度及银行制度；

〔六〕赔偿与军事工业势能之确定；

〔七〕运输与交通。

在实施此项政策时，各种当地情形，必须加以考虑。

（十五）对于德国经济，必须建立一统一的协约国统制。唯此仅限于下列必要范围之内：

〔一〕为实施工业上解除武装与非军事化，赔偿与获得允准的输出输入；

〔二〕为保证对于在德国之占领军与迁入人士必要货品之生产与服役，并为维持中等生活水准，但不高于欧洲各国之生活水准。上述欧洲各国系指欧洲全部国家而言，联合王国与苏联为例外。

〔三〕为保证根据驻德协约军管理局所定办法在各区平均分配主要物品，借以在德国全境建立平衡的经济并减缩进口量；

〔四〕为统制德国工业与一切经济与金融之国际往来，包括输出输入在内，借以防止德国军事潜力之发展并完成上述其他工作；

〔五〕为统制德国一切有关经济活动之公共或私人

的科学，研究与试验机关及实验室等。

（十六）为进行及维持驻德协约国管理局设立之经济统制，必须组织一德国行政机构，并须尽量向德国当局说明其充分与实际可能的范围，使其负责管理此一机构。因此必须使德国人民清楚认识此项管理，以及其行政机关任何缺陷之责任应由德国人民负担。任何德国行政机关凡违反占领目的者将被禁止。

（十七）必须立即采取迅速办法，借以：

〔一〕对于运输作必要之修理；

〔二〕增加煤斤生产；

〔三〕使农业增产达最高限度；

〔四〕对于住屋及主要市政企业作紧急修理。

（十八）驻德协约军管理局必须采取适当步骤以实现统制及处理一切德国在国外尚未受参加反德战争各联合国家统制的资产。

（十九）德国人民于偿付赔偿之后，必须使其保有足够之资源，使不赖国外之帮助而能维持其生存。在议定德国经济计划时，必须拨与必要之资力以实行驻德协约军管理局所准许之输入。输出产物及存货所获之利益，必须首先偿付输入之支出。

此处所提出之条件，对于德国赔偿协定中第四项〔一〕，与第四项〔二〕所规定之配备与产品并不适用。

四　德国之赔偿

依照克里米亚会议中必须迫使德国偿付该国对于联合国家所造成的，而德国人民不能逃避其责任的损害与痛苦之决定，兹对于赔偿问题获得如下之协定：

一、苏联之赔偿要求，将以征用德国苏联占领区内及德国在国外之相当投资以满足。

二、苏联将自其自己获得之赔偿中满足波兰之赔偿要求。

三、美利坚合众国，联合王国与其他有权要求赔偿之国家之赔偿要求，将以西部地区与德国国外之相当投资加以满足。

四、〔一〕苏联除在其自己之占领区中获得赔偿外，将自西部地区获得对于德国和平经济并不需要而适于使用之重要工业配备百分之十五，尤其是金属、化学与机器制造业部门之配备。此等配备必须取自西部地带，用以交换（东方）相互同意之相等价值的食物、煤斤、钾、锌、木材、瓷器、煤油产品与其他物资。

〔二〕对于德国和平经济并不需要而由西部占领区获得之此类重要工业配备之百分之十，将给与苏联作为赔偿，不必以任何形式偿付及返还。

在〔一〕〔二〕两节中所提出之配备移交，将同时举行。

五、自西部地区获取作为赔偿之配备数量必须自即日起至迟于六个月内加以决定。

六、工业主要配备之移交必须尽速开始，并于第五项中所述之决定后在两年之内完成。第四项〔一〕所提出之产品移交，必须尽速开始，而由苏联根据协定自上述日期起在五年之内分批行施之。

关于对于德国和平经济并不需要因此作为赔偿之主要工业配备之数量与性质，将由管理局按照协约国赔偿委员会所采取之政策而加以决定，由法国参与其间，而最后之决定将由此项配备所取地区之司令官裁决之。

七、在决定取用配备之总数量之前，必须按照第六项中最末一句中所提出之手续预先装运此项必须送出之配备。

八、苏联政府对于位在德国西部占领地区之德国企业之股份以及德国在国外各国之资产，除第九项之规定外，放弃任何要求。

九、美国与英国政府对于位在德国东部占领区之德国企业之股份以及德国在保加利亚、芬兰、匈牙利、罗马尼亚与奥地利东部之一切国外资产，放弃任何要求。

十、苏联政府对于协约军在德国夺获之黄金并无要求。

五　德国之海军与商船

会议中在原则上同意投降的德国海军与商船之利用与处理方策。决定由三国政府指派专家共同策划实施议定原则之详细计划。关于此问题，三国政府将在适当之时间，同时发表联合公告。

六　哥尼斯堡城及其邻近之地域

会议中曾讨论苏维埃政府之提议，即在和平调整国境问题之最后决定前，苏联西方邻近波罗的海之国境当自但泽湾东岸一点起，止于勃朗斯堡——戈尔达泼之东北，而与立陶宛波兰共和国以及东普鲁士之国境相连接。会议中在原则上已同意接受上述苏维埃政府关于哥尼斯堡及其邻近地域划交苏联之提议。然确定之国境线当由专家加以勘定。美国总统与联合王国首相声明：他们将在未来的和平折冲中支持这次会议的这个提议。

七　关于战争罪犯

三国政府曾涉及过去几星期内英、美、苏、法代表在伦敦举行的谈商，此谈商系欲对于一切战争主犯，其罪行如一九四三年十月《莫斯科宣言》所载明，并不限于某一地区者，冀获得审判方式之协定。三国政府再度宣明迅速与公正审判该战争罪犯之意愿。他们希望伦敦之谈判在最近将来获得缔成协定之结果，他们认为尽速开始审判此等主要战争罪犯是非常重要的事情。第一批被告的名单须在本年九月一日之前公布。

八　关于奥地利

会议中研究苏维埃政府提出的关于奥地利临时政府当扩大其权力至奥地利全境的提议。三国政府同意在英美军队进入维也纳之后，他们准备研究该问题。

九　关于波兰

会议中研究关于波兰民族统一临时政府以及波兰西方国境问题。他们关于波兰民族统一临时政府之意见如下：

〔一〕我们十分满意波兰国内与国外的波兰人民代表所得到的协调，此协调得以依据克里米亚会议之决定而组成已被三国所承认的波兰民族统一临时政府。英美政府与波兰民族统一临时政府建立外交关系之后，停止承认伦敦之前波兰政府，故后者已不再存在。

英美政府对波兰民族统一临时政府，作为波兰国被承认之政府，关于在英美控制之下之波兰国家财产，不问此种财产之形式，英美决设法维护其利益。

进一步，他们将设法防止此种财产移交予第三者。波兰临时政府得有一切可能，将曾被非法侵占之任何波兰国之财产以平常法定步骤，重新施以支配。

三国政府将协助波兰民族统一临时政府，使所有愿意回返波兰的侨居国外的波兰人，包括波兰军队与商船人员，在实际可能范围内尽速回返波兰。希望回返祖国的波兰人民能与所有波兰公民一样享受私人财产权。

三国考虑到波兰民族统一临时政府，依据克里米亚会议之决定，宣布同意根据普遍与不具名投票方式尽速举行自由与绝对不受约束的选举。所有一切民主与反纳粹政党均有参加选举及提出候选人的权利，并帮助协约国报界代表享有充分自由将选举前及选举时波兰所发生事情的情报，公之于世。

〔二〕关于波兰西方的国境得到下列的协定：

依据克里米亚会议所达成的波兰政府，三国领袖讨论到波兰民族统一临时政府关于波兰应得北方与西方领土的意见，波兰国家议会主席与民族统一临时政府诸委员会经会议接见，充分说明他们的观点。三国领袖以为关于波兰西方国境最后的划定得有待于和平会议，但是三国领袖同意：在波兰西方国境最后划定之前，在波罗的海斯温蒙台偏西之点起，沿奥得河至这河与西尼斯河交流处，并沿西尼斯而达捷克斯洛伐克边境一线之东的前德国领土，包括依据柏林会议决定不在苏联管辖下的东普鲁士的一部分并包括前但泽自由市将属于波兰国家管辖之下，是以这些地区不作为德国的苏联占领区。

十　关于签订和约及容许参加联合国组织

会议决定对于欧洲战争胜利结束后尽速建立长期和平条件的一般政策发表如下声明：

三国政府认为应将目前意大利，保加利亚，芬兰，匈牙利与罗马尼亚的不正常局势，以缔结和平协定而加以结束。他们深信其他有关协约国政府亦必抱同样意见。

在三国政府方面，他们已将准备与意大利缔结和平协定的工作，作为首要任务包括于必须由外长议事会讨论的紧要问题中。意大利是轴心国中首先与德国断绝关系的国家，对于击溃德国曾作实际的贡献，而现在意大利并已参加协约国反对日本的斗争。意大利本身已自法西斯政权中解放出来而在重建民主行政制度方面已有长足进步。

与公认的民主意大利政府缔结此种和平协定，将使三国政府可能实现他们的愿望，赞成意大利的要求，接受它加入联合国家的组织。

三国政府并将与保加利亚、芬兰、匈牙利及罗马尼亚准备缔结和平协定的任务委托外长议事会。与各该公认的民主政府缔结此种和平协定之后，亦将使三国政府可能支持他们要求被接受为联合国家组织会员国的愿望。三国政府同意各自在最近的将来，根据当时局势，研究于签订和平协定后与芬兰、罗马尼亚、保加利亚及匈牙利在可能程度中建立外交关系的问题。

三国政府都深信不疑，鉴于欧洲战争已告结束，情形改变，协约国报界代表将享有充分自由将罗马尼亚、保加利亚、匈牙利与芬兰的事态报导于全世界。

关于容许其他国家参加联合国家，联合国宪章第四条称：

一、参加联合国家组织对于一切其他爱和平国家均属公开，此等国家必须接受宪章中所规定的各项义务，并根据这一组织的意见能够并且愿意履行此等义务者。

二、接受任何国家参加联合国家组织，由大会根据安全理事会的介绍以决议施行之。

三国政府以其本身之关系，将支持在战争中维持中立并能履行上述规律的国家参加联合国组织的请求。

然而三国政府认为职责所在必须说明他们不能支持现行西班牙政府所提出的加入这一组织为会员的请求，因为西班牙政府在轴心国支持之下成立之后，从其来源，性质与活动以及与侵略国家的密切关系看，并没有成为会员国所必具的资格。

十一　关于委任土地

会议曾研究苏联政府所提出关于在克里米亚会议决议与联合国家组织宪章中所规定的委任地问题。在交换意见之后，曾议决意大利殖民地问题，因欲为意大利准备和平协定立即解决，上述问题将由外长议事会于九月中加以讨论。

十二　关于审查罗马尼亚、保加利亚与匈牙利的协约国管理委员会的工作程序

在罗马尼亚、保加利亚与匈牙利的协约国管理委员会的苏联代表向联合王国与美利坚合众国代表鉴于欧洲战事已告结束提出改进管理委员会工作的建议，三国政府已予以注意。

三国政府同意现在将重行审查在这三个国家中协约国管理委员会的工作程度，并随时注意联合向此等国家提出和平条件的三国政府的利益与责任，以协调的建议作为根据。

十三　关于遣回德国人民问题

会议对于将德国人自波兰、捷克斯洛伐克与匈牙利遣回德国获得如下协定：

三国政府于各方面研究这一问题后认为必须自波兰、捷克斯洛伐克与匈牙利遣回德国人民或其一部分。他们同意任何遣回的事情必须以有组织及人道的方式进

行，因为大量德国人的抵达德国，将加重占领当局的负担。他们以为在德国的驻德协约军管理局必须首先研究此项问题，且须特别注意将此等德国人在各占领区加以公平的分配。三国政府将向驻德协约军管理局代表发出训令，命他们尽速将自波兰、捷克斯洛伐克与匈牙利抵达德国的人数报告各自政府，并考虑德国现行局势而提供以后的遣回工作须以多少时间及何种速度进行的意见。

同时将以上述事项通知捷克斯洛伐克政府、波兰统一临时政府与在匈牙利的协约国管理委员会，并请他们停止再行遣回德国人民，直至各该国政府于研究驻德协约军管理局中各该国代表的报告之后。

十四　三国政府总参谋长会谈

在会议中，三国政府的总参谋长曾举行会谈，讨论有关共同利益的军事问题。

十五　三国政府代表团名单

苏联代表团名单

苏联人民委员长苏维埃主席斯大林大元帅，

苏联外交人民委员长莫洛托夫，

海军上将库士聂卓夫，

红军总参谋长安东诺夫，

代理外交人民委员长维辛斯基，

代理外交人民委员长卡夫达拉子，

代理外交人民委员长迈斯基，

海军总参谋长库切罗夫海军上将，

苏联驻英大使顾歇夫，

苏联驻美大使格罗米柯，

外交人民委员会第二欧洲司司长诺维柯夫，

外交人民委员会美国司司长蔡拉泼金，

外交人民委员会第一欧洲司司长柯守廖夫，

外交人民委员会巴尔干各国司长拉夫里斯巧夫，

驻德苏联军政府副总司令萨布罗夫，

驻德苏联军政府政治部部长梭波列夫，

外交人民委员会专家参事戈仑斯基。

美利坚合众国代表团名单

总统哈里·特鲁曼先生，

国务卿彭斯先生，

海军上将威廉·李希，

随从总统之美国海军总参谋长特使戴维斯，

特使爱特温·普里，

特使及驻苏大使哈里曼，

美国海军作战部长及美国海军总司令安诺德大将，

陆军上将马绍尔，

海军上将金，

美国空军总司令宋曼威尔中将，

陆军兵役司令仑特海军中将，

海军运输主任威廉·克雷顿，

副国务卿邓恩，

副国务卿柯根，

国务部特别助理长麦秀乌斯，

国务部欧洲司司却尔斯·贝赫仑，

助理秘书以及政治、军事、技术顾问等。

联合王国代表团名单

首相温斯顿·邱吉尔先生，

首相阿特里先生，

外交大臣安东尼·艾登先生，

外交大臣贝文先生，

战时运输大臣里塞斯爵士，

外交部副大臣亚历山大·卡杜根爵士，

驻莫斯科大使克拉克·寇尔爵士，

联合王国驻莫斯科赔偿委员会代表团团长惠尔特·蒙克顿爵士，

驻德英国占领区总司令政治顾问威廉·斯曲朗爵士，

内阁秘书爱德华·勃里奇爵士，

皇家总参谋长埃仑·勃罗克爵士元帅，

皇家空军元帅空军总参谋长却尔斯·扑泰尔，

海军大臣海军上将安特罗·克银汉爵士，

国防部总参谋长海斯·伊斯梅爵士将军，

地中海战区协约国最高总指挥哈罗尔特·亚历山大元帅，

英国驻华盛顿联合参谋部代表团团长亨利·梅脱仑·威尔逊元帅，

以及其他顾问。

斯大林

特鲁曼

阿特里

《中苏友好同盟条约》全文

条约正文

中华民国、苏维埃社会主义共和国联邦友好同盟条约

中华民国国民政府主席、苏维埃社会主义共和国联邦最高苏维埃主席愿以同盟及战后善邻合作、加强苏联与中国素有之友好关系，又决于此次世界大战抵抗联合国敌人侵略之斗争中，彼此互助，及在共同对日作战中，彼此合作，以迄日本无条件投降为止，又为两国及一切爱好和平国家人民之利益，对于维持和平与安全之目的，表示其坚定不移之合作志愿，并根据一九四二年一月一日联合国共同宣言，一九四三年十月三十日在莫斯科签字之四国宣言，及联合国际组织宪章所宣布之原则，决定签订本条约，各派全权代表如下：

中华民国国民政府主席特派外交部长王世杰；

苏维埃社会主义共和国联邦最高苏维埃主席团特派苏埃社会主义共和国联邦外交人民委员部部长莫洛托夫

两全权代表业经互相校阅全权证书，认为妥善。约定条款如下：

第一条　缔约国担任协同其他联合国对日本作战直至获得最后胜利为止，缔约国担任在此次战争中，彼此互给一切必要之军事及其他援助支持。

第二条　缔约国担任不与日本单独谈判，非经彼此同意，不与现在日本政府或在日本成立而未明白放弃一切侵略企图之任何其他政府或政权缔结停战协定或和约。

第三条　缔约国担任在对日本作战终止以后，共同采取其本身所能及之一切措置，使日本无再事侵略及破坏和平之可能。

缔约国一方如被日本攻击，不得已而与之发生战事时，缔约国他方应立即尽其能力，给予该作战之缔约国一切军事及其他之援助与支助。

本条一直有效，以迄联合国组织经缔约国双方之请求，对日本之再事侵略担负防止责任时为止。

第四条　缔约国之一方担任不缔结反对对方之任何同盟，并不参加反对对方之任何集团。

第五条　缔约国为彼此之安全，经济发展之利益，同意在和平再建以后，依照彼此尊重主权及领土完整与不干涉对方内政之原则，共同紧密友好合作。

第六条　缔约国为便利及加速两国之复兴，及对世界繁荣有所贡献起见，同意在战后彼此给予一切可能之经济援助。

第七条　缔约国为联合国组织会员之权利及义务，不得因本条约内所有各项之解释而受影响。

第八条　本条约应于最短可能时间批准，批准书应尽速在重庆互换。本条约于批准后立即生效，有效期为三十年。倘缔约国任何一方不于期满前一年通知愿予废止，则本条约无限期继续生效。缔约国任何一方得于一年前通知对方，终止本条约之效力。

为此两国全权代表将本条约署名盖章，以昭信守。

中华民国三十四年八月十四日即一九四五年八月十四日订于莫斯科

中文俄文各缮两份，中文俄文有同等效力。

中华民国国民政府主席全权代表

苏维埃社会主义共和国联邦最高苏维埃主席团全权代表

双方照会

（一）

甲、来文：

部长阁下，

查《中苏友好同盟条约》，业于本日签订，本部长兹特申明两缔约国间之谅解如下：

一、依据上述条约之精神，并为实行其宗旨与目的起见，苏联政府同意予中国以道义上与军需品及其他物资之援助。此项援助，当完全供给中国中央政府即国民政府。

二、关于大连与旅顺口海港及共同经营中国长春铁路，在会商过程中，苏联政府以东三省为中国之一部分，对中国在东三省之充分主权，重申尊重，并对其领土与行政之完整，重申承认。

三、关于新疆最近事变，苏联政府申明同盟友好条约第五条所云，无干涉中国内政之意。

关于上列各项所述之谅解，倘荷贵部长函复证实，本照会与贵部长复照，即成为上述友好同盟条约之一部分。

本部长顺向贵部长表示崇高之敬意。

此照

中华民国国民政府外交部王部长世杰

中华民国三十四年八月十四日，西历一九四五年八月十四日。

乙、

去文：部长阁下：

接准贵部长本日照会内开：

查《中苏友好同盟条约》，业于本日签订，本部长兹特申明两缔约国之谅解如下：

一、依据上述条约之精神，并为实现其宗旨与目的起见，苏联政府同意予中国以道义上与军需品及其他物资之援助，此项援助当完全供给中国中央政府即国民政府。

二、关于大连与旅顺口海港及共同经营中国长春铁路，在会商过程中，苏联政府以东三省为中国之一部分，对中国在东三省之充分主权，重申尊重，并对其领土行政之完整，重申承认。

三、关于新疆最近事变，苏联政府申明同盟友好条约第五条所云，无干涉中国内政之意。

关于上列各项所述之谅解，倘荷贵部长函复证实，本照会与贵部长复照，即成为上述友好同盟条约之部分，等由；本部长兹特声明上项谅解正确无误。

本部长顺向贵部长表示崇高之敬意。此照

苏联外交人民委员部莫洛托夫部长

中华民国三十四年八月十四日，西历一九四五年八月十四日。

（二）

甲、

去文：

部长阁下：

兹因外蒙古人民一再表示其独立之愿望，中国政府声明于日本战败后，如外蒙古之公民投票证实此项愿望，中国政府当承认外蒙古之独立，即以其现在之边界为边界。

上开之声明，于民国三十四年八月十四日签订之《中苏友好同盟条约》批准后，发生拘束力。

本部长顺向贵部长表示崇高之敬意。

此照

苏联外交人民委员长莫洛托夫部长

中华民国三十四年八月十四日，西历一九四五年八月十四日。

乙、

来文：

部长阁下：

接准阁下照会内开：

“兹因外蒙古人民一再表示其独立之愿望，中国政府声明于日本战败后，如外蒙古之公民投票证实此项愿望，中国政府当承认外蒙古之独立，即以其现在之边界为边界。

上开之声明，于民国三十四年八月十四日签订之《中苏友好同盟条约》批准后，发生拘束力。”

苏联政府对中华民国政府上项照会业经敬悉，表示满意，兹并声明苏联政府将尊重蒙古人民共和国（外蒙）之政治与领土完整。

本部长顺向贵部长表示崇高之敬意。

此照

中华民国国民政府外交部王部长世杰

中华民国三十四年八月十四日，西历一九四五年八月十四日。

《中国长春铁路协定》

中华民国与苏维埃社会主义共和国联邦关于中国长春铁路之协定

中华民国国民政府主席与苏维埃社会主义共和国联邦最高苏维埃主席团，为愿以充分尊重彼此之权益为基础，加强两国间之友好关系暨经济联系起见，议定各条如下：

第一条　日本军队退出东三省以后，中东铁路及南满铁路由满洲里至绥芬河，及由哈尔滨至大连旅顺之干线，合并成为一铁路，定名为中国长春铁路，应归中华民国及苏维埃社会主义共和国联邦共同所有并共同经营。

共同所有与共同经营，应以中东铁路在俄国及中苏共同管理时期，与南满铁路在俄国管理时期所置之土地及所筑之铁路辅助线而为该两铁路之直接需要者，以及在上开时期所建置并直接供该两铁路之用之附属事业为限。一切其他铁路支线，与附属事业及土地，应归中国政府完全所有。

上开铁路之共同经营，应在中国主权之下，由一单独机构办理并为一纯粹商业性质之运输事业。

第二条 缔约国同意上开铁路之共同所有权，应平均属于两方，并不得以其全部或一部转让。

第三条 缔约国为共同经营上开铁路起见，同意组织中苏合办之中国长春铁路公司，公司及理事会，由理事十人组织之。其中五人由中国政府派任，五人由苏联政府派任，理事会设在长春。

第四条 中国政府应在华籍理事中指派一人为理事长，一人为助理理事长。苏联政府应在苏籍理事中，指派一人为副理事长，一人为助理副理事长，理事会表决时理事长所投之票，作两票计算，理事会之法定人数为七人。

理事会不能获得协议之各项重要问题，应提请两缔约国政府予以考虑，并以公平与友好之精神解决之。

第五条 公司设监事会，由监事六人组织之，其中三人由中国政府派任，三人由苏联政府派任。监事长应在苏籍监事中推选。副监事长应在华籍监事中推选。监事会表决时，监事长所投之票，作两票计算。监事会之法定人数为五人。

第六条 为管理经常事务起见，理事会委派中国长春铁路局局长一人，由苏联人员中遴选，副局长一人，由华籍人员中遴选。

第七条 监事会应委派总稽核副总稽核各一人，总稽核由华籍人员中遴选，副总稽核由苏联人员中遴选。

第八条 上开铁路各处处长、副处长、科长及重要车站之站长，应由理事会委派，铁路局长有权推荐上项职位之人选，理事会各理事亦得于征得局长之同意时，推荐上项人选。处长为华籍时，副处长应为苏籍。处长为苏籍时，副处长应为华籍。

各处处长、副处长、科站长应依照中苏两国人员平均充任之原则任用。

第九条 中国政府担任上开铁路之保护。

中国政府应组织及监督铁路警察，以保护铁路之房屋设备暨其他产业与货运，使免受毁坏损失与抢劫。该铁路警察，并应维护铁路之正常秩序。关于铁路警察执行本条规定之职务，由中国政府咨商苏联政府决定之。

第十条　上开铁路仅得于对日本作战时期，供运输苏联军队之用，苏联政府有权在上开铁路用加封军辆运输过境之军需品，免除海关查验。该项军需品之保卫工作，由铁路警察担任，苏联不派武装护送人员。

第十一条　经上开铁路由一苏联车站至另一车站过境运输，以及由苏联领土至大连旅顺二港口往返直运之货物，应免中国关税或其他任何捐税此项货物，在入中国领土时，应受中国海关之查验。

第十二条　中国政府依照另订之协定，对上开铁路业务上所需燃煤之供应，担任充分之保证。

第十三条　上开铁路应与中国政府国营铁路向中国政府同样缴纳税捐。

第十四条　缔约国同意供给中国长春铁路理事会以流动资金，其数额由铁路章程规定之。

经营上开铁路之盈亏，由双方平均分配之。

第十五条　缔约国应在本协定签字后一个月内各派

代表三人，在重庆会同拟订共同经营上开铁路之章程。该项章程应于两个月拟订完毕，呈报两国政府核准。

第十六条 依照本协定第一条规定，应归中苏共同所有与共同经营之资产，应由两国政府各派代表三人组织委员会议定之。该委员会应于本协定签字后一个月，在重庆组织成立，并于上开铁路开始共同经营后三个月内完成其工作。该委员会之议定事项，应呈报两国政府核准。

第十七条 本协定期限定为三十年，期满之后，中国长春铁路连同该铁路之一切财产，均应无偿移转中华民国所有。

第十八条 本协定自批准之日生效。

中华民国三十四年八月十四日即西历一九四五年八月十四日订于莫斯科。

中文俄文各缮二份，中文俄文有同等效力。

中华民国国民政府主席全权代表。（签字）。

苏维埃社会主义共和国联邦最高苏维埃主席团全权代表。（签字）。

《旅顺大连港口协定》

《关于大连之协定》

兹以中华民国与苏维埃社会主义共和国联邦既已签订友好同盟条约，苏维埃社会主义共和国联邦业已保证尊重中国管辖中国东三省全部之主权，视其为中国之一不可分离部分。为保证苏维埃社会主义共和国联邦对大连为其货物进出口之利益获得保障起见，中华民国同意：

（一）宣布大连为一自由港，对各国贸易及航运一律开放。

（二）中国政府同意依照另订之协定，在该自由港指定码头及仓库租与苏联。

（三）大连之行政权，属于中国，港口主任由中国长春铁路局局长在苏联人员中遴选，于征得大连市长同意后派充之。港口副主任应照所开手续，在华籍人员中遴选派充之。

（四）大连在平时不包括基于一九四五年八月十四日旅顺协定所定之海军根据地章程范围之内，仅于对日作战时该区域所签定之军事统制。

（五）由国外进入该自由港经中国长春铁路直运苏联领土之货物，与由苏联领土经上开铁路运经该自由港出口之货物，或由苏联运入为该港口设备所需之器材，均免除关税。以上货物均应用加封车辆运输。

由该自由港进入中国其他各地之货物，应征纳中国进口税，由中国其他各地运出至该自由港之货物，在中国继续征收出口税期间，应缴纳出口税。

（六）本协定期限定为三十年。

（七）本协定自批准之日生效，两全权代表将本协定签字盖章，以昭信守。本协定中俄文各缮二份，中文俄文有同等效力。

中华民国三十四年八月十四日即西历一九四五年八月十四日签于莫斯科。

中华民国国民政府主席全权代表。（签字）

苏联最高苏维埃主席团全权代表。（签字）

关于大连协定之议定书

（一）中国政府为应苏联之请，以所有港口工事及设备之一半，无偿租与苏方，租期定为三十年。其余一半港口工事及设备，由中国留用，港口之扩展或重建，应由中国与苏联同意为之。

（二）兹同意中国长春铁路由大连通往沈阳在旅顺口海军根据地区域以内各段，应不受该区域内任何军事监督或管制。

中华民国国民政府主席全权代表

苏维埃社会主义共和国联邦最高主席团全权代表。

《关于旅顺口之协定》

兹为符合并补充《中苏友好同盟条约》起见，缔约国双方议定各条如下：

第一条　为加强中苏两国之安全，以防制日本再事侵略起见，中华民国政府同意两缔约国用旅顺口为海军根据地。

第二条　前条所开海军根据地区域之正确界限，应依所附之说明及地图之规定。

第三条　缔约国同意旅顺口作为纯粹海军根据地，仅由中苏两国军舰及商船使用。

关于上述海军根据地共同使用之事项，设立中苏军事委员会处理之。该委员会由华籍代表二人、苏籍代表三人组织之。委员长由苏方派任，副委员长由华方派任。

第四条　上开海军根据地之防护，中国政府委托苏联政府办理之。苏联政府得建置为防护上开海军根据地必要之设备，其费用由苏联政府自行负担。

第五条　该区域内民事行政，属于中国，中国政府对于主要民政人员之委派；将顾及苏联在该区域内之利益。

旅顺市主要民事行政人员之任免，全由中国政府征得苏联军事指挥当局之同意为之。

在该区域内之苏联军事指挥当局，为保障安全与防卫起见向中国行政当局所作之建议，该行政当局当予以实行，如有争议，则此类事件应提请中苏军事委员会审议决定之。

第六条　苏联政府在上二条所述之地区内，有权驻扎陆海空军，并决定其驻扎地点。

第七条　苏联政府并担任设置及维持为该项区域航行之安全所必需之灯塔信号及其他。

第八条　本协定期满后，所有苏联在该区域内建置之一切设备及公产，应无偿归为中国政府所有。

第九条 本协定期限定为三十年，自批准之日生效。

两全权代表将本协定签字盖章，以昭信守。

本协定中文俄文各缮二文，中文俄文有同等效力。

中华民国三十四年八月十四日即一九四五年八月十四日签于莫斯科。

协定

《关于中苏此次共同对日作战，苏联军队进入中国东三省后，苏联军总司令与中国行政当局关系之协定》

中华民国国民政府与苏维埃社会主义共和国联邦最高苏维埃主席团，为愿使中国此次共同对日作战，苏联军队进入中国东三省后，苏联军总司令与中国行政当局之关系，符合两国间现存之友谊精神与同盟关系起见，议定各条如下：

（一）苏联军队因军事行动之结果，进入中国东三省后，有关作战一切事务，于作战所需要事时内，属于苏联军。（电文脱漏）中华民国国民政府派代表一人，及助理人员若干人，在业已收复之领土执行下列任务：

（甲）在敌人业已肃清之区域，依照中国法律，设立行政机构并指挥之。

（乙）协助在已收复领土内树立中国军队包括正规军及非正规军与苏联军队之合作。

（丙）保证中国行政机构与总司令间之联系，中华民国国民政府派中国军事代表团驻于苏联军总司令部。（电文脱漏）

（四）在苏联军总司令最高权之地带内，中华民国国民政府在收复区域之行政机构，应经由中华民国国民政府代表与苏联军总司令保持联系。

（五）一俟收复区域任何地方停止直接军事行动之地带时，中华民国国民政府（电文脱漏）及民政机关给苏联军总司令一切协助及支持。

（六）所有在中国领土内属于苏联军队之人员，均归苏联军总司令管辖。所有中国籍人民，不论军民，均归中国管辖。此项管辖权，并包括在中国领土内之人民，对苏联军队犯罪之案件。此项案件发生于军事行动地带内，则归苏联军总司令管辖，遇有争执之案件，由苏联军总司令与中华民国国民政府代表协议解决之。

（七）关于苏联军队进入中国东三省后之政财事项，应另定协定。

（八）本协定于本日所签订之《中苏友好同盟条约》时，应即发生效力。本协定用中俄文各书二份，中俄文有同等效力。

中华民国三十四年八月十四日即一九四五年八月十四日订于莫斯科。

中华民国国民政府主席全权代表。（签字）

苏维埃社会主义共和国联邦最高苏维埃主席团全权代表。（签字）

三联经典文库第二辑简目

《游击战教程》　明凡 / 著

《游击战术纲要》　陶剑青 / 编著

《汪精卫卖国的理论与实践》　钱俊瑞 / 著

《抗战以来》　韬奋 / 著

《陕行纪实》　楚云 / 著

《随军散记》　沙汀 / 著

《被日寇囚系半载记》　王研石 / 著

《倭营历险记》　房沧浪 / 著

《活跃的新西北》　田影 / 编著

《保卫华北的游击战》　刘清扬　陈北鸥等 / 著

《徐州突围》　《徐州突围》编委会 / 编

《沦亡的平津》　长江　小方等 / 著

《淞沪火线上》　胡兰畦等 / 著

《瞻回东战场》　长江　罗平 / 著

《东线的撤退》　胡兰畦等 / 著

《抗战中的西北》　徐盈 / 著

《鲁闽风云》　徐盈等 / 著

《西线生活》　西北战地服务团集体创作

《中国解放区见闻》　［美］福尔曼著 / 朱进译

《全面抗战论》　潘汉年 / 著

《日本的间谍》　范士白自述 / 尊闻译

《日本大陆政策的真面目》　国难资料编辑社 / 编

《民众动员论》　李公朴 / 著

《中国外交史》　钱亦石 / 编著

《太平洋军事地理》　蒋震华 / 著

《世界经济地理讲话》　思慕 / 著

《列强军力论》　［德］马克斯 · 威纳尔著 / 宾符　仲持　梅益等译

《近代国际关系史》　张铁生 / 著

《太平洋现势手册》　沈志远　石啸冲 / 编著

《近代世界政治史》　钱亦石 / 著

《从战争到和平——一九四五年的世界政治》　乔木 / 著

《战后日本问题》　思慕 / 著

《最近一年间的国际动态（1946.7–1947.6）》　《东北日报》社 / 编

《论政党》　翟放 / 著

《法与宪法》　韩幽桐 / 编著

《中华民国宪法刍议》　罗家衡 / 著

《民主 · 宪法 · 人权——作之民》　费孝通 / 著

《宪法论初步》　潘念之 / 著

《对反民主的抗争》　韬奋 / 著

《农村改进的理论与实际》　江恒源 / 著

《上海产业与上海职工》(上下)　朱邦兴　胡林阁　徐声 / 合编

《陶行知教育论文选辑》　陶行知著 / 方与严编

《中国通货膨胀论》　杨培新 / 著

《中国及其未完成的革命》　H·普拉特著 / 蒋天佐译

《中国的建设问题与人的训练》　卢作孚 / 著

《论中国特殊性及其他》　艾思奇 / 著

《中国经济问题讲话》　钱俊瑞　徐雪寒　王渔邨　姜君辰　骆耕漠 / 合著

《中国经济的道路》　许涤新 / 著

《中国财政之病态及其批判》　孙怀仁 / 著

《官僚资本论》　许涤新 / 著

《五四运动之史的评价》　陈端志 / 著

《中国通史简编》(上下)　中国历史研究会　范文澜 / 主编

《论文学的工农兵方向——读〈在延安文艺座谈会上的讲话〉》　雪苇 / 著

《中国近代史(上编　第一分册)》　武波 / 编著

《文学百题》　傅东华 / 编

《中国史学之进化》　周谷城 / 著

《论民族形式问题》　胡风 / 著

《论批评》　荃麟等 / 著

《中国史纲》(第一卷上下、第二卷上下)　翦伯赞 / 著

《近代中国思想学说史》(1-4)　侯外庐 / 著

《中国政治思想史》(上下)　　吕振羽 / 著

《中国哲学史纲要》　　向林冰 / 著

《中国政治史讲话》　　钱亦石 / 著

《中国社会经济史纲》　　王渔邨 / 著

《新财政学大纲》　　千家驹 / 著

《太平天国革命运动论文集——金田起义百周年纪念》

华北大学历史研究室 / 编

《理性与自由——文化思想批评论文集》　　胡绳 / 著

《战斗者的诗人》　　黄药眠 / 著

《国语文法》　　曹朴 / 著

《教育哲学》　　张栗原 / 著

《妇女问题讲话》　　杜君慧 / 著

《婚姻 · 子女 · 继承》　　沙千里 / 著

《性教育新论》　　布士克　雅各生合著 / 董秋斯译

《狱中杂感》　　杜重远 / 著

《七人之狱》　　沙千里 / 著

《爱迪生传》　　伍况甫 / 译

《歌德自传》(上下)　　歌德著 / 思慕译

《尼赫鲁自传》　　［印度］尼赫鲁著 / 毕来译

《列宁传》　　［苏］凯尔任采夫著 / 企程　朔望译

《罗斯福总统传》　　C. Mackenzie 著 / 张尚之译

《托尔斯泰传》(1–3)　　［英］阿尔麦 · 莫德著 / 徐迟译

《革命文豪高尔基》　［美］亚历山大·康恩著 / 韬奋编译

《鲁迅纪念特辑》　新中国文艺社 / 编

《回忆鲁迅先生》　萧红 / 著

《人民文豪鲁迅》　平心 / 著

《亡友鲁迅印象记》　许寿裳 / 著

《鲁迅思想研究》　何干之 / 著

《鲁迅研究》　夏征农 / 编

《过来的时代：鲁迅论及其他》　雪峰 / 著

《电影戏剧表演术》　洪深 / 著

《日常心理漫谈》　［美］约瑟夫·查斯特罗著 / 曾宝施译

《心理常识漫话》　朱智贤　杨云美 / 著

《读书的方法与经验》　王任叔 / 著

《美国黑人生活纪实》　［美］加德维尔　斯坦倍克著 / 董秋斯译

《初访美国》　费孝通 / 著

《事业与成功》　［美］马尔腾著 / 汪原放译

《萍踪寄语（初集）》　韬奋 / 著

《一生的幸福前途——〈生活周刊〉信箱选集》　生活书店 / 编选

《深刻的印象》　生活周刊社 / 编

《海外的感受》　生活书店编译所 / 编

ISBN 978-7-108-04606-2

定价：58.00元